550

‖‖‖‖‖‖‖‖‖‖‖‖‖‖‖‖‖‖‖‖‖‖‖
**W9-AGX-801**

# HOMBRES SIN TIEMPO

Colección
Clásicos Ecuatorianos
No. 1

# Alfredo Pareja Diezcanseco

# Hombres sin tiempo

**PLANETA**

HOMBRES SIN TIEMPO

| | |
|---|---|
| 1ra. edición: | 1941. Editorial Losada S.A. Buenos Aires |
| 2da. edición: | 1957. Editorial Losada S.A. Buenos Aires |
| 3ra. edición: | 1980. Incluida en *Narradores Ecuatorianos del 30* Biblioteca Ayacucho. Vol. 85, Caracas. |
| 4ta. edición: | 1985. Editorial Planeta del Ecuador S.A. Quito. |

Colección:
CLASICOS ECUATORIANOS
Dirección General: Juan Valdano Morejón.

LETRAVIVA DE EDITORIAL PLANETA DEL ECUADOR:
Ediciones internacionales de autores ecuatorianos.
Av. Seis de Diciembre 2130 y Colón,
Edificio Antares, Of. 1204, Quito.

Diagramación: Taller lexis, Quito.
Diseño de la portada: Rodrigo Zapata y Bosé Kaspaty
Fotomecánica: Ayerve - Cromo.
Impresión y encuadernación: Nueva Editorial de la Casa
                                        de la Cultura Ecuatoriana.
Printed in Ecuador / Impreso en el Ecuador.

# I

## MI AMIGO LORENZO Y SU HIJA

Me trajeron una mañana, en que había mucho sol. Los cerros parecían dorados y el cielo, diáfano. No se advertía, por más que yo buscaba, ninguna huella de tristeza en nada, porque el día era de aquellos que parecen de domingo, y todas las cosas brindaban acogimiento alegre, igual que cuando se pasea ociosamente por las mañanas de fiesta.

Mis guardas venían contentos. Hablaban silbando, componiendo chistes, sin dejar, por supuesto, de vigilarme. Conversaban de asuntos groseros, pero festivos, mientras que yo me enrabiaba por la alegría que demostraban. ¡Qué contentos parecían frente a mí! ¡Y yo estaba roído por el miedo!

Andábamos despacio. Yo veía las calles de Quito con el amor que se siente por las cosas desaparecidas. Me parecía la ciudad perdida en un recuerdo lejano, muy lejano. Lo único que poseía sentido de realidad eran los rostros felices de las gentes. ¿Por qué andaban con tanto regocijo? Muchos, igual que yo, se habían despedido, como si hubieran muerto, de los objetos queridos, de los calores íntimos, de toda ilusión y de todo futuro, de toda incertidumbre también. ¿Por qué, entonces? Comprendo perfectamente: eran preguntas absurdas las que me hacía, pero, ¿cómo evitarlas? Las tenía dentro de mí y me salían por los ojos. Sabía, por eso, que mi cabeza se hallaba torvamente inclinada a un lado, mi barba recogida de odio y mi pensamiento libre de razones severas.

Nunca antes había caminado por esta ciudad, y ahora la reconocía como brotada de un sueño. Era nueva y, sin embargo, desaparecía, moría, como si se fugara de mis miradas. El encuentro con las cosas nuevas es alegre, me decía. ¡Alegre! Yo sólo hallaba a la altura de mis ojos filas de casas tristes, inexpresivas, remotas. No obstante, todo lo demás, todo lo que saltaba de los ademanes y del trajín humanos, despedía el calor alborotado de la risa. Pero esos callejones tortuosos que me detenían las miradas . . . Esos colores de los ponchos indios que andaban, como mariposas heridas, a saltitos . . . Yo también traía un poncho, pero no era de colores vivos: era gris, y representaba para mí un montón de lágrimas aún no rodadas por el mundo. Completaba mi equipaje con una pequeña maleta, en la que tenía algunas prendas de vestir y ciertos objetos de hombre civilizado: cepillos, máquinas de afeitar, jabón. . . Y nada más que las miradas turbias, con las que no podía entender las cosas nuevas, sino con el sentido, veloz y rotundo de la muerte.

Me habían anticipado que sentiría mucho frío, pero no fue cierto, ni siquiera al pasar los páramos de la cordillera, sentado en el duro banco de la "segunda" del tren. Recuerdo que mis vigilantes bajaban por turno a beber aguardiente en las estaciones, quejándose con gruesas palabrotas del frío. Lo que es yo no lo experimentaba. Hubiera querido preguntarles la causa, pero los odiaba, y había jurado no hablarles. Muy bien comprendo hoy que mi odio era injusto, que no eran ellos a quienes, precisamente, yo debía odiar; pero se trataba de un sentimiento irremediable, de algo que yo no podía controlar ni analizar. Yo tenía que odiar, y el odio me salía desde las entrañas. ¡Qué hacer! Ahora sé que el odio debe ser así: irrazonable, injusto, sin relaciones de causa a efecto, pura pasión y puro fuego . . . No, no había frío. Por lo contrario, al llegar a Quito, la temperatura era amable y tibia y el sol era un sol que debía haberme llenado de júbilo. Físicamente, nada me molestaba, de nada tenía que quejarme. Apenas salimos de la estación, se me murió la sorpresa en el alma y no encontraba cómo establecer el diálogo con esa calle redonda, con esa subida por las quebradas pulidas, con esas ventanas pequeñitas y con los grandes corredores de cemento sobre las honduras de la tierra áspera. Era entonces cuando, lejos de todo, recordaba a cada instante lo que me había ocurrido, lo que aún me esperaba en la prisión, y ya, desde ese instante, la angustia no me dejaba ni un refugio para llenarlo con alguna idea buena y amable.

Hubo momentos en los que el miedo me atormentó de tal manera, que me flaqueaban las piernas y un ágil camino de alfileres me recorría desde la nuca a la cintura. Recobrábame luego el orgullo y, ya sereno, sentía, hasta tan adentro, el dolor de verme solo, abandonado y perdido para siempre. Muchos días pasé con estas sensaciones contradictorias, con estos cambios bruscos en la emoción, enflaqueciéndome, adquiriendo mi rostro una palidez espantosamente ocre y adhiriéndoseme, en la lengua esta pasta dura y amarga que me da la impresión de haber comido pintura.

En las primeras horas, se desquició toda mi armazón interior. Las fanfarronerías del comienzo, el orgullo que tanto me sostuvo en las más difíciles pruebas, la inteligencia y la voluntad que, aunque extremadamente fatigadas, no me habían abandonado; todo se deshizo de un solo golpe, cuando llegó, cruel y decisiva la condena. Mi alma se convirtió, de súbito, en un pequeño y tímido animal ciego. Ya no era el mismo dolor: era el pánico, el desconcierto, el miedo agudo de no poder sobrevivir a la pena, de no poder regresar jamás a la luz de las calles anchas y de los hombres libres.

El Panóptico se convirtió para mí en algo así como un fantasma. Sabía que era lejano, sórdido, vano de esperanzas, inmenso de torturas, duro castigo de piedra inmóvil y helada.

Era un dolor de proporciones desconocidas.

¡Y ahora estaba cerca de él! Caminaba mirando las casas, los ponchos, los indios, el sol tibio y acariciante, los altos cerros dorados y ese cielo tan arriba y tan puro. Mis ojos, trajinados por el llanto en las noches de soledad abrumadora, refrescaban su ardor con el verde maravillosamente dulce de las colinas. Todo yo sentía frescura de agua en mi llaga quemante. Y de nada, de nada me servía.

Pero no, no puedo decir realmente lo que sentía. Quisiera explicarme, mas yo mismo no soy capaz de entender mis razones. Debía ser el miedo que me ponía en ese trance. Puede ser. Lo cierto es que las ideas venían a mi cabeza de una manera confusa, se contradecían y terminaban por fatigarme la inteligencia.

Ha pasado ya tanto tiempo desde ese primer día. Claro que ahora todo ha cambiado para mí, pero, no obstante, a cada rato procuro recordar el camino, y, por una especie de placer enfermizo, trato de analizar, sin conseguirlo, mis ideas y mis sensaciones de aquellos momentos. Son análisis torturantes e inútiles, pero vuelvo a ellos con frecuencia. Exageraría si dijese que estuve muchas veces a punto de enloquecer. No es eso; sólo una vaguedad en el cerebro, una cierta cosa vacilante que no me permite comprender con rectitud; un desasosiego interior que da a mi respiración el ritmo del ahogo.

En verdad, no habría transcurrido tanto tiempo si lo hubiera podido contar llenándolo con mi voluntad, tranquilamente, en paz, con un calendario en la mano. Pero la tremenda vaguedad y el vacío son peores que todas las distancias y los más largos tiempos. Cada minuto fue tenso, largo, hueco; en cada día naufragaba un mundo entero; cada hora sonó con un incesante jadear de espera. ¿Cómo poder medir el tiempo así? ¿Y esperar qué? ¡Nada! Es inútil, absolutamente inútil. No he encontrado un solo segundo de reposo, la paz se me escurrió de los dedos para siempre y por eso me quedaron nerviosos y móviles, tratando de contener la idea de que esto no terminará nunca porque tampoco nunca ha comenzado.

Y bien, hoy hace justamente cinco años, nada más que cinco años todavía. Esto sí que lo sé, estoy bien seguro. La idea de escribir estos recuerdos me surgió de repente, en una fracción de segundo, y me hizo temblar como si sonara en mis oídos el chasquido de un látigo. Es porque he comprendido que debo obtener mi salvación espiritual, diciendo mi mensaje. ¿A quién? ¿Para qué? No lo sé ni me importa. ¡Pero decir algo! ¡Hablar! ¡Hacer notar mi existencia gris! ¡Que alguien sepa todo lo que de mí no estuvo afuera, pero que vivió intensa y agitadamente dentro de mí!

Lo he pensado mucho antes de decidirme. Y tengo, despúes de mi meditación, la esperanza de que hallaré la liberación de mí mismo. No me interesa denunciar dolores ajenos, torturas de centenares de hombres que viven, como yo, sólo del recuerdo.

Mi alma no se sentiría mejor con tal tónico no fabricado para ella. Yo quiero decir lo mío, y si en lo mío hay mucho mezclado de los otros, las amarguras extrañas no me serán útiles para alcanzar la migaja de paz que necesito. Es posible que me halle cerca de alcanzarla, por mi esfuerzo y para mí, y, entonces, el corazón valeroso, ya no me importará esperar, esperar todo el tiempo que sea necesario para ser libre o para morir antes, que ambas cosas son idénticos finales a mi vida y para ambas debo, inexorablemente prepararme.

Cualquiera diría que estoy desvariando o presumiendo. Ni lo uno ni lo otro es verdad. En primer lugar, hay que hablar de estas cosas sintiéndolas en llaga viva como yo para poder juzgarlas. Y, además, no voy a decir nada extraordinario ni fantástico: se trata de simples hechos cuotidianos, que se repiten con desgraciada frecuencia, y en los que nadie repara así que no los padezca. Lo interesante es que la tragedia anda por mis caminos, que estoy bien con ella y que es mi yo el único que puede experimentar las cosas que ha experimentado. Es verdad que soy un delincuente, pero no lo niego, y mis palabras merecen crédito porque fructifican de una tierra de lágrimas y sangre.

La historia por la cual soy un penado es bastante vulgar. Casi no valdría la pena de contarla, si no fuera porque, en apariencia lejana y distinta, vale algo así como un antecedente, como una gestación de la nueva vida que encontré en la celda, nueva, no por diversa, sino porque es profundamente única y no tiene paralelo con las cosas que se saben. O yo no sé lo que me digo, o los hechos han venido ocurriendo con una lógica ineluctable, inútil de evadir. Desde un momento dado en mi existencia —no puedo precisar cuándo—, todo acto, por insignificante que haya sido, resultó el impulso inicial de lo que después me ocurriría sin remedio.

Lo real es que ahora soy un penado. Me he acostumbrado a esta idea, sin mayores dificultades, pero encerrándome en un mundo cuyos límites se estrechan más y más en torno mío. No soy otra cosa: un hombre que no transita en la perspectiva renovada de los caminos libres, sino que marcha, como la bestia de una noria, sobre los mismos pasos de siempre.

Pero alguna vez fui dueño de mis actos. Alguna vez respiré a mis anchas el aire que quería. Lo veo hoy tan lejano, que me imagino haberlo soñado. Y sin embargo, era yo mismo —estoy bien cierto— el que andaba por las calles tostadas del sol de Guayaquil, el que jugaba de niño, haciendo barcas de papel en las pozas del invierno, el que sumergía el cuerpo elástico en el líquido alegre del Estero Salado, el que correteaba por los vericuetos del cerro Santa Ana, trepando a los árboles de ciruelas o contemplando, maravillado, las manchas rojas del cielo cuando caía la tarde.

Esa época, de la que apenas recuerdo detalles, debe haber sido muy feliz. Tan feliz como olvidada casi. Seguramente tuve, como dicen que todos tienen, oportunidades para triunfar. Yo no las advertí, y, hasta que entró en un período tumultuoso, mi vida tuvo la monotonía plácida de los mediocres. Mi padre tenía, según me cuentan, una manera así de inerte para acomodarse a toda situación. Yo no lo conocí, porque murió antes de que yo viniera al mundo. Aún más: no puedo poseer una imagen de él, no puedo imaginármelo: es como una sombra delgada y curva que camina sin apurarse jamás. Era empleado de comercio, lo que llenaba de orgullo a mi madre, porque me aseguraba que le confiaban muchos valores importantes. Fue ella quien me puso en la escuela, a la que asistí con mucho miedo. Con todo, me daba mañas para reír y sentía, de vez en cuando, instantes de profunda felicidad. Pienso que el niño más miserable debe haberlos gozado, y esto, aunque parezca paradójico, me consuela. Mi madre cosía y bordaba por las noches, mientras que durante el día prestaba servicios de ama de llaves en una casa grande, en la que recuerdo haber sido objeto, en ciertas ocasiones, de algunas palabras amables y de uno que otro obsequio de centavos. Mi madre era mujer orgullosa, trabajadora, de gran carácter, pero, desde la muerte de mi hermana Blanca, comenzó a desfallecer. Mi hermana Blanca era mayor que yo. Ayudaba a mi madre y administraba la casa durante sus diarias ausencias. Aprendí a quererla mucho. Era delgada y pálida, y casi nunca reía a carcajadas. Sabía abrir los ojos de un modo que extrañaba y que a mí me dejaba como paralizado contemplándola. Sobre todo, ambos, ella y yo, teníamos el mismo tranquilo sometimiento ante las cosas. Fue un gran dolor para mí verla en el ataúd y tener, en ella, la primera presencia de la muerte. El fallecimiento de Blanca trizó lenta, pero firmemente, los nervios de mi madre, y disminuyeron en mucho nuestras posibilidades económicas. Empero, seguí los estudios, y cuando empecé el bachillerato gozaba repasando mis lecciones junto al ritmo sordo de la máquina de coser.

Así, un buen día, alcancé mi gran ambición: fui maestro de escuela. Lo logré cuando me faltaba un año para graduarme de bachiller. La recomendación de uno de mis profesores, a quien expuse, en un momento de coraje, desnudamente mi situación, me valió. Mis clases las daba en las noches, en una escuela municipal. Tenía hasta cuarenta alumnos, de toda edad, que me escuchaban con asombro, con grandes ojos asustados. Recuerdo a un zambito que era muy inteligente, pero muy travieso . . . Pero esto no vale nada . . . He pasado un trapo para borrar las noches calientes de mis enseñanzas, las noches dulces de mis palabras, la tiza iluminada del pizarrón, el instante sereno en que mi voz recorría la lista de los asistentes. . . Esto no vale nada . . .

De maestro de escuela y bachiller viví largos años, primero en compañía de mi madre, y luego, cuando ella murió, solo, leyendo novelas y pedagogía. Vivía en un cuarto de la calle Escobedo, hacia el oeste. En los bajos, un chino tenía un salón, en los que acostumbraba a comer o tomar cerveza. Me concedía crédito, que yo cancelaba puntualmente en cuanto recibía mi salario. Era bonito todo esto, pero era empañado y metódico, puntual, como una especie de rito o de ceremonia cuotidiana. Nada me inquietaba, en verdad. No pretendí seguir carrera doctoral ninguna, porque me bastaban los niños por toda ambición. Con ellos me sentía a mis anchas, podía, sin limitaciones, desenvolver mi carácter y ejercer algún poder. Por eso, vivía tranquilo, despacio, sin sobresaltos, un poco amargado a veces, por mi condición social inferior, aunque, en ocasiones, me enorgullecía de ella, y siempre con cierto falso desprecio por las normas. De vez en cuando, bebía con mis compañeros de magisterio y, entonces, iba a cualquier casa de lenocinio, donde arrendaba, a poco precio, una noche de amor. Siempre había evadido este dulce y tremendo problema del amor, jactándome de no creer en él. Me gustaban las mujeres hermosas, elegantes, perfumadas, pero como no se hallaban a mi alcance, decía despreciarlas y las llamaba imbéciles y pretenciosas para los oídos de mis amigos. En las charlas de cantina, me declaraba partidario del amor profesional, el único sin complicaciones posteriores para los hombres que no tenían dinero. ¡Pero cómo me acosaba, de repente, el deseo de un regazo húmedo y tibio en el que pudiera reír y llorar! Yo creía que era señal de viril fortaleza despreciar el amor. Y tenía que gritarlo, porque, de otro modo, ¿no hubiera sido yo un derrotado, un cobarde, un infeliz? Sólo en mis noches me encontraba con la verdad, cuando pensaba, con dolor pungitivo y morboso, en todas las mujeres soñadas que no había llegado a tener.

Cierto día de pago —yo contaba treinta y cinco años entonces—, algunos amigos nos quedamos a beber en una cantina de barrio. Nunca podré olvidar esa tarde calurosa, esa chingana de la calle Quito, ese alcohol y esos brindis. Un piano automático tocaba viejas canciones a cada real que se le ponía. Servíanos los licores el mozo, dejando los vasos opacos sobre el hule mugriento de la mesa y secándose las manos en el sucio delantal que llevaba. En las repisas, pintadas de azul eléctrico con franjas rojas, asomaban los bigotes de las cucarachas entre las latas de conservas y las botellas de cerveza. Entraban y salían mujeres pintadas y chillonas, que pedían con voces jactanciosas cebiches de corvina con harto ají. Nosotros, indiferentes a todo, conversábamos de cosas triviales, y nos reíamos cuando los dados nos hacían perder un turno. A las ocho de la noche, uno de mis amigos, Lorenzo Salazar, nos invitó a su casa. Yo me resistí.

—No me puedes desairar —me dijo—. Es el santo de mi mujer y hemos preparado una pequeña fiesta.

—Es que tú sabes, Lorenzo, que yo no soy hombre de fiestas . . . Te agradezco mucho, pero . . . Fíjate que nunca he estado en tu casa, y así, de repente, con tragos encima . . . No es posible.

En otras circunstancias, mi negativa hubiera triunfado, pero me encontraba ya algo bebido y la insistencia de mi amigo Lorenzo pudo más que mis reparos. Yo siempre huía de las fiestas: no sabía bailar y ni siquiera sentíame capaz de sostener una conversación amena con una mujer de mundo, o que yo creía de mundo. Ningún placer mayor para mí que estar sentado bebiendo y discutiendo con mis amigos.

Empero, por esta ocasión, mis temores y vacilaciones desaparecieron pronto: la fiesta era íntima, entre gente de mi condición, y Lorenzo y yo hicimos un aparte y nos dedicamos, antes que nada, a beber cerveza y a discutir, como unos genios locos, de los más absurdos problemas.

Hacia la media noche, ambos estábamos ebrios. Sobre todo, Lorenzo, que se exaltaba y daba grandes puñetazos en la mesa.

—Te digo que sí. La situación es tremenda . . . Los cauces del espíritu están cerrados: no hay ideas, hermano, no hay ideas a que ceñir una conducta . . . ¡No me interrumpas! ¡Déjame terminar mi pensamiento! ¿Qué valen tus objeciones y tus doctrinas, cuando el espíritu está perdido, en decadencia, estéril, en anarquía? Estamos mal, hermano, estamos mal. ¡Maldita sea! No sólo es que no se puede comer; es que tampoco se puede pensar en nada. ¿Materialismo? ¡Tonterías! ¡Bah! . . . Te digo que no me interrumpas . . . Mírate las manos: ¿qué tienes? ¡Basura! Es el espíritu te lo digo yo, ¿sabes? . . . El espíritu . . . Yo. . .

Decía frases incoherentes, pero rotundas. Yo no recuerdo cuál era mi tesis, pero cuando logré interrumpirlo, y comencé a desarrollarla, se presentó Clemencia, la hija mayor de Lorenzo, y me callé. Era todavía una niña, tal vez de quince años. La vi y súbitamente mi sangre ardió. Clemencia era bella, deliciosa y juvenilmente bella. Tenía en las formas ese mismo olor de los nidos de los pájaros en las mañanas nuevas. Era ágil y clásica, suave y altanera. Daba, plásticamente, la sensación del agua: así era de hermosa y de rítmica. Tenía el color moreno, aterciopelado y cálido, como el de todas las mujeres que había soñado. Sus ojos húmedos, oscuros, brillaban con luminosidad extraordinaria, como de cosa profunda y llena. Atraían como atraen las fuerzas mágicas de la naturaleza. Se acercó y reprendió a su papá por la bulla que metía. Me rogó entonces (¡qué música en su boca!), riendo, que la ayudara a conducirlo a la alcoba. Lo hice así mirándola con la gratitud de una revelación. Cuando Lorenzo cayó desplomado sobre la cama, la detuve y empecé a hablarle con voz imperceptible. Se me antojaba que de mis labios caía un hilo de agua lleno de música. Luego, rió, rió mucho, cuando mis palabras fueron frenéticas y locas, cuando le hablé dulce, arrebatadamente, como nunca pude hacerlo antes, cuando mi voz adquirió el ritmo profundo de la entrega. Su risa fresca me torturaba. Yo estaba, sin duda, exaltado. Aun borracho como me hallaba, mi cerebro milagrosamente esclarecido, fabricaba palabras hermosas y apasionadas, que marcaban penetrantes surcos en mi propio corazón.

No las olvidaré jamás, pero jamás, tampoco volveré a pronunciarlas.

¡Mis palabras! Clemencia hacía pura fiesta de ellas, recogiéndolas debajo de la lengua para reír. Pero debo decirlo: creí que mi suerte estaba decidida en ella, que esa muchachita que hacía bromas con las cosas graves que yo le decía, era mi destino, la ruta salvadora de mi insignificancia, la concreción imprevista de los anhelos sordos que me habían consumido por tanto tiempo. La adoré. Fui todo para ella. Sentía el renunciamiento, como ante un ídolo de humo. Estaba frente a mí, casi irreal, flotando sobre las cosas, repletos de sueños sabios sus ojos iluminados.

No sé si ella también había bebido. Recuerdo que, cuando le propuse beber juntos un poco de vino dulce, me contestó, ufana, que tenía muy buena cabeza y que el año pasado, cuando la fiesta anterior de su mamá, se había tomado Dios sabe cuántas copas.

—¿Qué se cree usted?—me dijo—. ¿Que yo no tengo cabeza para tomar? ¡Bah! Es mejor que la suya para que lo sepa . . .

La escuché en silencio, mirándola de suerte que mis ojos alucinados debieron haberle encendido su cuerpo núbil y fragante.

Habló con frases ingenuas, alegres. Estaba adorable, rosadas las mejillas, elegantes sus manos de dedos afilados, jugosa y madura la forma de sus labios, ofreciéndome sus caminos para que yo arrojara mi muleta y entrara a perderme en ellos. No me acuerdo bien de cómo interrumpí su bulliciosa charlatanería. Le dije, sí, le grité casi, que me hacía sentir su juventud con una fuerza arrolladora, que me despertaba inundado en una vorágine de fuego, que me dolían las yemas de los dedos por tocarla y que mi boca fundía ya en su lengua abrasada el plomo al rojo de una caricia inefable y anticipada. ¡Era que me quemaba de pasión por ella!

La muchacha, entonces, inclinó la cabeza sobre el hombro, mientras sus cabellos ondulados cubrieron medio rostro, y me llamó viejo y romántico, porque yo, no sé en qué momento, le había hablado de ensueños, de estrellas y de pájaros.

Me retiré unos instantes para volver con la botella de oporto. Clemencia, como lo había prometido, me esperaba. Tomamos asiento en el diván que hallábase frente al lecho en el que dormía Lorenzo, y bebimos en la misma copa el dulce vino rojo. Después, me confesó que yo le gustaba porque, a pesar de que era un romántico, decía palabras bonitas sin ninguna tontería y no me emborrachaba con tanto estrépito como su padre.

Afuera, en el salón, la fiesta continuaba. Estábamos solos, en la penumbra, lejos de todos. El ritmo de la música de fonógrafo nos llegaba como una propia voz del silencio. Yo me hallaba con ella y con las sombras, con ella que era mi sueño, mi sombra perseguida. Ahora sí que lo sabía bien, estaba totalmente seguro: era el sueño que había soñado que se hallaba junto a mí, rozándome con sus alas. Las manos me temblaban. Una ansiedad desconocida dificultaba mi respiración. Poco a poco, mis brazos se levantaron hacia ella, mis dedos, extendidos como un sonido, tocaron sus mejillas, y mis ojos cayeron sobre los suyos con la audacia con que se puede caer, para domarlo, en un vórtice trágico. Al tener sus labios apretados en mi boca, las manos se me hicieron duras como garras, y sentí en el corazón el mundo entero convertido en sangre. La pasión me había trasmutado por completo. Caí, caí de mí mismo, y traté de violarla con la torpeza y la furia de un salvaje.

La muchacha, aterrada, luchó. Sentíame poseído por el demonio, descompuesto, estiraba mi conciencia hasta los límites inaccesibles. Cuando Lorenzo, despertó a los gritos de su hija, y se lanzó sobre mí, borracho ya no tanto de alcohol como de ira, acabé de trastornarme. Veo aún como tras un velo, a Clemencia caer desesperada en sollozos. Veo a mi sueño hecho pedazos de repente. Sus ojos desmesurados por el pánico, su cuerpo desmadejado como un montón de trapos, sus gritos apagados y lejanos . . . Seguramente, cayó desmayada. Ya no supe más de mí ni de ella. Lorenzo se había erguido y me atacaba. No me había dicho una palabra. Clemencia tampoco había dicho nada. Todo era oscuro y callado. Miré a Lorenzo como se mira un relámpago: medio sin ojos. Traté de defenderme, yo también rabioso y fulminante. No sé. No lo recuerdo bien. Fue tan rápido, pasó todo, otra vez, como en los sueños veloces. . . Sus manos se habían aferrado a mi cuello y mientras me ahogaba escupíame el rostro. No sé bien cómo lo hice. De espaldas, retorcida la boca en el esfuerzo supremo de librarme de la muerte, levanté las rodillas y se las hundí en el estómago. Liberté mi garganta. Rodamos juntos. Debo haber estado completamente loco en esos instantes. Sólo me alentaba el impulso de destruir. Ni siquiera oí el ruido de su cabeza cuando se rompía: he de habérsela triturado. La golpeaba sin cesar con algo pesado y puntiagudo. Era un objeto de bronce, pero no sé de dónde lo tomé. Cuando me di cuenta de que Lorenzo ya no se movía, toqué rápidamente su pecho húmedo, resbaloso y hediondo a sangre, me mordí los dedos y huí.

Había saltado por una ventana y ahora corría sin darme cuenta de las calles. Escuchaba gritos a mis espaldas. El viento de la madrugada movía contra mí los árboles enanos de un parque. Mi aliento de prófugo se detenía. Me ahogaba un robusto soplo helado, cuya dirección me era desconocida. Corría y corría, sin saber a dónde, perseguido como un animal de caza, aguijoneado por el silbo de un policía que me atravesaba de parte a parte como una aguja. No escuchaba mis pasos. Mi cabeza echada hacia atrás se desgarraba como en el filo de una cuchilla. La presencia del río me desconcertó. Me detuve anhelante y logré torcer mi cuello: no vi a mis seguidores, pero percibí sus voces. Un muelle largo y flaco se hundía en el lodo como las patas de un cangrejo. Rápidamente, resolví ocultarme entre los palos de la balsa. En ese momento, surcaba por el río una leve canoa. Me imaginé que era un duende el que de esa manera tan monótona y extraña, sin luz ni ruido, la guiaba, hendiendo el agua mansa con el remo. Sin embargo, este espectáculo me reintegró a mi pensamiento y grité ¡socorro!, pero la canoa siguió su marcha y yo quedé solitario, contemplando la negra carrera de las aguas.

Debo, entonces, haber perdido el conocimiento. Hablo casi por conjeturas, pues todo mi recuerdo es neblinoso y todo —ayer como hoy— repito que lo veo como un sueño. Mi agitación era mucha. Y aún hoy, mi memoria es vacilante, sonámbula, sin poder concretar los hechos de esa etapa de mi existencia. De lo que sí estoy seguro es de que allí me arrestaron, de que dos policías tiraban de mí, de que las cuerdas de los tortores me cortaban las muñecas.

Lo demás, no vale la pena de contar. Los primeros días de prisión en la cárcel de Guayaquil fueron crueles. Indudablemente, se trataba de algo espantoso. Pero, después, el convencimiento de que, por fin, había ejecutado algo extraordinario en mi vida comenzó a fortalecerme. Además, no me hallaba perverso: lo que me había ocurrido era por accidente, no por instinto ni por depravación, me decía a mí mismo con frecuencia. Y fue así que las respuestas que di en el juicio resultaron altaneras, inteligentes y hasta bellas, porque demostraron cierta grandeza de espíritu. Luego, no sé por qué detalles, volvieron a abandonarme las fuerzas y, cuando, se dictó la sentencia, una gran depresión se apoderó de mis nervios.

Fui condenado, por delitos de asesinato e intento de violación, a diez y seis años de reclusión mayor extraordinaria.

Hoy hace justamente cinco años que me trajeron. Al llegar frente al edificio, mi cerebro repetía rítmicamente estas palabras: el Panóptico, el Panóptico, el Panóptico. . . En la Prevención me entregaron a un guarda, quien, luego de examinarme minuciosamente, me condujo, por un corredor lateral, hacia la sala de la Dirección. Allí, unos empleados tomaron mis datos, los inscribieron en el registro de afiliaciones, e hicieron un inventario de mis objetos, mientras que alguien, que debía ser el director, profirió ciertas palabras que no comprendí bien, pero que frecuentemente se referían al orden, a la disciplina y a los castigos.

Me llevaron luego al almacén para vestirme. Como un autómata, me coloqué el uniforme kaki. Tenía un número a la derecha y un sello con las letras C. P. en tinta indeleble. Inmediatamente, un fotógrafo me retrató. El guarda me indicaba que lo siguiera y hubo de repetirme dos veces su orden. Pasé por una serie de corredores hacia un patio pequeño, rodeado de altas tapias. Al penetrar por un callejón que se iniciaba en el patio, me dijo el guarda:

—Vamos al reservado, compadre.

—Allí estarás —prosiguió—, divirtiéndote un tiempito, según la pena que te haya tocado y según sea tu conducta. No hagas muchas alharacas, amigo, ni te pongas a cantar en voz alta, que ya te irás acostumbrando y después te pasaremos a una celda de arriba y podrás salir al asoleo.

No contesté. Ni siquiera lo miré. Contemplaba no más el angosto pasillo por el que andábamos, a cuyos lados unas puertas de hierro se levantaban amenazantes. Agitó el guarda las llaves. Rechinaron los goznes de mi puerta y entré.

En el acto, arrojé la maleta y el poncho al suelo y me puse

a tantear las paredes con los brazos. Mis ojos abiertos en desmesura no podían ver nada. Eran mis dedos los que querían mirar. Toqué por fin una especie de litera, un lecho con jergón, cuyos bordes de madera recorrí despacio con las manos, me senté en él, oculté la cabeza en el pecho y lloré.

Tuve la sensación escalofriante de que me habían sepultado vivo.

## II

## HISTORIA DE GABRIEL PEREZ PORTILLA

A los veinte días me sacaron del encierro. Si en verdad hubiera sido yo un criminal peligroso, creo que el "reservado" me habría tornado humilde y obediente y, al mismo tiempo, dispuesto a matar, de haber tenido medios para ello. Pero como no soy un criminal avezado, salí simplemente con una grave desolación en el ánimo y una especie de sorda rabia que no podía entender.

Había vivido en una celda tenebrosa, con nada más que tres minúsculos agujeros para el aire. La luz sólo me hería cuando me llevaban de comer. Aparte de que la comida era muy mala, el hecho de tener que servirme a oscuras y junto a la insoportable pestilencia de un retrete colocado a medio metro de la cama, convertíala en asquerosa. Los dos primeros días no pude comer. Después, el hambre me obligó. El cemento del piso y de las paredes despedía tanta humedad que los huesos me crujían y se me helaban hasta el tuétano. Comencé a conocer mi cuarto —mi sepultura— sobándola con las manos, temeroso de que algo malo y desconocido surgiera de repente entre las sombras. Me ocupaba en contar los pasos cortos y los pasos largos . . . Tres pasos grandes de largo por dos de ancho. . . Cuatro y medio cortos por tres . . . Lo hacía repetidas veces, hasta que, rendido, me sentaba en el lecho a no pensar en nada, a procurar no pensar en nada.

Delante de mis ojos sólo había volúmenes de manchas borrosas. Cuando dormía, de súbito despertaba sentado y daba un manotón en el vacío por agarrar un poco de aire para mi boca. Recuerdo haber leído, hace tiempo, eso de la reeducación de los criminales, el ascenso desde lo más inferior hasta la luz, el aire, la relativa libertad; el pretendido perfeccionamiento psicológico del delincuente; el . . . ¡Penalistas imbéciles!

Veinte días vividos de esa manera equivalen a morir. Hubiera podido gritar que agonizaba, protestar, insultar, pedir. . . Quise hacerlo, pero nunca me atreví. Tal vez esa aparente conformidad me valió para que me levantaran el encierro. No sé. Pero cuando salí, fui otro hombre, este hombre que recién se está formando dentro de mí. Me ocurría y me ocurre algo así como una transformación. Mi pensamiento quedó agujereado con la noción tangible de lo oscuro, porque contempló las cosas, desde entonces, al través de la bruma del odio. Lo opaco, lo incierto, lo turbio subieron a ocupar las más altas categorías de mi espíritu y me sentí crecer, no como un árbol a la vida, sino chato, multiplicándome en los blanos inferiores como un hongo venenoso.

Mi primer encuentro humano a la salida del encierro fue, aparte del guarda que ya no era hombre para mí, con Gabriel Pérez Portilla. Mejor dicho, salimos juntos, pues él acababa de purgar una falta disciplinaria frente a mi encierro. Nos llevaron a la misma celda, en el segundo piso. ¿Por qué me dieron a Portilla por compañero? ¿Creyeron quizás, que yo era un criminal incorregible? ¿Habría escasez de celdas?

El tal Pérez Portilla era un tipo alto, forzudo, medio inclinado hacia adelante, ojos vivos y pequeños color de acero, anchas mandíbulas, tez blanca y las comisuras del labio superior trepadas en una mueca de desprecio. ¡Cómo lo recuerdo! En realidad, fue mi primer amigo del Penal y estuvo, aunque pedante y luciéndome superioridad de malhechor, amable conmigo.

—¿Por qué te han traído? —fueron sus primeras palabras.

Como no le respondiera de inmediato, insistió:

—Oye, a ti te hablo. A Pérez Portilla no se le deja sin respuesta. Tú no sabes quién soy yo...

Sin embargo, su tono era suave, tranquilo, hasta cariñoso. Parecía tener tanta confianza en sí mismo, que yo estaba absorto contemplándolo.

El guarda nos había dejado bajo llave. Había, por un instante, desviado las miradas de Pérez Portilla, y encontrábame distraído bajo la sensación agradable de la luz, mirando, al través de los barrotes de la ventana, el buen pedazo de cielo azul, el buen pedazo de aire generoso. Pocos momentos antes, la luz me había cegado, pero, ahora, aún con los párpados rojizos e hinchados, me encantaba la luz y la recibía con avidez.

Volví sobre mí a las últimas palabras de Portilla, dile una explicación y le relaté calmadamente los motivos de mi encarcelamiento.

Portilla rió con harta alegría, me palmeó el hombro y me dijo con tono protector:

— ¡Eso no es nada, compañero! Te falta mucho . . . ¿Y te has dejado pescar por tan poco? ¡Ja, ja!

Este hombre atlético y brutal ejerció de inmediato una influencia grande sobre mi espíritu de esos días. Nadie puede decir que posee el mismo espíritu: cualquier rato se encuentra uno con el descubrimiento de un alma nueva dentro o sobre la anterior, o, si no, con una forma nueva del alma. Yo, como todos, creo ser dueño de mi unidad, pero a base de distintas fuentes de inspiración, que son todas las almas que me han atormentado y me han poseído. En fin, no son mis ideas suficientemente claras o es que no puedo expresarlas con bastante claridad. Pero lo siento así, y no hace falta más. Lo que ahora puedo asegurar es que ese hombre me dió los primeros ánimos para luchar contra el oscuro fantasma de la prisión y formarme así de nuevo el espíritu. ¿No es suficiente? Lo admiré sin reservas.

—¿Cómo te llamas?

Dije mi nombre y prosiguió:

—Fíjate, Nicolás, en tu zoncera. Para la próxima vez debes aprender a no dejarte agarrar como gallina con sueño. ¡Estando a la orilla del río dejarse coger!

— ¿Y cómo te han agarrado a ti? —argumenté.

— ¡Ahí, compañero! ¿No sabes? Me he fugado cuantas veces he querido de las cárceles, y lo haré ahora también. ¿No has oído hablar de mí?

—No, no he oído.

Se enfureció. Me lanzó unos insultos. Yo, sin responderle, dejé que le pasara el arrebato y luego insistí con mi pregunta, a lo que se expresó así:

—Me acabo de convencer de que eres un bobo, Ramírez
Nada sabes, nada conoces . . . Me das lástima. ¡Maestrito de escuela! ¿Es que tienes miedo, que todo te lo quedas mirando como
un idiota?

—Yo no tengo miedo de nada —afirmé con énfasis.

—Mejor para ti, porque ningún cobarde ha podido hasta
ahora estar en mi celda, ¿entiendes? ¡Cualquiera no es amigo de
Gabriel Pérez Portilla!

—Yo he matado a un hombre. . . Yo no soy cobarde —le
dije hasta con cierta vanidad.

—Para cogerme, dos hombres mordieron el polvo primero
—dijo Pérez sin hacer caso de mis palabras—. Y eso que yo estaba borracho. ¡Maldita juma! Fue la juma. Por eso me agarraron. Si no . . . Fíjate, Ramírez, te voy a contar . . .

. . . Gabriel Pérez Portilla tuvo, desde niño, azarosa vida en
el pequeño pueblo de su nacimiento. Pueblo, medio perdido por
cualquier camino de la provincia de Pichincha. Sagaz y aventure-
ro, ufanábase, siempre en trance de pelea, de su origen colombiano, diciendo a gritos que su padre había sido un notable bandido
del valle del Cauca. Aún no contaba diez años cuando el sentido
de lo heroico se le extravió en la sangre y saltábale en los puñetazos que propinaba a sus camaradas, los granujas de la aldea. Era
fuerte y bravo este chico travieso, irrespetuoso de toda norma,
sobrado de vida. A los doce robó y a los quince violó a la indiecita de once años que servía en la cantina de sus padres.

Don Pérez, como llamaban en el pueblo al padre de Gabriel, había instalado su negocio, ya retirado de la vida borrasco-
sa, en una tienducha, en la que se bebía de sol a sol el aguardiente, mientras que en las noches era propicia a los encuentros del
amor clandestino. A veces, había sangrientas peleas y robos, disi-
mulados como mejor se podía ante la justicia, que mañas le sobra-
ban a don Pérez para eso y mucho más, pues así de productivo
era el negocio.

A más de que el chico Gabriel era valiente, alentábase con
el alcohol de que disponía. Y era de verlo, embriagado, imponien-
do el respeto a los clientes de don Pérez, cuando se presentaban
dificultades y era menester el empleo de puños ágiles y duros.

El mozalbete robaba, a pleno día. Pero su audacia fue la

causa de su primera prisión. Don Pérez hizo por su libertad lo necesario, mas al salir de la cárcel su primer acto fue nueva violación en una mujer ya no de tan baja calidad como la indiecita. ¡Con qué fruición recordaba Portilla estas fechorías! Tenía metido en el cuerpo el demonio de lo sexual y cuando lo dominaba su impulso, no le importaban consecuencias. Maltrató malamente a la niña, por lo que volvieron a encerrarlo, enviándolo luego a la colonia penal de Mera.

La madre se entristecía y cuando de esta pena hablaba a don Pérez, el viejo respondía:

—No es nada. Es la sangre... La sangre...

Portilla se evadió. Y tomó para siempre el camino del prófugo, el andar de lado a lado sin ruta fija, pero con el destino marcado ya en el asesinato.

Eran ansias de matar las que sentía. Había peleado, sus contendores habían caído bajo la fuerza de sus puños, pero sólo eran hilos de sangre los que viera correr... Y ahora, trotando de mujer, en mujer, rijoso y bestial, cómo padecía de sed de sangre, de sangre abundante para su rabia.

Cuando me contaba estas cosas con lujo de detalles, yo lo admiraba. Me sorprendían tanto su audacia, su absoluto desprecio por las leyes y los códigos morales, su bárbaro placer de dios perverso, que, a pesar del miedo que me infundía, me era profundamente simpático.

Uno de esos días de fuga —me dijo—, acampó en una hacienda y trabó en ella conocimiento con los contrabandistas de aguardiente. Se trataba de un buen negocio, y él, necesitado como se hallaba de dinero, entregóse de lleno al contrabando. Raimundo era el jefe de la banda. Había allí un enredo de complicaciones entre don Raimundo y el dueño de la hacienda, complicaciones que la sagacidad de Portilla intuyó. Quiso aprovecharse y planteó el caso con malicia a don Raimundo. Díjole que él sabía mucho, que podía irse cualquier rato, que a lo mejor se le escapaba sin querer alguna palabrita y que, entonces, el negocio, la hacienda, todo se iría al diablo. Don Raimundo, calmadamente, le habló así:

—¿Quieres ganar más dinero, Portilla? Dímelo claro.

—Si usted no se opone, claro que sí —respondió Portilla con sorna.

—Bueno, entonces, déjate de rodeos y escúchame. Hay

una manera de que ganes mucho más y de un solo golpe. Justamente, esta noche te puedo necesitar. Te ofrezco una misión importante, a ti que eres el más bravo de todos.

—¿De qué se trata? Dígalo por derecho, don Raimundo.

Don Raimundo se explicó ladinamente:

—Pasa lo siguiente, y es que el dueño de la hacienda ha sabido por mera casualidad que los guardas del Estanco andan merodeando estos lugares, y a lo mejor van a creer que él está metido en el negocio . . . Me ha dicho, pues, que eso debe arreglarse y yo debo salir de la hacienda con todo . . . ¿Comprendes? Olfatean algo y se pondrán a dar palos de ciego, como se dice. A lo mejor dan con la cosa . . . Ya te puedes imaginar. . . Don Antonio está muy preocupado y, como dueño de la hacienda, no quiere verse envuelto en este lío. . . Además, que él no tiene nada que ver con el negocio, mi palabra.

—¿Y las influencias?

—Las cosas parecen muchas veces, pero no son. Hacerse la vista gorda tal vez. . . Don Antonio casi nunca viene a la hacienda. . . Lo ha mandado a decir. . . Yo me entiendo sólo con el mayordomo, nada más. . . ¡Las influencias! ¿Te parece poco haber sabido con tiempo los planes de los del Estanco? ¿Qué más puede hacer? Bueno, Portilla, no tienes para qué discutir. Los hechos son los que valen. ¿Aceptas?

—Si usted tiene armas, no sé por qué se asusta de nada.

—No te creo tonto, y te lo estás haciendo . Hay que estar listos, hay que salirles al encuentro, hay que impedir a toda costa que entren en la hacienda. ¿Entiendes? Si por desgracia, toman el camino de la entrada, hay que hacerlos ir por otro lado. ¿Cómo? Eso es cuenta tuya. Ahora que si llega a ocurrir una desgracia, nadie sabrá que fue cerca del negocio. ¿Te fijas? Todo podrá arreglarse bien. Y a media noche, sobre todo. . . Ni peligro siquiera hay . . .

—¿Cuánto, don Raimundo? —preguntó, cortante, Portilla.

—Te daré cuatro hombres y revólveres.

—¿Cuánto en plata?

—Doscientos sucres.

—Por delante, don Raimundo, si quiere que vaya.

Hubo de dárselos don Raimundo, y con ellos Portilla se aprestó a cumplir la obligación contraída, bebiendo durante lo que faltaba de la tarde a la salud de la empresa.

Al comienzo de la noche, partió. Cabalgó con sus hombres por el camino solitario. Montaban caballos baquianos. Pronto cayeron las sombras del todo. Cuando llegaron a la encrucijada convenida, Portilla desmontó y empezó a pasearse, impaciente, matando la espera y el frío con sus movimientos. El viento de la cordillera venía directo y afilado a chocar en su cuerpo. Nadie hablaba. Arriba, no había una sola estrella y los árboles más altos parecían siluetas de ancho cartón sobre el sendero. Portilla se distanció unos pasos de sus hombres para hacer de vigía. Habían transcurrido dos largas horas, cuando advirtió:

— ¡Oıgan!

Un trote de caballos se escuchaba a la distancia. En el acto, Portilla y sus hombres montaron de nuevo y se ocultaron tras los árboles. Tenían los ojos brillantes y las manos listas en las culatas de los revólveres. Al parecer los jinetes por una vuelta del camino, fueron recibidos por cinco disparos simultáneos. Los guardas no tuvieron tiempo de apercibirse a la defensa. Sólo uno alcanzó a tirar a ciegas, pero inmediatamente fue desmontado por certero balazo. Otro cayó a tierra, a causa de su caballo que había sido herido, y gritó con las manos en alto:

— ¡No me maten!

Los demás, se fugaron sin presentar combate. Portilla se acercó, entonces, arma en mano. El hombre agónico se retorcía quejándose. El otro, seguía implorando:

— ¡No me maten!

Gabriel Pérez Portilla rió anchamente.

— ¡Maricón! ¿A qué vienes acá sı no eres hombre?

—Yo no tengo la culpa. . . Me mandaron. . . No me mate. . . Yo no soy más que un pobre empleado.

—Te metes en cosas de hombres y sales llorando. . . ¡Párate, desgraciado!

Y súbitamente furioso, lo pateó, le hundió las narices con el taco de sus botas, lo levantó como un muñeco de paja por los aires, tomándolo de las piernas, y arrojólo contra el suelo con un estrépito de huesos rotos.

—Déjalo ya, Portilla —le dijeron sus compañeros.

—Este corre de mi cuenta y nadie tiene por qué meterse en mis cosas— respondió terminantemente. Luego de una pausa, agregó: — A éste me lo llevo yo de carnada. Déjenme solo. Yo soy el responsable.

— ¿Qué vas a hacer?

— ¿No he dicho que nadie tiene que meterse en mis cosas? ¿A quién le dieron el cargo, a mí o a ustedes? Lárguense ligerito o no habrá un centavo para ustedes.

Se fueron los compañeros: lo temían y sabían que él mandaba. Portilla, una vez convencido de su soledad, tomó una cuerda de la montura del caballo y amarró al infeliz que se hallaba sin sentido por sus golpes. Y en tanto que el otro guarda quedaba tendido para siempre en trágica postura —boca abajo, la rodilla derecha recogida de tal modo que alcanzaba casi las quijadas, los brazos extendidos sobre la nuca y las manos paralizadas y entrabadas en los terrones del camino—, Pérez Portilla, a pie, comenzó a arrastrar el cuerpo del vivo.

Hallábase poseído de ardor vesánico. Nadie ni nada le hubiera hecho cambiar de resolución. La tenía en la cabeza quién sabe por cuánto tiempo. El arrastrado comenzó a quejarse. Entonces, obligólo a ponerse en pie y lo hizo andar en su delante, teniéndolo por la soga que le daba vuelta a los brazos contra el pecho. Momento a momento lo amenazaba:

—Anda ligero o te destapo los sesos.

Al llegar a cierto lugar, Portilla tendió bruscamente de un puñetazo al guarda, que cayó sin exhalar un ay, volvió a él con un tarro de nafta que había tenido oculto en la maleza, se lo volcó encima y le prendió fuego.

Riendo, tambaleándose, los ojos más iluminados que las mismas llamas, contempló el incendio de ese cuerpo enovillado y saltarín como un extraño juguete mecánico.

Los árboles continuaban marcándose en la noche fría y negra. El viento agitaba la hoguera y se llevaba, montaña adentro el olor de la carne quemada y la risa borracha de Pérez Portilla.

Cuando mi compañero de celda acabó de contarme esta escena, me sentí aterrorizado, pero comprendí que me hallaba cerca de un poder monstruoso de una fuerza oculta y extraordinaria de la naturaleza, y callé. Sólo mis ojos hablaron. Deben haber expresado esa mezcla de sentimientos ante lo inevitable y lo grande.

Tuvo que fugarse de nuevo, me contó. Cayó en manos de

la justicia por otros delitos y en otros pueblos. Huyó de las cárceles de Quito, de Tulcán, de Otavalo. ¿Cómo poder aniquilar a ese torrente de fuerza desordenada?

No tenía fatigas para el crimen. Cierta noche, nuevamente prófugo, andaba en busca de su aldea, donde esperaba obtener dinero de una mujer a quien dice amar, y de la que es temido. Pero antes de llegar, encontró a un hombre que llevaba el mismo destino. Le pidió que le invitara a una copa. Bebieron juntos. Ya ebrios, el desconocido le propuso:

—Vamos a seguirla en casa de mis tíos. Ellos tienen plata y son buenos. Vamos allá.

No quiero seguir reproduciendo este relato. Me atormenta y me estremece. Es como una tempestad, como un agitar de la tierra entera . . . Me provoca huir. . . Bebió con los buenos viejos . . . Y él mismo, cínico, les advirtió que trancaran la puerta porque sabía que Pérez Portilla andaba por esos lugares . . . No sé por qué no puedo evitar el contar estas cosas. . . Aunque sea con pocas palabras. Me tiemblan los huesos cuando escribo y siento que la conciencia se me hace grande, inmensa como una torre de hierros desnudos. Yo bebo de este relato una vida que nunca imaginé, pero de la cual me encuentro muy cerca. Bebo un vino tan fuerte, que me embriaga. Mi espíritu se pone a dar saltos y no acaba de comprender nada.

Pérez Portilla es apenas una cosa del enredo inmenso que es la vida. Pero es una cosa grande. Grande, cuando puesto de pie, como una cascada de furia, gritó a los viejos:

— ¡Yo soy Pérez Portilla y qué pasa!

Sin una disputa, sin una ofensa, como los grandes terremotos, Portilla agigantado de rabia, mató a palos al viejo y violó el cuerpo fofo y sucio de la mujer. Al amigo del camino, lo torturó a puñetazos cuando lo dejó privado, salió a las rutas olvidadas, feliz, risueño, desembarazado por unos minutos de sus instintos, ligero y poderoso como ese viento que le caía encima de su frente de sangre.

Por fin, lograron darle caza. Lo batieron a tiros cierta noche de juerga, pero antes cortó la vida a dos policías y sólo se rindió cuando su revólver estaba vacío de cápsulas. Lo apalearon, lo dejaron como muerto en la prisión, pero él no podía morir. Aquí lo tenía yo en mi presencia, mojándose los labios con su lengua, soltando sus frases duras y casi indiferentes.

—Y aquí me tienes, compañero. Fue una descuidada. Yo estaba muy borracho y quería seguir bebiendo con la hembra. . . Ella me lo advirtió: cuenta, que vienen a cogerte. Pero así es la vida, pues. A mí nadie me hace correr, le respondí. Si no hubiera estado borracho, habría pegado muy bien los cinco tiros. Es que me llegó la hora, pero ya saldré de aquí. La sentencia dice que no hay pena para tantos delitos. . . ¡Ja! Esos desgraciados quisieran matarme o tenerme aquí toda la vida. No les daré gusto. Ya verás, ya verás. . . ¡Señores jueces! Todos son unos vendidos. ¿No te acuerdas de lo que te he contado cuando mi papá los compraba con el negocio? Condenan sólo para que les paguen. . . ¡Desgraciados! Ya verán. . .

No puedo decir que seguí admirando sin reservas a Portilla. Después, fue más bien miedo lo que sentía a su lado. Pensé que, en menor grado, mi instinto era el mismo que el suyo. El también, como yo, había empezado violando. . . ¿Sería sólo que yo era un cobarde para ser un verdadero asesino como él? Mucho temor me daba su presencia: me atolondraba, me hacía pensar cosas absurdas, completamente anormales. . . ¿No habría mejor que destruirlo todo, arruinarlo todo? Yo tenía mi protesta oculta, y me salía a la garganta cada vez que conversaba con Portilla. La desbordante virilidad de este hombre me hacía daño. Era perverso, pero su talla había alcanzado la de los héroes. En sus accesos de furia, cuando se ponía a dar de gritos salvajes sacudiendo las rejas con sus manos de hierro, adquiría proporciones de leyenda. Yo, entonces, me recogía medroso en un rincón, y allí estaba aguaitándolo, todo ojos y todo pavor. Lo castigaban con la ducha helada de las madrugadas, pero retornaba más rabioso, aunque reservado, mascando la injuria del castigo, a tenderse boca abajo en el lecho, en el que, mudo, se agitaba horas enteras. En veces, se encerraba en un mutismo, no diré melancólico, pero sí triste, profunda y valientemente triste.

Una mañana me dijo:

—Oye Ramírez, tengo que hablarte de un asunto muy importante.

—Dime, Portilla —le respondí un poco temeroso.

—Tengo un plan para fugarnos.

—¿Fugarnos?

—Seguro. ¿Es que te quieres quedar aquí diez y seis años?

—Pero. . .

—Todo lo tengo arreglado. Mira, he conseguido este puñal en el taller. Es por si acaso. . . Yo no aguanto ya más aquí. Cualquier cosa, antes. . .

Me enseñó el arma sacándola de la pretina del pantalón.

—No entiendo —le dije— cómo vamos a poder fugarnos. Sólo con un puñal. . . Es un plan descabellado. Todos los guardas tienen pistolas y los policías, fusiles. Es absurdo, Portilla. Piénsalo bien. Te vas a hacer matar.

—Lo que pasa es que tú tienes miedo. ¡Maestro habías de ser! Te digo que el puñal es por si acaso. ¿Te crees que no tengo un plan bueno? Mira, somos tres. El negro Jaramillo, yo y tú. Para esta noche, todo está listo. A la hora del cambio de guardia, en que por la parte de atrás del Panóptico, por la que da al cerro, no hay policías. Es cuestión de aprovechar rápidamente el tiempo del relevo. En cinco minutos estamos afuera. ¿Acaso no tienes piernas para correr? Y por el cerro, entre los árboles, nadie nos verá y no podrán tirarnos. Fíjate que mi plan es bueno: momentos antes, yo gritaré que estoy con cólico. Cuando venga el inspector de la Serie, tú le dices que me estoy muriendo de dolor, con fiebre alta. Entonces, él entrará a ver qué pasa y yo lo agarro. ¿Comprendes?

—¿Piensas matarlo?

—Sólo si es necesario. Si llegara a fallar, no me conviene estando preso. Sólo en último caso. Desde la tarde, a la hora del encierro, a las seis, el negro Jaramillo se esconderá en la cocina.

Le observé que podían notar la falta de Jaramillo y que, entonces, doblarían la vigilancia, pero me respondió que eran temores míos, que el cocinero era bien "liga" del negro Jaramillo, y que le había soltado cincuenta sucres; que el guardián de la Serie adonde estaba la celda del negro no era tan estricto y que nunca se ponía a contar los presos en las noches, sobre todo, que en esa celda había cuatro hombres debido a la refacción que estaban haciendo en la Serie B. . . Le expuse más razones a las suyas, pero fue inútil que yo tratara de disuadirlo.

—Mira —me dijo, por fin—, tienes que resolverte. Si te

quedas en la celda, de todos modos te irá mal por haberme ayudado. Y si antes dices algo que no conviene, ya sabes lo que te espera. . .

Sus últimas palabras fueron glaciales y lentas. Su mirada oblícua era fría.

—No soy un delator, Portilla —le repuse vivamente—. Te lo digo porque me parece que no vamos a salir bien de este lío.

— Eso se llama cobardía. Es cuestión de resolverse. Mira, Ramírez cuando uno se ve mal en la vida, lo que hace ganar es atacar primero.

—¿Y si falla?

—No falla nunca. Todo el que grita primero, gana. Pero no sólo hay que gritar: cuando se cierran las manos y se insulta, hay que estar resuelto a todo. El otro lo comprende muy bien, y cede. Así es, Ramírez. ¿Me acompañas? Ya sabes. . .

Todo el día fue para mí angustioso. Se trataba de una aventura extraordinaria que iba a cometer de todos modos, porque en no hacerlo me iba también la vida. ¿Sería desde ese momento mi destino el de la hazaña y la audacia? ¿Desde que cometí mi crimen no habría cambiado el curso de mi existencia? Acaso. Sería, entonces, otro hombre. La fuerza de las cosas me empujaba sin remedio a sobresalir, a no ser un tonto conformista, un simple maestro de escuela. ¿Qué me depararía la suerte? El asesinato, la lucha, la burla de las leyes, el vivir sobre las torturantes preocupaciones morales. ¡Quién sabe! Nunca más podría alejarme de Pérez Portilla. Quedaría amarrado a su historia, a su insolente superación de la vida. Por algo yo había cometido un crimen, por algo, de repente, había dado un salto sobre el abismo de mis preocupaciones. . . Sí, era un comienzo y un cumplimiento a la vez. Lo cierto es que me encontraba bajo la influencia de Pérez Portilla, y por eso tenía que pensar estas cosas. No me arrepiento, pero las confieso como una demostración de los distintos espíritus que nos poseen y nos guían en el curso de los años y de los acontecimientos. A la verdad, vacilé mucho y hasta pensé, sin poder reprimir mi pensamiento, en delatarlo, pero la certeza de que Portilla se habría vengado asesinándome y el asco de proceder con tanta villanía, me hicieron rechazar la idea. ¿Quedarme en la celda, arriesgando el castigo por complicidad? Era una solución, pero la más imbécil de todas. Sólo me quedaba acometer la empresa. Había que intentarla. Conocía muy bien por dónde había que saltar. Por momentos, me daba ánimos, repitiéndome que un buen impulso era suficiente. Había que subir un piso, llegar al techo, correr al filo más cercano de la tapia y salvar veinte metros de profundidad para caer como un gato sobre el muro. De él, ya era fácil descolgarse a tierra y tocar los barrancos de la loma... Luego, correr sobre los cerros, al través de los matorrales, aventurando la espalda a los disparos, pero ya no importaba nada; eran la tierra y sus árboles que me habrían de salvar, y la tierra y los árboles, por libres y por fuertes, son buenos para el fugitivo y lo esconden y lo ayudan y dan alas a sus músculos para seguir la carrera inalcanzable. Pero, ¿y si caía en el patio? No debía suponer esto. ¿Para qué imaginarse siempre lo peor? Sin embargo... Por un ángulo, la distancia era más corta y la cabeza del muro se hallaba más baja. ¿Tres metros acaso? Sí, no eran más, no podían ser más...

El día se escapaba sin remedio. Yo hubiera querido detenerlo, poner las manos adelante para que no pasara, pero la tarde se me metía entre los dedos y llegaba hasta mis ojos asustados. Pasó el crepúsculo vertiginoso y cayó la noche. Un silencio de cementerio envolvía los corredores. Un reloj sonó. Mi mente ya estaba agotada de tanto pensar, pensar...

—Las ocho y media —fue todo lo que dijo Pérez Portilla.

Nos encontrábamos ya encerrados. Yo me acercaba sin hacer ruido hasta la ventana de rejas y no podía ver nada. Al frente, el espesor de los muros altos me devolvía mis propias miradas de asombro.

Después de unos minutos, mi compañero advirtió:

—Nicolás, hay que estar listos. Voy a llamar. Ya sabes lo que tienes que hacer y cuenta que te pongas a tartamudear...

No respondí nada ni tuve tiempo de hacerlo, porque Portilla dió en quejarse con altas voces.

El inspector llegó y preguntó:

—¿Qué pasa aquí? ¿Qué tanta bulla?

Me acerqué ágil a la puerta, y, tratando de estar en calma, expliquéle:

—Pérez que está que se muere de cólico. Tiene una fiebre altísima. Parece que se le va el pulso. Mejor sería que lo viera para que lo llevaran a la enfermería, no se vaya a morir el pobre aquí adentro.

No sé cómo me salieron estas palabras. Lo había hecho mejor de lo que yo esperaba y, sobre todo, no me había temblado la voz. ¡Era estupendo! Casi me froté las manos de júbilo, pero contuve mis sentidos y esperé.

—Vamos a ver qué le. pasa —dije al inspector—. Un empacho no más ha de ser, pero como siempre este Pérez es tan escandaloso. . .

Había entrado ya. Yo me quedé contra la pared, incapaz de mover un músculo. La luz era mortecina. Se movía en las sombras al débil soplo del viento que se encajonaba en el corredor, y viajaba de una pared en otra, proyectando las manchas amarillas del foco. En mi espalda, la piedra. En mis ojos, la tensión azogaba de mi temor y mi curiosidad. Vi el cuerpo del Inspector acercarse, reflejando sus espaldas entre las rayas que dibujaban las rejas. Todo pasó en un segundo. Portilla decía, señalando su abdomen, que se moría y que sospechaba que lo habían envenenado. El Inspector se inclinó para mirarlo. Entonces, elástico como un felino, Pérez Portilla saltó sobre él y le plantó su puño en la mandíbula.

—Pronto, Ramírez, ayúdame.

Con las frazadas, lo amarramos y le tapamos, a toda fuerza, la boca. No había tiempo que perder. Salimos, resbalándonos por el corredor, hasta el cruce con la Serie B. Allí encontramos a Jaramillo, que venía desde abajo, desde la cocina. No cruzamos una palabra, pero todo salía a pedir de boca. No obstante, mi corazón se había vuelto loco y sonaba más fuerte que nuestros pasos. Subimos la escalera de hierro, saltando los escalones en puntillas. Ya en el techo, en la amplia terraza de piedra, nos arrojamos al suelo y continuamos a gatas la carrera. La noche era muy oscura y difícilmente se nos hubiera podido ver. Adelante iba Portilla. Yo era el último. La sombra de un guarda se vio pasar por uno de los techos vecinos, que se cortaba en cruz con el nuestro. Esperamos que retornara y, en el momento que nos volvió las espaldas, aceleramos la marcha.

¡Qué trabajo el de mi cerebro! Millares de ideas fantasmas torturaban mi cabeza. Empero, sólo una se quedaba y con más velocidad que la curva de un segundo me decía que la guardia de la policía no podía hallarse tras el muro, que estaría en la esquina conversando con el relevo, que nadie nos vería, que la carrera entre los matorrales, en esa noche prieta era fácil, que daría mi salto con suerte, porque junto a Portilla, el hombre poderoso, nada malo me podía pasar, que. . . ¡Ya no había tiempo! Era inútil fabricar razones: Sólo había que actuar, que destrozar el alma contra las piedras. Portilla se paró el primero. Inclinó la cabeza, corrió, veloz como el aire, unos metros, y saltó. Un golpe seco se oyó contra el muro. En el mismo instante, dióse la vuelta y desapareció. El negro Jaramillo fue inmediatamente. Y cuando yo iba a hacer lo mismo, vi —o creí ver—, espantado, cómo el pobre negro sólo alcanzó a poner los dedos en la espalda del muro, resbalando sin remedio. Su cuerpo sonó contra el patio como una puerta que se cierra de golpe.

Creo que si hubiera tenido tiempo, tampoco me habría atrevido a saltar. Ni siquiera hubo cómo intentarlo. El Penal se llenó de gritos y de órdenes. Los silbatos cayeron sobre mí. Los fusiles latiguearon su aullido contra el cerro. Yo no hice más que levantar las manos, paralizado de miedo, para que no me mataran.

El castigo que me aplicaron fue horrible. Me llevaron a empujones al patio, al mismo patio por el que me condujeron al "reservado". Me golpearon, me insultaron, me obligaron a entrar en un cajón de cemento con forma de ataúd. Yo no quería protestar: quería pedir perdón, pero no me dejaban hablar. Si movía los labios, un bofetón me los callaba antes de que profirieran una sílaba. Hice gestos, que no entendieron. Me miraban con rabia, lejanos, sordos. Una llave de agua helada, a dos metros de altura, se abrió sobre mis ojos. Poco a poco, apenas un hilo de nieve sobre mi rostro. Sentí que el frío me apergaminaba la piel. De arriba desde donde se paraban mis miradas, los guardianes me clavaban los ojos. Cuando el agua pasó ya sobre mi rostro, hube de izarme con ambas manos prendidas de las rejas con las que taparon el cajón. De otra manera, me hubiera ahogado. El esfuerzo era enorme. Ya sólo tenía la boca afuera. La asfixia comenzaba a invadirme antes de la hora. Mi nariz respiraba a todo viento la humedad insípida de la noche. Mis manos se quebraban. Cada uno de mis dedos se iban a romper, y debajo de los brazos sentía un dolor tan vivo que me daba la

impresión de que mi carne se desgajaba. No recuerdo más . . .
Seguramente, me helé. Desperté con los palos que me daban
para hacer circular mi sangre.

No se cuántas horas pasé así, tendido en el suelo, soportando los golpes. De vez en vez, se acercaban hasta mi rostro y me
movían para saber si estaba muerto.

—Levántate, levántate.

Yo no podía responder nada más que no, un débil y susu-
rrante que me salía de la boca del estómago con un ritmo de
arcada.

—Arriba. . . Arriba. . .

Traté de incorporarme. Me dolían las rodillas. De mi cabeza manaba sangre. Mis narices también estaban tintas en rojo según adiviné. Me consumía la fiebre. No podía respirar.

—Camina. . . No te hagas. . .

Mis pasos vacilantes se movieron hacia lo que no sabía.
Pero ellos me guiaban y me empujaban. Entré así nuevamente en
el "reservado" sin darme cuenta de nada y los primeros minutos
fueron de profundo alivio al sentirme tendido, con toda la textura de mi piel encogida, buscando un calor que ya no había en
mí.

Después de un rato muy largo, me incorporé. Palpé las
tinieblas. Mi cabeza estaba sorda a toda voz y a toda ciencia.
Me olvidé de mí. Me alejé de mí. Experimenté como una elevación en la miseria de mi cuerpo. Y, entonces, comencé a sufrir
lo que antes nunca había sufrido.

La noche, tan junto a mí en la lobreguez del encierro,
huyó de mis ojos y no pude dormir. El insomnio era más fuerte
que el dolor de mis huesos y me hería más que las desgarraduras
de mi carne.

Gabriel Pérez Portilla pudo fugarse. No supe más de él.
Qué destino de leyenda tan diverso al mío. . . El negro Jaramillo
se rompió ambas piernas en el salto, pero vivió. Y yo, insomne,
quedé a solas con el recuerdo de mi crimen, metido hasta lo más
negro de mis sentidos el mismo grito de Macbeth: ¡has asesinado al sueño! ¡No dormirás más!

# III

## NOCHE DE SOMBRAS

¡No dormirás más! Tengo las manos heladas y la cabeza ardiente. Los ojos se me agrandan de tal manera que se hallan a punto de estallar contra la pared de piedra. Y los huesos, los pequeños huecos de luz, se han convertido en otros ojos más grandes, más terribles, más rojos que los míos. ¡No dormirás más! Tiemblo. He querido orar hace un instante, pero las palabras, con sólo pensarlas, me pesan como rocas de abismo y me fatigo inútilmente para arrastrarlas hasta mi boca. ¡Nunca más hablar! ¡Ni dormir! No me duelen las llagas de mi cuerpo. Me duelen, ¡pero tanto! los ojos. He llevado una mano a ellos y he podido tocarlos enteros a pesar de tenerlos ya enormes. Es tremendo palparlos así, gigantescos y duros. . . Y no los puedo cerrar: mis dedos de hielo presionan sobre los párpados que se resisten estirados por las sombras hasta ese techo lejano que más presiento que veo. Sé que tengo las manos heladas, pero no sé por qué han quemado mis ojos al tocarlos. ¿A causa de qué, si no, me han ardido tanto y han saltado millones de chispas a chocar en todos los rincones de los ángulos ocultos? Me ciegan las chispas, pero no puedo cerrar los ojos. Las luces diminutas regresan de las paredes a herirme las pupilas con un bote elástico. Siento ahora en llamas la cabeza. Trato de apagar el incendio de mis cabellos, golpeándolos rudamente con mis manos de hielo. ¡Qué calor! Las manos. . . Hielo. . . Un poco de agua para mis labios secos. . . ¡Sólo un poquito! Apenas lo necesario para que se humedezcan. O si no, dormir, dormir aunque fuera un minuto, un instante reducido, chiquito. . . Yo lo tomaré con mis manos ávidas y frías y lo dilataré hasta el tamaño de una hora, o de un día, o de todos los días a que alcance mi vida. . . Pero no hay que decirlo. . . Esto es sólo para mí, muy secreto. . . Soy yo el que hará el milagro. Si pido lo que me pueden dar sin generosidad: ¡un minuto, un insignificante minuto de sueño!

¡No dormirás más! Es una voz profunda metida en el pabellón de mis orejas, la que me arroja estas palabras. ¡No dormirás más! Es como si me flagelara con los mil látigos sonoros de sus sílabas. Trato de juntar la forma de hielo de mis manos para hacer un ruego humilde, pero la voz profunda se adelanta: ¡no dormirás más! Ya no me tortura sólo en los oídos: la siento en todo mi cuerpo, en la textura de cada poro de mi carne. Me grita que no tendré sueño, que no tendré agua, que no tendré minutos de olvido, que no tendré más que noche eternamente dura y larga, agigantando las bolas de granito de mis ojos. ¡No dormirás más! Me duele tanto este latigazo ensañado hasta en los más ocultos rincones de mi piel, que salto y me revuelvo sobre mí mismo para huir de mi propio cuerpo. Estoy en desorden, desconocido para mí, luchando no sé bien con qué y ni siquiera puedo sentir la clavadura de mis uñas de hielo en las tetillas de mi pecho sin aire.

Los ojos rojos de los pequeñitos huecos de luz se acercan, se alejan, pero siempre abriéndose más y más. Me atan a ellos, a su color de sangre, a su cruel luminosidad, a sus movimientos desarticulados. Están prendidos de mí, amarrados a mí, ¡y cómo me duelen sobre mi cabeza transparente!

Ahora me doy cuenta de que las chispas que hicieron llamas de mis cabellos vienen de esos ojos enormes, como los míos, fijados en lo alto de la puerta. Es ése el fuego que me quema desde el cuello hasta la punta más liviana de mi pelo. Viene directamente a meterse por mis ojos crecidos y sale de ellos a abrasarme entero. Pero, ¿por qué, entonces, tengo tanto frío y me caen estas pequeñas gotas congeladas de los dedos? ¡No dormirás más! Si fuera solamente el calor, me dormiría; si únicamente el frío, podría cerrar los ojos y mirar nuevas y plácidas superficies dentro de mí.

Pero no hay nada que pueda encontrar dentro o fuera de mi ser. Sólo hay vacío aquí y allá y los ojos rojos de los huecos de luz. Y me voy —lo siento positivamente—, ligero como una pluma, siguiendo rutas absurdas. El vacío me conduce a velocidades desconocidas quién sabe a dónde. Me hundo. Una cárcava inmensa me atrae desde el fondo. Las montañas abismales levantan las gibas para irme despedazando en la caída. Y los suaves alcores de reposo se esconden para que yo no pueda alcanzarlos jamás. ¿De dónde me tomaré? He de encontrar un asidero, alguna punta fuerte de dónde agarrarme, desde donde evitar esta huída. No puedo deshacerme, así, no puedo viajar sin un pequeño sentido de destino.

Es inútil. Es inútil que mis manos heladas y mi frente en llamas se agiten por prenderse de una idea. Es inútil este jadeo de mis entrañas. Voy a perderme en el torbellino ignorado. Las llamas azules se levantan desde el fondo oscuro. Voy cayendo. Y allí, tan adentro, me he de torcer como el humo de la roca encendida y han de saltar en pedazos las redondas distancias de mi espíritu.

Los ojos rojos me siguen mirando y mis ojos agigantados como bolas de granito ven sombras, sombras y sombras. ¡Noche eterna para mi ojos! ¡Noche eterna para las sombras! ¡Noche eterna para que no se cierren mis párpados hinchados!

¡Lorenzo! ¿Qué haces aquí? ¿Qué quieres? Me han brotado las palabras con un crujido de rotura. Se me ha roto el pecho: no hablo por mi boca: articulo mis voces con las entrañas cálidas. ¡Lorenzo! ¡Qué ronco me oigo! Son esos ojos de la puerta sus miradas. . . Ahora lo veo claro. . . Sí. Está frente a mí, viene a mí, se acerca, llega. . . ¡Ay!. . . Todavía no me alcanza. . . ¿Qué quieres? ¡Yo te maté! No puedes ser tú, Lorenzo, porque no existes. Rompí tu cabeza como si fuera la loza de un muñeco. Nadie ni nada puede haberte zurcido las ideas que murieron con tu cerebro. ¡No puedes ser tú, te digo! ¡No puedes ser tú Lorenzo!

Lorenzo está de pie, en mi delante, enorme, tendiéndome las manos en una súplica desesperada, mientras que sus ojos me miran sórdidos, rojos y violentos. ¿Qué quieren de mí sus ojos si sus manos imploran misericordia? Es él quien me arrastra al vacío, que quiere llevarme adonde yo lo sepulté. . . Vamos juntos. ¿A dónde? No sé. No lo toco. ¡No quiero tocarlo! ¡Déjame Lorenzo! ¡Quita de mí tus ojos! ¡Vete! ¡Quita de mí tus ojos! Si no lo haces, te mataré otra vez, te mataré otra vez. A ti puedo matarte, pero no a mi sueño. ¡No me hagas asesino de mi sueño! ¡Piedad, por Dios!

Yo he matado a un hombre y ese hombre está ahora parado en mi presencia. Su cara no es de venganza; su cara es más terrible que la venganza: expresa lo inexpresable por medio de los sentimientos. ¿Qué quiere, entonces? ¿Qué quieres de mí, Lorenzo? No, no es tu cara la horrenda: son sólo tus ojos, tus dos ojos malditos y colorados, que se han apoderado de los míos y los empujan hacia adentro para asfixiarme en la apertura sin salida de mi propia sangre. Ya casi lo consigues. . . Mis ojos me ahogan. . . No puedo. . . ¡Vete! ¡Ya!. . . Me. . . ¡Me vas a hacer estallar en minúsculos pedazos de cosas encendidas y heladas! ¡Perdóname, Lorenzo! ¡Deja en libertad mis ojos! ¡Hazlo por tu hija!

¡Tu hija! Fue con los sentidos abrasados por la carne brillante de tu hija que te maté. ¡Te amo, Clemencia! ¡Defiéndeme de tu padre! ¡Socórreme de él! Tus brazos pueden salvarme. Tu cuerpo que no gocé puede ahora protegerme contra la presencia tormentosa de tu padre. Tu espíritu, milagrosamente suave, será blando descanso para mis ojos, tibieza para mis manos de hielo, agua fresca para mi sed y para el incendio de mis cabellos de espanto.

¡Ven Clemencia! ¡Quita de mí los ojos implacables de tu padre! ¡Dame de tu licor hasta que, ebrio, pueda juntar mis párpados en el olvido! El, él tuvo la culpa de morir y de que yo no te gozara. Te hizo para mí. Nos encontramos cuando habías crecido para el ardor de mi sangre. Y te quitó de mí. . . Ahora quiero dormir a tu sombra, y que mi sueño dure tanto que, al despertar, ya no encuentre mis ojos ni mis dedos congelados, ni mis cabellos encendidos, ni mis entrañas agujereadas. ¡Que no encuentre nada después! ¡Y que no sea mi sueño el que muera sino este yo deshecho por la voz diabólica de tu padre!

Sé que vendrás, Clemencia: ¡te amo con tanto anhelo! Mi amor se proyecta en mí y tú regresas enredada en los hilos de mis luces. ¡Es mía tu alma! ¡Pero quiero verte! Tu sonrisa, tus cabellos, tu piel de niño, tu voz están dentro de mí, me pertenecen para toda la vida porque los he descubierto sólo para mí y nadie podrá jamás arrebatarlos de mi pensamiento. Vas a venir. ¿Me oyes? Vas a alejar a tu padre de mis ojos. Lo sé bien, Clemencia, porque té amo con toda mi sangre y con toda la sangre que vertí de tu padre. No lo maté por mí sino por tí, por tenerte, por la gloria de tus caricias... Debes venir... ¡Eres mía, y no puedes negarte!

... Qué descanso tan dulce... Las manos ya no me tiemblan de frío y los cabellos se han tornado ligeros sobre mi frente. Los ojos rojos y duros se diluyen en las sombras... Es tu presencia, ¿sabes? Las chispas de luz no me atormentan. ¡Qué suaves cosas me envuelven! No te veo ni te siento, pero la noche cae tan blandamente sobre mis ojos, que tú tienes que estar aquí, muy junto, extendiendo tus manos fáciles y aéreas por la dureza trágica de mi cuerpo.

No es cosa de este mundo lo que siento por ti. Por eso, no te lo digo con palabras. Por encima de ellas, hay otra estructura enclavada en mi pecho. Sólo que es bella como el humo y frágil como él. Amor como humo, amor como humo... ¿Quedará algún jirón de ti en la dolorosa tormenta de mi espíritu? Lo que sé es que estás aquí y que me amas, porque es el mismo amor mío, la realización en mí, de una ternura inmensa como el tiempo ignorado, como todo ese tiempo en que te soñé, mujer maravillosa, sueño tú misma, desleída y apretada en los caminos absurdos de mi claustro. No eres humo, no puedes ser cosa que se vaya constantemente. Has venido y me das esta frescura, esta agua que me circunda y me mece para dormir... ¡Dormir! Clemencia... Es tan poderoso mi amor... ¿Alguien podrá alguna vez sentir lo que ahora me embriaga? El naufragio nuestro, Clemencia, no existe... Gozo... ¡por fin, contigo, por fin! Te voy a tomar los cabellos para besarlos de uno en uno. Voy a rozar tus brazos con mis dedos. Y cuando lleguen mis labios a los tuyos, vas a desaparecer entre mis ansias, como una voz ahogada entre sollozos... Por fin, contigo... Y así amándote, puedo juntar mis párpados y mirarte a mi lado, con mi sueño. ¡Qué dulzura en mis párpados! Son tus manos que los cierran... Y te veo...
¡Te veo, milagrosa Clemencia, con tu risa de fruta, con tus

ojos brillantes, con tu cuerpo núbil, con tu boca alegre como la curva de un pájaro misterioso, y dulce como un dátil que no he mordido nunca!

No me importa haber matado a tu padre. ¿No ves que mi sueño está vivo? ¡Qué abandono el de sus miradas! Tus pestañas. . . Tu frente. . . Toda tú vienes de lejos, de sitios que no tienen nombre. . . ¿Será esto la muerte? Me siento como en tránsito, cruzando por mundos de aventura, con la brevedad de los extasis. ¡Qué hermoso es terminarse así! Voy a dormir, ¡y no me importa que sea para siempre! Contigo empieza el viaje. . . Tú me conduces. . . Sueño a mis ojos. . . ¡Ah Clemencia!

Me dijeron que había estado a punto de morir. Más que el castigo, creo que la exaltación de mis nervios produjo la fiebre. En la enfermería pasé una semana, no del todo repuestas mis facultades. Supe que me habían sacado del encierro, apenas al día siguiente de mi intento de fuga, inquietos por mi estado que parecía comatoso. Me diagnosticaron congestión pulmonar, pero yo sigo creyendo que fueron mis nervios la causa de mi enfermedad.

Me fui serenando poco a poco. Se trató, a mi juicio de una crisis terrible, que pude salvar. Con todo, ha sido muy útil a mi espíritu, lo ha esforzado y, más que nada, lo ha esclarecido. El médico, un hombre joven, y, por tanto, bueno aún, tuvo atenciones solícitas para mí. Puedo decir que se portó como un amigo. Sus palabras me proporcionaron más bienestar que sus medicinas. El me habló de mi delirio, del que tenía vagas ideas y del que guardo, hasta hoy y hasta siempre, la imagen alucinante de esos ojos y la consoladora presencia de la hija de mi amigo Lorenzo. Lo he escrito, procurando ser muy fiel. Y al escribir, realmente mi carne se abre con las mismas sacudidas que debo haber experimentado cuando hallábame delirante y agónico.

Me levantaron el castigo hasta que estuve sano. Y como el Reglamento exigía de todos modos el cumplimiento de la pena, me volvieron a encerrar por quince días, pero ya, en esta ocasión, los pasé tranquilo, meditando en ella, meditando en muchas cosas que antes no había sospechado. Encontré, con sorpresa, que la noche me gustaba y que podía aclarar mi pensamiento cada vez que un temor cualquiera me hacía buscar en el lomo de las paredes. Sentía la plenitud de un descanso y la alegría exaltada de haber encontrado un camino y una heroica decisión por las verdades escondidas.

Después, me condujeron a una celda del último piso, a la que sigue penetrando cada mañana un sol amable. Cinco años cuento ya dentro de ella. Su número, 247, me es querido como algo íntimo. En mi celda vivo solo, y soy, así, el exclusivo dueño de mis meditaciones y puedo escribir estas memorias destinadas a darme paz. Uno se acostumbra tanto al sufrimiento, que termina amándolo o deja de ser sufrimiento. Lo cierto es que me haría falta ya. En él presiento que coinciden los motivos más contradictorios de mi naturaleza, y por él soy capaz de adentrarme más y más en mi vida interior, de tal manera que he llegado a compendiarla y recrearla en algo parecido a un receptor que transforma en otras las palabras que lo hieren. Por esta razón, nada hay que pueda existir fuera de mí. Y por eso mismo, creo que mi amor a Clemencia es una forma de amarme a mí mismo. Y si no fuera así, ¿cómo resistir este alud de emociones que día a día rompe y renueva mi pensamiento?

Clemencia se ha trasmutado en todas las imágenes posibles a mi cerebro. No Clemencia, sino mi amor por ella. Este amor sin ninguna limitación que me ha proporcionado el placer extraordinario de formar un nuevo yo dentro del mío.

Si no hubiera matado por ella, ¿qué sería hoy de mí? ¿Habría superado esa etapa de insecto que fue mi vida anterior? ¿Habría podido llegar a este clima de pasión y de llanto que sólo está reservado a tan pocos hombres? ¿Habría sido capaz de superar el sentido de las cosas triviales? Clemencia, tengo que invocarte siempre para pensar. Eres mi cosa amada, mi secreto impulso. Única mujer que amé, has quedado ligada a la fuerza misteriosa de mis ideas. Porque tú misma eres una idea mía, una cosa inenarrable que salió de mí y se presentó, de repente, como un hecho sin remedio. Y mejor que fueras rauda en la presencia física, porque así te he podido tomar el alma para siempre y he logrado tu cuerpo al través de tu espíritu. Ya eres eterna, mujer. Ya no puede haber olvido para ti, como para los hechos que se tuvieron demasiado realmente.

Las palabras que escribo son como los signos de un conjuro a mi pasión. Tú, amada, cada vez que te invoco, estás muy cerca con tu amor arrimado a mis actos, a este aliento del mundo

43

inmenso y nuevo —mundo de sombras— que vive en esta sórdida casa de piedra.

Es que las verdades que me alcanzan en la prisión no llegan por las razones de mi inteligencia. Las gano por el corazón, y ese corazón es el tuyo, Clemencia.

## IV

## LA BOMBA

Tres meses viví en humilde silencio, hasta que mi conducta
dejó de ser sospechosa. Entonces, pude salir al asoleo, asistir a
los talleres, y conocer La Bomba.

Había visto antes La Bomba, pero realmente no la conocía. Claro que había cruzado por ella cuando me trajeron, que
volví a pisar su húmedo suelo cuando, salido del "reservado", subí a la celda del segundo piso a alojarme con Portilla, y que, otra
vez más, retorné por su camino al venir a mi celda número 247.
Pero sólo después me llegó a ser tan familiar. Los primeros meses, todo me era indiferente y las cosas que encontraba a mi paso
no adquirían más importancia que la incierta de lo desconocido.
Casi mis ojos no veían. En cambio, hoy, La Bomba, me pertenece.
Está unida a mi destino tan estrechamente como yo al de ella.
Si la libertad individual tiene algún sentido positivo, yo lo he descubierto en las fugaces, pero sólidas meditaciones que se me han
ocurrido al cruzar por ese encuentro de caminos que se dirigen
siempre al encierro, por esa trabazón de corredores, de entradas
y salidas, por esa naturaleza vigilante que se llama La Bomba.
Los patios, la cocina, los muros de piedra, las escaleras de hierro,
las celdas, los castigos y las visitas de premio todo converge y se
explica en ella así como las graderías explican la pista de un

circo. Su disposición es torva, porque engaña y porque significa una medida táctica contra posibles subversiones, mas yo la amo justamente por su arquitectura hipócrita: al atravesarla, se experimenta, por unos segundos, la sensación de libertad, de que uno puede escoger cualquiera de los caminos que insinúa, de que, en fin, los hombres —yo todavía entre ellos—, son, en realidad, los autores de sus destinos y los libres gozadores de su albedrío.

En La Bomba he vivido momentos intensos de mi nueva personalidad: los de asimilarme a mí mismo, superando la duda de si podía o no llegar a entender —y, por tanto, a amar— esta inédita actitud de mi espíritu, que comporta, también una distinta actitud de las cosas que me rodean. Es que sólo allí encontrábame lúcido para comparar y llegar a saber que la privación de mi libertad es un accidente sin ninguna importancia para el mundo, pero de innegable significación sustantiva para la creación de mi yo, de un  yo que, en mis años anteriores, no hubiera podido nunca intuir. Estos pensamientos se afirmaban en mi cuando encontraba con la contradicción moral de la estructura de aquel recinto o centro diario de las disposiciones reglamentarias —como quiera llamársele—, y cuando mi contradicción interna se acoplaba a la otra para aprender de ella que mi más alto destino se estaba cumpliendo en la prisión.

Podría decir, en otros términos, que La Bomba servíame de instrumento para acomodarme a un nuevo ritmo de vida. Si acostumbramiento significa conformidad, no sería justa mi idea. Lo que me iba ganando no era conformismo, sino más bien alegría, sensación de seguridad, alegría como fundamento vital, alegría que, por lo mismo, puede ser triste o jubilosa. Así de sólida era, día a día, la certeza de que llegaría a encontrarme bien en el Penal, a tono conmigo y con mis deseos. La razón se sirve, para iluminar, de cualquier forma aparente. Es como un objeto que, por fuerza, de un bote repentino, cae con justeza en el sitio apuntado; o como la luz que por refracción, alumbra, con los más hermosos colores, los planos menos imaginados.

Lo indudable es que yo empezaba a encontrarme bien. Y lo lograba —mejor dicho, lo veía más claro—, en parte, merced a las entradas y salidas que me hacían atravesar La Bomba. Se trataba de una asociación extraña con mi pensamiento, pero de magnífica realidad. Me recordaba, por ejemplo, que había caminos y caminos, puertas, asideros, fugas, pero que no conducían a nada como a nada conducen el encierro, la meditación y la piedad por sí mismo. Lo evidentemente grande está en extraer un sentido de cosa dura de esta nada ocasionada por el encierro, para lo cual los factores externos juegan su papel, pero que, en verdad, sólo se encuentra en uno mismo, así sepa buscarse e interrogarse. Yo amo La Bomba por tantas razones que me esfuerzo en explicar, y la distingo con valores inconfundibles. De esta naturaleza, con tales meditaciones, con sorprendente valentía, pero con la lentitud necesaria a las grandes creaciones, fueron desapareciendo en mí los momentos de dolor y de miedo. Para explicarme mejor, diría que me refiero a ese dolor insano y bárbaro de los primeros tiempos. Ahora, gracias a un mundo que llevo en las entrañas, mi dolor es de otro linaje: obra como impulso y está moldeado en el gesto severo de una responsabilidad y de una sabiduría.

Allí, en ese sitio común para todo ojo inepto, he presenciado hechos y sombras edificantes. Hoy, puesto que se me ha calificado, parece que de modo definitivo, como un penado de buena conducta, transito por él con relativa frecuencia. Pero esta pequeña libertad —la necesaria para no romper mi mundo— me fue otorgada mucho después de que mi simpatía por La Bomba se hubiera establecido en mis reservas de ternura; algunos años después de que aquel Director de los castigos crueles —aquel que, cuando mi intento de fuga, me hiciera padecer la tortura del ahogo en el baño helado—, fuera reemplazado. Realmente, la empecé a conocer a los tres meses de mi castigo, cuando la atravesaba por obligación, y desde entonces fue creciendo mi amistad por ella. Y a ese tiempo me refiero (no al actual en que para conversar con mi amiga no padezco de limitaciones), a la época de enamoramiento de La Bomba, cuando todavía no era mía del todo. Esas sombras y hechos los presencié entonces, en los primeros años de reclusión, en los momentos en que las experiencias se amontonaban en mi alma y las enseñanzas adquiridas apenas apuntaban sus frutos nuevos. La historia de mi amiga está, en verdad, hecha de retazos, que yo he zurcido y arreglado, como si fuera un rompecabezas. Son los trozos de vida que tuvo y los que me han llevado a ella. Voy a relatar, para que sea conocida su grandeza, uno de aquellos pedazos y hechos edificantes, en el que se puso de relieve esa pedagogía del sentimiento personal, de que es dueña mi amiga La Bomba, y cuya clave de maestría consiste en la forma contradictoria de su vida de piedra.

Yo lo supe todo desde un principio, pero lo oculté celosamente, anhelante por que ocurriera, para gozar de los acontecimientos. Mentí, hice creer que tomaría parte activa en ellos, les dije que contaran conmigo, que yo estaría decidido a todo en el momento preciso. Todavía, en aquellos días, gozaba yo del prestigio de la intentona de fuga, y se me buscaba en solicitud de consejos. Esto me producía un extraño goce, que no podía reprimir: el de saberme incapaz —por voluntad más que por indolencia— de acometer nueva hazaña y el de fingir lo contrario, con palabras sonoras y promesas violentas. Claro que no les hice traición, pero no los ayudé que es, tal vez, otra forma de traicionar. Lo que pasa es que a mí este asunto no me importa absolutamente nada.

Ocurría que entre los muros de la Penitenciaría se acumulaba a diario un odio tremendo. ¡Los castigos eran tan crueles! Se azotaba con largos látigos por cualquier falta pequeña; se encerraba en el infiernillo (un lóbrego cuarto peor que el "reservado", hecho de cal y piedra, tan estrecho que el recluso no podía sentarse) a los que desobedecían una orden; por una reincidencia, al rebelde se lo ponía en el cepo, guindado de los pulgares como un pelele, o en cuclillas, entrabados brazos y piernas por un fusil. Y los que morían en los suplicios, eran arrojados a una gran fosa, en el patio triangular, detrás de la Piscina, junto al taller de los tejidos. Los mismos guardas llamaban Panteón a ese patio. Era tanto, era tanto, que ya no pudo soportarse. Mis compañeros criminales estaban resueltos a salvar el terror, defendiéndose con sus uñas, con sus dientes, con su carne. Es lo que sucedió. Como un fenómeno físico, la presión de rabia tuvo que estallar. Hubo algunos días de preparativos, en los cuales tomé parte febrilmente, ocupando con gozo toda la imaginación de que soy capaz. Los cabecillas de la conspiración me consultaban y yo dábales consejos prudentes, indicábales maneras, enseñábales a disimular, a pasar papeles de mano en mano sin ser vistos, a entenderse, en ciertos momentos, con un verdadero código de señales que inventé. Después de todo, era un placer que experimentaba: me sentía el rector espiritual de ese conglomerado humano, y esto me sabía dulcemente a una especie de venganza contra mi vida anterior, en la que fui humillado, aplastado por el orden de una sociedad que me despreciaba. Maestrito de escuela, me había llamado un día el gran criminal de Pérez Portilla. Maestrito de escuela era la frase que leía en las miradas y en el pensamiento de la gente de ese Guayaquil, escenario de tantos años que no quiero volver a soportar. Ahora yo mandaba entre las sombras y era feliz.

Cuando ocurrieron los hechos, supe mantener la serenidad y tomar una actitud inteligente y digna. El triunfo no me embriagó como para hacerme cometer la tontería de seguir hasta el fin una aventura que sólo era intelectual. Bello jalón el que colmaba, en actitud cimera, para la conquista de mi porvenir.

Aún me parece vivir aquellos momentos. Fueron como en el cine: rápidos, intensos, alucinantes. Eran las once y media de la mañana. Los guardas almorzaban en el comedor. Uno que otro cumplía su turno de vigilancia con el desaliño de la función diaria. Los reclusos siguieron al pie de la letra mis consejos. No fallaron en nada. Se hallaban asoleándose en el patio. De súbito, las puertas del comedor fueron cerradas, con los guardianes adentro. Diez o quince penados, armados de palos e instrumentos de zapatería, atacaron, veloces como demonios, a los vigilantes de turno, desarmándolos y encerrándolos en una celda. Los amontonaron unos sobre otros. Como la policía en aquella época no iba a la guardia sino al caer la tarde, no había más nada que temer. Una comisión de reclusos, encargada de robar las llaves de los guardianes prisioneros, abrió las celdas de todos los presos que encontrábanse aún encerrados. Salían, congestionados de rabia y gritando:

— ¡A La Bomba!
— ¡Todo el mundo a La Bomba!

Allí se concentraron. Yo quedé arriba, sin ser advertido por el tumulto, en el primer corredor, desde cuyas barandas podía dominar perfectamente La Bomba y los pasadizos del piso bajo. Una gran algarabía llenó la casa de piedra. Un atruendo de desconcierto ganó, por unos minutos, la palabra de los cabecillas. Después, sólo se escuchó la voz de mando de los más audaces:

— ¡A las puertas! ¡A las puertas! ¡Abajo el director!
¡Muera el director!

— ¡Mueraaa!

El primer intermedio —la puerta de hierro que da acceso
a La Bomba, viniendo derecho desde la entrada principal— les
cerró el paso. Y mientras rompían las cerraduras, el director salió
de su despacho, echóse al suelo y, atrincherándose en los pocos
escalones que había a la entrada del corredor central, empezó
a disparar su revólver. El director era un hombre corpulento, pero
manco. Y así, no sé cómo, podía disparar sin descanso.

— ¡Muera el director! ¡Adelante! ¡A ganar la otra puerta!
¡A la calle!

Los penados estaban enardecidos por el tiroteo. Ni uno
solo volvió la espalda. Estaban realmente enfurecidos. Cayeron algunos a los tiros certeros del director. La sangre comenzó a correr y los vistió de venganza. Caían retorciéndose, exhalando ron-
quidos de dolor y de odio, pero agonizaban con un grito en los
labios, en veces sordo por el trance definitivo, en veces bronco y
duro como una maldición:

— ¡La cabeza del director! ¡Muera!

La ola humana avanzó. Se había vencido la primera puerta. Yo veía, desde arriba, sus cabezas alborotadas, sus cráneos
desnudos, sus brazos levantados, sus puños enloquecidos, sus gritos que trepaban hasta mí como un humo sangriento. Sólo faltaba el segundo intermedio, y, entonces, ya sería fácil despedazar
a ese hombre Paseaba mis miradas desde el torbellino de hombres a centenares de presos.

Mi posición era agazapada. Mis orejas se estiraban con el
ruido, mis ojos se abrían más y más contemplando la hazaña sin
nombre. Paseaba mis miradas desde el torbellino de hombres al
director. Era un espectáculo singular y heroico: tendido en el
suelo, cada vez que su revólver quedaba vacío de cápsulas, lo
cargaba con los dientes. Sereno, imponente, frío, las mandíbulas
ajustadas, apuntaba con su arma. Con precisión numérica, echaba
a tierra, uno por uno, a los cabecillas, a los que más alardeaban
de valor, a los que, automáticamente, ahora, en el fragor de la
revuelta, habían tomado el comando de la sublevación.

La puerta del segundo intermedio crujía. El director no
se movió de su sitio. Cada minuto, volvía a cargar su revólver,

mientras el muñón de su brazo izquierdo le guardaba la cabeza de los objetos que los reclusos le arrojaban. Tenía algo de cómico esa figura, semi protegida por los escalones y un brazo corto, poniendo en jaque a una masa furiosa.

Los penados seguían cayendo. Un solo tiro salió de entre ellos, pero no dio en el blanco. Debía ser una pistola arrebatada a un guarda. Después, no sé por qué, no volvieron a disparar. Tal vez se encasquilló el arma. Y caían, caían sin importarles, sin saberlo casi. Era idéntico a cuando un buen tirador acierta en los conejos de tiro al blanco: golpes rítmicos, caídas rítmicas, gritos rítmicos. Hubiera asegurado que el director medía el tiempo entre una muerte y otra. ¡Qué fría precisión para matar!

Yo esperaba el desenlace. Hacía frío, pero sudaba copiosamente. Los ojos se me habían prendido de ese hombre manco. ¡Cómo ser igual a él! ¡Qué entereza! ¡Qué bella forma de atacar y defenderse! Ese hombre debería tener el alma en los dedos y en los ojos, en nada más. La puerta cedía. En pocos minutos más, todos caerían sobre ese cuerpecillo y lo descuartizarían como a una res de matadero. ¡Y yo lo iba a contemplar! ¡Vería sus retorcimientos últimos, su lucha salvaje —estaba seguro que lucharía—, su sangre sucia correr a borbotones! Debía tener mucha sangre, mancharía toda la escalera y muchos hombres serían salpicados y quemados por ella.

— ¡Muera el director!
— ¡Mueraaa!
— ¡Adelante!
— ¡A la calle! ¡A la calle!

¿No se le terminarían nunca las balas al director? Parecía increíble: el revólver, con una velocidad absurda en un mutilado, siempre estaba lleno de balas, siempre volvía a cargarse, siempre volvía a disparar con exactitud tremenda. No decía una palabra. No hacía más que tirar, tirar, tirar. Su rostro era ceñudo, pero inexpresivo, pálido, firme. El movimiento de su mano, acompasado y mecánico.

De improviso, aparecieron los soldados. Dispararon sus fusiles. El director se levantó y fue el primero en avanzar. A los quince minutos, la sublevación fue dominada. Yo, cuando vi los uniformes y escuché los silbidos de las balas de los fusiles, me retiré vivamente a mi celda. ¿De dónde salieron tantos soldados?

Eran como cincuenta. Habrían oído el tiroteo o habrían sido llamados por algún vecino. Fue un final muy triste. Poco a poco, saqué afuera mi cabeza y me puse a mirar. Mi primera impresión trágica se borró con un crimen espantoso. La serie C., la del último piso, destinada a los presos políticos, se hallaba llena en esos días. Por la puerta entreabierta, lo vi todo. Los soldados, con el fusil a la altura del estómago, subieron. Y fríos, helados, sin una voz, fusilaron en su propia celda a un coronel retirado. No tuvo tiempo ni de hablar ni de protestar ni de pedir. Abrió los ojos y cayó de bruces, extendiendo las manos hacia adelante. Luego, rápidamente, le amarraron una soga debajo de los brazos y lo colgaron del corredor. El cuerpo se bamboleaba ligeramente, como si fuera una rama que el viento sacudiera. Tenía los pies abiertos, la cabeza hacia atrás, los ojos saltados y un hilo de sangre le bajaba desde el rostro. Comprendí: disimulaban así una fuga para justificar con ella el asesinato.

Me pareció inconcebible la paz que círculó pesadamente después.

A mí no me castigaron, por supuesto. En mi declaración, hice notar que no me había encontrado en La Bomba en esos momentos y que ni siquiera me quise aprovechar de los instantes de arrebato. Yo no había sabido nada de lo que se tramaba, lo juré.

Sobre la derrota y los veinte cadáveres de mis compañeros, yo había alcanzado un triunfo para mi corazón. Los razonamientos que había fabricado con la presencia de La Bomba se vieron confirmados por los hechos que acababa de presenciar. Se había resuelto, ante mis ojos, la lucha de la libertad contra el encierro. Era una ecuación clarísima, que respondía a la torva arquitectura hipócrita y contradictoria. Me probé a mí mismo que la libertad no radica en las calles sino en el propio ánimo y en el propio dolor. Conocí más a La Bomba. Y mi noche estuvo repleta de meditaciones útiles aunque febriles.

Después, durante muchos días, mis razones cobraron la forma de las sombras. Y en el atardecer, cuando se hacía el silencio, los muñecos de mi imaginación tomaban vestidura humana y los veía caminar por ese recinto, asomándose al círculo de hierro que lo circunda. Manos extendidas atravesaban las rejas e imploraban en la noche. Ojos iluminados buscaban una salida. Pasos silentes y arrastrados viajaban en circunferencia, ansiosos por salir del círculo apretado, para acabar en la muerte, como un escorpión entre un círculo de llamas. Y delgadas siluetas masculinas — ¡las más bellas!— llevaban en sus ademanes el renunciamiento a las cosas vulgares de una libertad limitada a sí misma por el espíritu, por la época y por un concierto de hombres petrificados. Eran mis criaturas. Eran formas de mi pensamiento, escapadas para objetivizarse y darme la seguridad de lo justo.

Claro que estoy convencido de que se trataba de alucinaciones. Pero ¿adónde reside exactamente la realidad? De todos modos, como quiera que fuese, eran proyecciones de mis ideas. No necesitaba de más para convencerme. Otra vez, y en razón de mi amor por La Bomba, tétrico lugar de convergencias opuestas, me llegaba el bienestar de encontrarme a mí mismo.

Por eso, amiga Bomba, ya no me importa ser un recluso sentenciado a larga condena. Nada me urge a la luz de las calles. Tu luz y la mía me sobran por toda sabiduría. Y así, con el espíritu fortalecido, voy en camino — ¡oh, instante supremo si lo alcanzo!— de hallar una explicación a mi vida y una tranquila complacencia a mi destino.

## V

## LA BATALLA OSCURA

No se crea que mi tránsito fue cosa fácil. Tan pueril resultaría esta creencia que, de haber sido verdadera, mi conversación, sin valores serios, habría quedado reducida a simple asunto de deseo nada más. No. Era algo fundamental y heroico. Lo es aún, porque esta agitación que me mueve no termina, que si terminara en un punto dado, la obra entera se me desbarataría. Es, justamente, el hacer continuo lo que me alienta. Cada día nueva lucha y nuevo triunfo, nuevo placer por tanto.

Muchas batallas ha ganado así mi espíritu y muchas aún le quedan por librar. La preocupación del sexo ha sido una de las tremendas. Pero en esto he tenido el auxilio maravilloso de mi amor a Clemencia. Es decir, el sentido de mi amor a Clemencia, su presencia casi real, su vivo recuerdo, han sido y son el impulso de todo, de este todo que es mi liberación. Lo comprendo así, y debo decirlo.

Nunca he sido yo un hombre comunicativo y externo. Más bien, afirmaría que soy y que fui desde siempre, un solitario. ¿Qué mucho entonces que pudiera dominar un instinto como el sexual? Cuando en la vida vulgarmente cuotidiana, el sexo me vencía con la afrenta del amor profesional, ahora que la he trasmutado, ¡cómo no iba a poder ser fuerte contra él!

Todos saben lo que es este problema en una cárcel. Pues bien, estoy ufano al decirlo: lo he resuelto, no existe para mí, lo he superado como un ángel o un demonio, pero en cualquier caso como un hombre situado más allá de la vida y de la muerte, del bien y del mal.

Yo he visto a los hombres desesperarse. He contemplado, azorado y curioso, los retorcimientos bárbaros y dulces de un poseído por la carne, al través de una reja infranqueable. He oído llorar de rabia y de impotencia. He presenciado la palabra grotesca y el ademán inmundo. He temblado de miedo de caer yo mismo en el amor extraviado. Lo he tenido muy cerca, tan cerca que casi fui su esclavo. No es que dé muy grande importancia a esta forma de la satisfacción genésica, desviación de los instintos, de la necesidad, del crimen o de la belleza. Me explico el fenómeno, mas, para mí, hubiera significado una derrota en el camino de ascenso por el que había echado a andar mi alma, fortalecida por el amor a Clemencia. Y sin embargo, la cárcava oscura de las pasiones, que siempre se halla alerta en el fondo de nosotros mismos, me atrajo una vez con la fuerza salvaje y telúrica de los abismos.

Fue un mozuelo inteligente y bello que llegó un día a ser mi vecino de serie. Estaba condenado por robo y sodomía. Trabó amistad conmigo y pude así adivinarle un espíritu fino y elegante y una dulzura que pocas veces encontré en el trato humano. Era inculto. Sus lecturas no habían pasado de los cuentos infantiles y de la literatura pornográfica. Pero poseía una intuición maravillosa y una cabeza ingenua y clara. Cuando yo le hablaba de las grandes tragedias y los grandes hechos, sus reacciones emocionales, por simples y por justas, eran tan elevadas como en el genio.

—Mira, Nicolás —me decía—. Yo he sentido eso que tú explicas. . . Una vez. . .

Y me hacía el relato de las incidencias de su pequeña vida, hablándome con gracia y con patetismo encantadores.

Después de haber tenido la amistad brutal de Pérez Portilla, la comunicación espiritual con ese muchacho me resultó una experiencia nueva y hermosa. Fui su amigo y consejero. Llegó a confesarme sus pecados, y yo se los disculpé, hablándole en nombre de la ciencia y procurando, como siempre, destruir la sociedad absurda que me había puesto al margen de los éxitos y de la gloria. El chico recibía mis palabras como de la boca de un maestro. Clavaba en mí sus bellos ojos, al decirme:

—Sólo tú me dices con tanta claridad las cosas. Te entiendo muy bien. Te lo agradezco en el alma, Nicolás.

Lo consolé en sus crisis de llanto y desesperación. Fui padre, amigo, hermano. Trabajé su espíritu de suerte que, a poco, la cárcel no fue para él la cosa tremenda con que lo habían amenazado, sino sólo una etapa y un lugar para aprender a meditar. Me sentí grande y poderoso, como un artista que modela la forma de sus ideas libres. Un sentido de paternidad me abrazó entero y mis manos, en las noches solitarias de mi celda, se movían risueñas y ágiles, como queriendo hacer figuras y hechos con las sombras. Exulté de gozo desconocido. Los días transcurrían para mí en una perpetua fiesta blanca.

La convicción del mozuelo de que yo lo había absuelto y de que mi posición ante la vida era definitiva y grandiosa, lo llevó a tratarme casi con adoración. Para él debo haber sido un ser superior a lo ordinario, a lo humano. Todo pensamiento suyo pasaba por mi censura, toda su vida interior me pertenecía. Yo era como una luz súbita en sus tinieblas. No era, pues, como el mundo creía, un ser inútil, un insignificante maestro de escuela... Tenía mis valores escondidos, y los estaba poniendo a prueba.

Su historia en sí era sin ninguna importancia, sin ninguna señal extraordinaria. Varias veces me la contó. Ni siquiera era bella. Sus años niños, sus sentimientos de enfermiza sensibilidad, la antipatía que sentía por su madre, el primer delito, sus lágrimas, sus temores sin causa, ese temblor misterioso que lo agitaba en las noches o en las habitaciones solitarias, su contacto con el hombre que lo sedujo, su, desde entonces, camino de vicio, sus robos, sus orgías de alcohol y de sexo... Todo era común y hasta vulgar. Lo extraordinario, lo apasionante, era su espíritu, aquella parte de su historia que no podía contar con palabras, pero que yo sabía entresacar de sus frases tímidas y del temblor de sus ojos. Sus razones, adorablemente sencillas; sus gestos, finos y elegantes, sin quererlo; su cabeza de líneas perfectas; su voz delgada de cuerda armoniosa; su afeminamiento delicado, que se confundía con las maneras pudorosas de un niño casto; todo eso conformaba su historia, en veces trágica , en veces feliz pero siempre dolorosa.

Yo lo quería. Lo amaba como a un buen discípulo, como a una tarea realizada por mí. Le había dado un poco de felicidad y alegría y fuerzas para su dolor. Era, para él, una fuente de experiencias, de vida y de orgullo.

En cierta ocasión, nuestras relaciones se violentaron y se produjo la crisis inevitable. Fue así. Salimos del recreo juntos y nos retrasamos, como siempre, unos minutos a la entrada del pasillo que conducía a nuestras celdas. La benevolencia del guarda nos dejaba solos, porque tal vez creía —en mérito a mi buena conducta—, que mi influjo era saludable a su carácter en formación. Una llovizna delgada y oblícua tornaba triste la atmósfera, produciendo una sensación de pereza y ternura en los sentimientos. El cielo, gris y cercano, tenía una especie de fuerza oculta que hacía encoger y meditar. En los corredores se iniciaba la penumbra. El frío nos venía desde lejos y desde las paredes ahítas de humedad. La vaga y ligera neblina nos envolvía como leves figuras blancas. El muchacho encontrábase taciturno. Una sombra de preocupación le tejía la frente de arrugas. Yo le hablaba de esos sutiles secretos de la vida interior que tan fácilmente exaltan a los jóvenes. Le había contado durante todo el recreo historias dulces y fuertes, extraídas de mis lecturas anteriores. Le referí leyendas preciosas de los dioses griegos, dramas intensos y suaves de las obras maestras, viejos cantos de amor y de crímenes hermosos. . . Entre la niebla de los cuentos perdidos de la historia, con una sabiduría que a mí mismo me estremecía, iba escogiendo para el sabor de su espíritu las cosas más ocultas, más bellas y más terribles. Le presenté el hombre desnudo, sin cronologías, desde los tiempos remotos hasta los complejos y veloces de hoy. Le explicaba, a mi manera, lo que era el arte, lo que era la vida, lo que era el amor. Estaba yo, en una palabra, absorto en mi papel de artista y de maestro. De repente, mi joven amigo me dijo:

—Me dan ganas de llorar, Nicolás. . . Todo lo que me dices. . . Sí, no podría explicártelo bien, pero siento ganas de llorar. . .

—No importa que llores, si en tu llanto hay verdad y hay amor. Tu alma es todavía muy simple, pero buena. ¿O es que sigues con el temor y el arrepentimiento que sufrías cuando llegaste?

—No, Nicolás, no es eso. ¿Cómo iba a estar sufriendo si te tengo a mi lado? ¿No lo entiendes? Tú me has dicho tantas cosas, me has enseñado que la vida es un espectáculo variado y reducido a uno mismo, me has explicado que el amor es un sentimiento invencible de la naturaleza y que se realiza a pesar de todo y a pesar de nosotros mismos. . . ¿No es así, Nicolás? No, no me digas nada. . . Sé que soy tonto e ignorante para comprenderte, pero quiero quedarme con tu voz, con todo lo que me has dicho. Me has revelado cosas que yo nunca había creído. . . Siento algo que. . . Mira, todas mis faltas las he cometido por vicio, por esa inclinación que tú me has dicho que es una enfermedad o una manera de sublimarse ante las cosas vulgares. Pero ahora. . . No puedo decírtelo. . .

Su voz estaba preñada de angustia y sus miradas, húmedas. Le tomé una mano, que tembló entre las mías, y le dije:

—Habla, ten confianza. ¿Qué te pasa? ¿No soy acaso tu mejor amigo?

Me miró largamente. Luego, movió la cabeza y me respondió:

—Eres el único. . . pero no puedo, Nicolás, no puedo.

—¿Por qué? ¿Tienes alguna pena muy grande?

—Sí, muy grande.

—Nunca has sido tan reservado conmigo. . . Siempre me has confiado tus preocupaciones. ¿Por qué ahora te resistes a hablar? Recuerda mis consejos, mis palabras sinceras para tu corazón. Recuerda aquellos tiempos de la amistad socrática: limpia y sin limitaciones.

—No me atrevo. . . Lo entiendo, bien, pero es que tengo miedo. . .

—¿Miedo? ¿Miedo de confiarte a mí?

Apretó suavemente mi mano. Después, me tomó del brazo. Su voz temblaba.

—No es eso, Nicolás. Es que tú. . . ¿Sabes? ¿No me entiendes? Es que cada día me doy cuenta. ¿Siempre serás mi mejor amigo?

Experimenté en ese instante una sensación extraña, como de vértigo. Y tuve diabólicamente la idea de hacerlo llegar hasta el fin, de asomarme a su alma atormentada, de mascar con la más alta fruición su dolor y sus anhelos.

—Ya lo creo —le dije, mirándolo delicadamente—. No hay nada que te pueda hacer dudar de ello. Habla.

Mi última palabra fue dicha con énfasis, como una orden. El bajó los ojos un momento, para después clavarlos en mí con tal penetración que me obligó a echar la cabeza hacia atrás, con un movimiento instintivo. Movió los labios sin articular un sonido. Después, como venciendo una duda tremenda, le salieron las palabras entrecortadas e impetuosas:

—Bueno, te lo diré, Nicolás, te lo quiero decir, ¿me oyes?. . . ¡Es que te amo! ¡Te adoro, Nicolás! ¿No lo querías saber? Haz ahora de mí lo que quieras. . . Esa es la pena que me atormenta: la de amarte. Te quiero mucho, con toda mi alma. ¿Comprendes? ¡No puedo más vivir así! ¡No puedo más seguir cerca de ti sin decírtelo! Yo nunca he querido antes, te lo juro. . . Pero ahora, ahora es tan grande, que me da miedo. . . Siento que me pierdo en tu pasión y que cada día soy menos cosa, menos hombre. . . Sólo a ti, sólo a ti. . .

Continuó hablando vehemente, suplicante, humilde. Yo quedé por unos segundos helado. Pensé con la rapidez del rayo. Me dio vueltas la cabeza, pero pude mantener mi pensamiento lúcido. Sí, era yo quien había provocado la crisis. No había medido bien el peligro, o, tal vez, lo había buscado. . . ¡Qué sé yo! Me provocó una pequeña risa nerviosa. Me asaltó la presencia del abismo. El muchacho suplicaba, retorciéndose las manos. Yo le dije, por fin, amargamente:

— ¡Cállate!

El, entonces, se arrimó a mí, palpitante y trémulo como una novia. Reaccioné brutalmente. Pasó por mis ideas, rauda y grave, la imagen de Clemencia y levanté la mano para abofetearlo.

El chico se postró a mis plantas, gimiendo, y trató de besarme las manos. Me avergoncé, perdí mi serenidad y, para no hundirme yo también en ese vórtice embriagador, lo insulté con injurias atroces. Todavía hizo un esfuerzo por lograr mi perdón. Sacudíanlo estremecimientos histéricos y un copioso llanto rodaba por sus mejillas. Sin embargo, seguí duro y severo con él. De súbito, se levantó, aún llorando, transformada en furia su pasión, y me gritó:

— ¡Canalla! ¡Mentiroso! ¡Perro! ¡Lo que te gusta es que me arrodille ante ti, que te suplique, que te bese los pies! ¡Canalla! ¡Me has mentido! ¡No creo en ti! ¡No creo en tus palabras! ¡Todas las has inventado para burlarte de mí! ¡No eres hombre, eres un monstruo! ¡Te odio, Nicolás, te odio con toda mi vida!

Sus manos quisieron alcanzarme, y hubiera sido capaz —lo leía en sus ojos— de pretender matarme, si no lo hubiera empujado con violencia, arrojándolo al suelo.

Cuando se incorporaba lentamente, mirándome como un perro castigado, yo huí a mi celda sin volver a él mis ojos, porque también estaba llorando.

Padecí una noche de hondas torturas. No tuve un minuto de paz ni de sueño. El deseo me atormentó con sus tenazas de fuego. ¿Era que yo quería realmente a ese muchacho? ¿Era que sólo mi instinto sexual buscaba una salida? Ya lo había perdido, ya no podría seguir enarbolando la astucia de mi cerebro y mi corazón sobre sus penas frágiles. Ya no podría más ser su maestro. Mi estatua se había roto. Era un dolor intenso el que me mordía. Y estaba cierto de que yo era el culpable, de que yo había provocado la crisis, que yo, jugando con una pasión terrible, había despertado, por el camino de la admiración, un amor pecaminoso. . . ¿Pecaminoso? No lo sabía. Tal vez. Era simplemente amor, atracción, bella actitud de los sentidos, del alma y del misterio que habita en cada ser humano. Pero yo tenía la culpa. ¡Qué bien lo sabía! ¡Y no poder luchar contra el deseo! Había sido casto por tanto tiempo, entregado íntegramente a mi espíritu y ahora, de repente, la sangre me ardía y mi carne vibraba encendida. . . Era mi derrota, la caída, el instante que había temido con horror. . . Nadie sabe lo que es luchar así, en la oscura soledad de una cárcel. ¡Que no me diga nada el hombre que puede gozar de las mujeres! ¡Que no me diga nada el hombre de deseos satisfechos! ¡Que no me diga nada! No podría entender. . . Quiero las palabras de los torturados, de los que nunca tuvieron el regazo abrigado de la mujer, de los que se abandonaron en la duda, de los que transitaron su camino de fuego sin quemarse ni una sola vez. . . Me agotaba tembloroso, con momentos parecidos al trance. Entonces, invoqué a Clemencia con todas mis fuerzas. Pero su imagen salvadora negábase. La veía, sí, pero no podía reconstruirla como otras veces. Ni me llegaba su perfume a envolverme mansamente en oleadas de paz. Comprendí que estaba a punto de ser vencido, y, para evitar una derrota mayor, calmé mis sentidos afiebrados en un trágico y ridículo placer solitario.

Luego, lloré, desesperadamente, como un imbécil. Mordí mis manos con una rabia sorda —último gesto de un capitán cobarde— y me abandoné a la laxitud infinita de no pensar en nada.

En la madrugada, arrebujado de frío, me dormí.

Al siguiente día, evité al mozuelo inteligente y bello que me había ocasionado tanto dolor. Cuando pasaba a su lado, desviaba las miradas. Y no estuve tranquilo hasta que no logré valiéndome de mil mañas y del necio prestigio de mi buena conducta, que le cambiaran a una celda lejana.

Creí que el muchacho sufriría, y esta sospecha no me daba sosiego. Pero después supe que se había entregado con pasión a un hombre taciturno y moreno, convicto de uxoricidio, y, aunque al principio me molestó la noticia, la aproveché para tranquilizarme del todo.

Pero he aquí lo que ahora fundamentalmente me interesa: ¿Fue en realidad una derrota que sufrí aquel día o, mejor, aquella noche de secretas torturas? No lo creo. Lo digo con toda mi serenidad reconquistada. De haber seguido las órdenes de mi instinto detenido por tanto tiempo, si bien me habría colocado por encima del prejuicio y de las normas, con cierta indiscutible grandeza, hubiera terminado por encenagarme en la pasión material, por la sujeción de mis alturas espirituales al hierro en bruto de los sentidos; y entonces, el naufragio de mi nave interior se hubiera tornado ineluctable. Habría llegado un momento en que la cárcel hubiese sido mi enemiga. Toda mi arquitectura de paz se habría derruido. Y Clemencia, manchada, ofendida, definitivamente deshecha por mi torpeza, habríase alejado para siempre de mis manos como una simple ilusión desvanecida. Tan sólo el abandono, el absoluto abandono, me quedaría por compañero. Hubiera sido peor que la muerte, peor que todo. Sin ella, ¿qué podría hacer yo? Vuelto a la miseria de las cosas humanas mi padecimiento y mi derrota plantarían banderas desoladas en mi corazón.

Mi batalla, pues, la considero una victoria, aun por haber ahogado mis instintos en un acto repugnante. Sí, es una victoria, tanto más grande cuanto que pasó dejando desgarraduras en mi alma. Mis esfuerzos de liberación se habían salvado. No es que conceda ni mucha ni poca importancia al vicio: para un hombre, encarcelado y triste como yo, que se supera, el vicio sólo puede ser un instrumento más —acaso indispensable para las almas que no alcanzaron la fortaleza de la mía— de libertad. Triunfé: es lo cierto. Y mi triunfo me devolvió a Clemencia, su amor, como un milagro, retornó a ser substancia vital de mis impulsos, y sus caricias aladas —¡puro sueño y nada más!— otra vez cayeron sosegadas y blandas sobre mis ojos.

El jubiloso sentido fáustico de mi creación no me había abandonado más que por un pequeño instante de locura.

# VI

## GUSANO BARCIA

Rosendo Barcia era un muchacho feo y magro: ligeramente inclinado de espaldas, los brazos y las piernas cortos, tenía al andar un oscilante movimiento de gusano. De aquí que sus compañeros de colegio lo apodaron Gusano Barcia, al extremo de que pocos sabían su verdadero nombre. El mote se justificaba, además, a causa de su cabeza, pequeñita y alargada, hundida entre los hombros con un vago gesto de ocultamiento defensivo; y por su cuerpo, que era como enrollado en sí mismo, lleno de torceduras, inobservables en detalle, pero que, en conjunto, tenían una apariencia vermiforme inconfundible.

Gusano Barcia, cenceño, de piel oscura, ojos achinados y curva nariz, era oriundo de la provincia de Manabí, donde pasara sus primeros años, creciendo al contacto de la tierra ubérrima y cobrando, en pago, el color cetrino del paludismo que lo había dejado así de flaco, con las mejillas hundidas y ese frío sudor perlino que le humedecía la frente con harta frecuencia.

No había nacido junto al mar. No tuvo en los oídos el rumor de las olas ni ante las miradas la presencia de lo infinito. Su piel no se tostó con los soles puros y salados ni jamás cantó su corazón al rumor de las caracolas olvidadas en la playa. Vino del campo, de las lejanas montañas de Jipijapa, de los cañales bravos

63

de flores, de la fragancia rijosa, del húmedo calor que trepaba desde las raíces ocultas hasta las ramazones altas de los árboles. Vino a Guayaquil cuando justamente se hallaba en la edad colegial. Su padre, finquero de caucho y cacao, había logrado salvar un pequeño capital del desastre de las últimas cosechas, ocasionado por la súbita baja del precio de la goma y por la peste que ya arrasaba las matas de la "pepa de oro"; y con ese saldo, resolvió cambiar de vida — ¡tierra ingrata, decía!—, venir a Guayaquil y establecerse en el comercio, para tentar la fortuna, buscándole rostro menos avaro.

Comenzó don Aurelio instalando una tienda de abarrotes en el Malecón. La tienda hallábase todo el día abierta, como esperando las balandras y los motoveleros. Desde ella, tras de su mostrador o trepado don Aurelio al altillo en el que tenía el escritorio, se veía un buen trozo de río gris y sobre él multitud de palos y de velas, de gente con los pantalones a la rodilla que corría hacia el muelle, de pitadas, de gritos y de grandes montones de sacos y cajones. El río parecía hallarse al frente, al fondo y abajo mismo de la tierra, de los hombres y de los gritos. Don Aurelio mantenía antiguas relaciones en su provincia, y por medio de ellas enviaba, por mar en el invierno, por tierra, cuando la falta de lluvias hacía los caminos transitables, toda clase de víveres: lentejas, harinas, cebollas, pimienta y clavo de olor, manteca, buena manteca americana, y los choclos y los granos dulces que hacía traer desde los altos campos serranos.

Don Aurelio era célibe. La mujer que le dio su único hijo, Rosendo, había sido su cocinera, en la finca de los buenos tiempos; y luego, convertida en amante, fue la que puso en orden su economía doméstica, bastante desarreglada por los placeres de que insistía beber en su propia casa. La madre de Gusano toleraba, mansamente, las rijosidades del viejo don Aurelio, y su mano hacendosa y su ojo listo para el ahorro y el aseo, ponían las cosas en su orden, por lo menos aparente. Un día, la muerte le arrebató, con cualquier pretexto, a su fiel querida y ama de llaves, la dulce Jacinta de la paz hogareña, y don Aurelio, viudo sin haberse casado, quedó leal a su memoria sin atarse a ninguna otra mujer de manera permanente. Por suerte, el chico Rosendo ya era crecidito y quedó, medio triste y atolondrado, junto a su padre, que era lo mismo que encontrarse a solas, pues don

Aurelio vivía casi todo el tiempo fuera de casa, ocupado en las faenas agrícolas. Unicamente a la hora de la oración retornaba a comer. Hacíalo callado, sin zalamerías para el chico, fumaba después su grueso cigarro en la hamaca del comedor e inmediatamente, medio muerto de cansancio, disponíase a dormir. Así andaban las cosas, iguales y apacibles, hasta que se produjo el viaje a Guayaquil, a la nueva ciudad que ni uno ni otro —padre e hijo—conocían.

'En el puerto, los asuntos parecieron, desde el princio, mejor. Arrendaron un departamento, un piso alto en amplia y vieja casa de madera, don Aurelio se dedicó, a pesar de sus setenta años bien cumplidos, al comercio con ardor juvenil, y Rosendo fue internado en el colegio "Cristóbal Colón", de los Padres Salesianos.

Fue en el colegio donde lo bautizaron con el nombre de Gusano. El muchacho, campesino y de naturaleza abstraída, no hizo mucho caso de las bromas, a pesar de las veces que, formándole rueda, le gritaban:

— ¡Ah-gu-sa-no! — ¡Ah-gu-sa-no! ¡Los gusanos a la tierra! ¡Los gu-sa-nos —a-la-tierra!

Sólo cuando lo insultaron, cuando lo llamaron cholo, pata amarilla, de la arrinconada de Chone, cuando le dijeron que su padre era un tendero sucio que, en camiseta, vendía cebollas y ajos, Gusano se echó a llorar y se fugó una noche, para retornar al siguiente día, castigado con fuerte paliza por el padre, a soportar las miradas burlonas y los gritos alusivos.

Gusano padecía en silencio, con toda su protesta amarrada entre las lágrimas que dejaba escapar en el dormitorio, cubierto el rostro por la frazada y duramente abrazado de la pequeña almohada. La única compensación que tuvo fue la amistad de Enrique Coello, montuvio como él, pero de conocida y rica familia, fuerte y ágil como un potro cerril. Muchas veces sus puños defendieron a Gusano en las disputas del recreo. En recompensa, Rosendo le hacías las tareas y siempre hallábase dispuesto a servirlo, aun a costa de sacrificios personales, recibiendo, de cuando en cuando, castigos que correspondían al amigo. Era una amistad que hubiera podido hacerlo feliz en el colegio, a no ser por su naturaleza humillada y débil.

Durante las vacaciones, de enero a abril, Gusano ayudaba

al padre en la tienda, pues don Aurelio consideraba peligroso tener al chico en ociosidad. Y aun cuando para él los meses de estudio significaban una tortura, extrañaba a su buen amigo Coello, quien pasaba las vacaciones en la Sierra.

Llegó el último día. Rindió los exámenes finales y salió del colegio a los catorce años (llevaba dos de atraso por culpa de la montaña), con un certificado de haber terminado la enseñanza primaria. Don Aurelio, satisfecho, había presenciado las pruebas, y, aunque su hijo no obtuvo un puesto destacado, por lo menos salió con buenos resultados y no quedó entre los últimos, lo que para el viejo campesino constituía cierto timbre de orgullo, por más que no fuera muy aficionado a las letras.

Ya en casa, don Aurelio, en tono solemne, dijo a Gusano:

— Bueno, hijo, ya te has educado y has terminado con éxito tus estudios. ¿Y ahora?

Gusano quería ir al "Vicente Rocafuerte", al curso de bachillerato, y así se lo dijo al padre. Pero don Aurelio se opuso terminantemente. ¿Para qué sirve eso? le decía. ¿Bachillerato? Tú debes estar loco. Se puso terco don Aurelio y ante las insistencias de Rosendo, le habló así:

— ¡Cállate, Rosendo! Soy viejo, y más sabe el diablo por viejo que por diablo. ¿A mí quién me enseñó? ¿En qué colegio perdí el tiempo? Cuando tengas bastante plata, los blancos, que tú dices, te adularán. Yo aprendí de la tierra, hijo, de la tierra y de la vida. Es el mejor colegio. Te pasarás, la vida entera quemándote las pestañas y te harás más flaco y débil, sin poder gozar. Serás triste, Rosendo. La vida no dura mucho, y hay que aprovecharla. Hay plata. Diviértete. Debes aprender a ser hombre. Nada hay como el trabajo. Ve, Rosendo, yo estoy viejo y cualquier día la pico para el otro barrio, y, entonces, tienes que quedarte con la tienda. Es necesario que conozcas bien el negocio. Nada, no sabes lo que te corresponde y ya debes ir pensando... Dedícate a hacer plata, como te digo que es lo único que vale en este mundo. Más letras son teorías. Hay que ser práctico, Rosendo: sin sucres, no tendrás nada, ni tranquilidad. Yo fui pobre desde chico, y nunca se me ocurrió ir al colegio. ¿Cómo aprendí? Luchando, ya te lo dije, peleando contra los hombres y la tierra. El hombre está hecho para el trabajo, como el caballo para la montura. Déjate de esas ideas. Son teorías, Rosendo, puras teorías...

Gusano ya no replicó. Todas sus ambiciones, aconsejadas por su amigo Coello, se habían desvanecido. Conocía a su padre: era inflexible cuando tomaba una determinación. No quedaba más que resignarse a ese almacén hediondo, paseado por moscas y cucarachas. Bajó los ojos y retiróse en silencio.

Desde la mañana siguiente, estuvo en la tienda, cumpliendo con sus nuevas obligaciones, obligaciones de las que ya no se podría librar, a menos que su padre, el viejo fuerte y luchador, muriera. . . Fue un pensamiento que no le abandonó más. Cierto es que dábale miedo cuando se le obstinaba en quedarse fijo en su imaginación, pero volvía a él sin poder evitarlo. Cuando el viejo muera, cuando el viejo muera. . . ¡Ah, entonces, podría dejar esa tienda sucia y dedicarse a otro negocio, a cualquier otro, o, mejor, a estudiar en la Universidad, a hacerse todo un señor doctor! Cualquier cosa antes que vender papas y cebollas. . .

Pero el viejo don Aurelio tardó en morirse cinco largos años, y cuando exhaló el último aliento, Gusano se dijo un simple y duro: "demasiado tarde". . . Además, ya estaba encariñado, en cierto modo, con el negocio.

Don Aurelio Barcia, al contrario de su endeble hijo, era un hombre recio, de talladura antigua. Debía haber traspuesto ya el límite de toda resistencia, mas el anciano tuvo fuerzas para luchar contra la muerte hasta el último momento. No le dijeron exactamente de qué mal moría. Lo cierto es que un día adoleció gravemente. Lo sabía muy bien, lo sentía en el pecho. Los doctores encontraron varios órganos en mal funcionamiento, y comenzaron a aplicarle inyecciones y a inventar términos raros. A los ocho días de enfermedad, don Aurelio dijo al doctor:

—Vea, doctor, no hay para qué afanarse y hurgarme con tanta aguja. . . ¿Usted cree que realmente no me voy a morir? Aquí, los dos, de hombre a hombre dígamelo. . . Tengo algunas cosas que decir a Rosendo antes. . .

El doctor vaciló, pero la mirada firme del viejo lo hizo decidirse:

—Don Aurelio, nada puedo garantizar, pero mi obligación es hacer el último esfuerzo. Ciertamente, ciertamente. . . Está usted muy grave, don Aurelio. . .

El anciano lo entendió muy bien. Hizo un gesto incomprensible, y dijo:

—Entonces, es mejor que me deje morir tranquilo. Yo lo siento aquí dentro. Ya no tengo necesidad de usted. Dígale a mi hijo que le pague la cuenta.

Luego, la voz amarga del viejo llamó a Rosendo:

—Oye, hijo esto se larga todo full. Es como los árboles cogidos por el matapalo: ya no puedo ni moverme. ¿Te acuerdas de cómo se ponían las plantas en la finca cuando no llovía? Así me siento ya: reseco y apollillado. Algún día había de ser... Vas a tener veinte años. A tu edad, yo era solo en el mundo y nadie me daba consejos. Ya eres hombre, muchacho. Te dejo la tienda. Comencé con lo que logré salvar en Manabí: apenas veinte mil sucres. Ahora tienes, libres y saneaditos, más de ciento cincuenta mil. Tu sabrás, Rosendo, tu sabrás...

A la noche, don Aurelio perdió el habla. Gusano estaba sentado frente a él, fijos sus ojos en el viejo. De repente, le pareció notar que su padre sostenía una lucha tremenda, la más fuerte de su existencia curtida en una sola y gran batalla. Los labios de don Aurelio se movían con gestos medrosos. Las manos se agitaban, temblonas y débiles, como queriendo apartar una cosa mala.. .Teníalas blancas, llenas de raíces y de nudos, como los viejos árboles, como los viejos troncos a punto de caerse. Abrió desmesuradamente los ojos. No cabía duda: don Aurelio sentía miedo, un miedo pavoroso, un miedo terrible a la última hora. Parecía decir no, repetidas veces, con su gran cabeza encanecida. Una gruesa lágrima postrera rodó por sus mejillas fláccidas, saltando de arruga en arruga como el agua pura de las peñas abruptas.

Gusano habíase levantado y miraba atentamente a su padre, junto a su rostro que adquiría la palidez de la muerte. El viejo también lo miró. Debía haberle reconocido, pues sus miradas dirigiéronse a él como pidiéndole algo. Abrió la boca, pero no brotó una sola palabra de sus labios acezantes y secos. Quiso incorporarse, pero cayó contra la almohada apenas iniciado el esfuerzo. Luego exhaló un ronquido, torció rápidamente el rostro, inclinó la barbilla puntiaguda, y todo terminó.

Al entierro de don Aurelio sólo fueron sus empleados, algunos clientes de primera, dos o tres amigos que había conquistado en el puerto, y Gusano, a quien acompañaba el fiel camarada de colegio Enrique Coello. La ceremonia fue rápida. Al retornar del cementerio, Gusano tuvo la sensación de una soledad absoluta y definitiva. No era realmente pena: era abandono. No quiso, después, frecuentar la amistad de Coello, a pesar de lo mucho que lo apreciaba. El no era más que un tendero sucio... Un cholo... La tienda y las cebollas. La plata, se dijo suspirando...

Pero la tienda fue creciendo y llegó a amarla. Era lo único que tenía, como asidero de sus afectos. Sin embargo, Gusano comenzó un sombrío vagar en busca de cariño. Tenía dinero, tenía pocos años, y llegó a creer que tenía ya bastante. Bien pronto se convenció de que no poseía nada y de que su corazón se le estaba secando como una flor sin agua. Sabía que Enrique Coello cursaba en la Universidad sus estudios, y fue a él para pedirle, sin decírselo, compañía. Entonces, todo cambió, como un milagro, en la vida oscura de Gusano.

Coello le propuso un plan hermoso, que fue acogido por Rosendo como una salvación. Quería abandonar los estudios superiores y dedicarse al comercio, a la exportación. Hasta entonces no había prestado vigilancia mayor a sus haciendas, que se estaban allá, en la provincia de Los Ríos, produciendo en manos de mayordomos y peones. Deseaba instalar en Guayaquil un negocio y dedicarse, en gran escala, a la venta de productos nacionales en los mercados exteriores. El mismo tenía en las haciendas buenas cosechas que exportar. Proponía a Gusano, ni más ni menos, una sociedad.

Gusano, feliz, hizo cálculos. Liquidó la tienda, la vendió lo mejor que pudo, aportó todo el capital que obtuvo a la sociedad; y, a poco, en el mismo Malecón de Guayaquil, pero más al Norte, por los sitios en que huele a café maduro y a cacao, se encontró al frente de una oficina limpia y clara. Ambos amigos trabajaban con alegría. La vida, ahora, daba a Gusano una reparación. Y luego, un mundo nuevo entró por sus ojos: fiestas, salones, paseos, mujeres... Hasta que le llegó el amor y se casó. Era una mujer bella y pobre, pero de alta familia, según le aconsejaba Coello. ¿Qué más para Gusano? ¿Qué más? Poseíalo, ahora sí, todo. Experimentaba la impresión de que hasta sus facciones ordinarias habían sufrido un cambio...

Pero Gusano escondía un destino que había de cumplirse. Le llegó la desgracia, incubada desde sus primeros años, como un bofetón en pleno rostro. Súbita, dura fría. Su bella mujer lo engañó, después de dos años de matrimonio, con un pariente presumido. Y cuando él quiso aclarar las cosas, lo llamó cholo y patán, vil calumniador. Gusano buscó el divorcio, entregó su casa a la mujer, y se refugió en la tristeza, que tan bien conocía. Mas apenas había comenzado para Gusano el dolor definitivo. Le pasaron las desgracias como en los cuentos más vulgares, como en los folletines cursis. . . El engaño, la mentira, la traición. . . Murió, en un accidente, su amigo y socio. Debía algunos sucres de la casa que había regalado a su mujer. Le cobraron. Gastó el último centavo en defenderse. Lo traicionaron sus propios abogados. Gusano era un trapo deshilachado arrojado de un sitio a otro, a los cajones de basura. . . Tuvo aún la última protesta, el último esfuerzo de su espíritu, y visitó al Presidente de la Corte Superior de Justicia. Clamó, explicó sus razones, denunció al abogado pícaro que habíalo vendido. El magistrado le respondió:

—Señor, ya le he explicado que nada puedo hacer en este asunto. Le repito que si se presenta una apelación, la Corte estudiará el juicio. El que usted no tenga dinero para pagar abogados, no es culpa mía ni de la justicia. Yo no puedo adelantar opiniones, porque me lo prohibe mi dignidad de magistrado. El abogado de usted ha sido siempre un caballero, y las cosas que usted dice debe primero probarlas, señor. Las leyes son las leyes.

— ¡Las Leyes! ¡Malditas Leyes! ¡Malditos abogados! —gritó Gusano, fuera de sí, lleno de asco y de rabia.

Gusano se había puesto en pie en el primer gesto altanero de su vida. Hallábase ridículo en su furia, los labios morados, el rostro congestionado, los ojos a punto de saltar en lágrimas.

— ¡Señor, no le permito una palabra más de faltamiento! ¡Retírese inmediatamente!

Gusano lo miró con una extraña mirada de odio. Se retiró dos pasos, caminando de espaldas. Quedó inmóvil un minuto. Después lentamente, con el aliento cruzado de ahogos le dijo:

—Está bien, doctor.

Tenía la cabeza ardiendo. Caminó, caminó como un sonámbulo por las calles calientes y húmedas de Guayaquil. Debía tener actitudes extrañas en su marcha porque los transeúntes lo miraban sorprendidos. Atravesó las calles céntricas y tomó hacia el Oeste, hacia los barrios miserables. ¿A dónde ir? No lo sabía. Sentía un deseo desmedido de llorar y de no encontrarse solo. Se temía a sí mismo. No volvería más al centro, a las casas limpias, a los restaurantes con música. Ya no podía más con su propio recuerdo. ¡Si por lo menos hubiera tenido un hijo, algo le quedaría! Pero, nada, nada para él y nada de él. No era más que un cholo feo, insignificante, un gusano, sí, un triste y miserable gusano. ¡Y ahora, además, ladrón! ¡Ladrón! ¿Qué es lo que he robado?, se preguntó con las manos vacías.

La tarde declinaba. Por las bocacalles contempló, sin querer, la puesta del sol y las nubes rosadas. El calor le abrasaba la cabeza desnuda. Ya no andaba por las suaves calles pavimentadas. Tropezaba con los guijos menudos, y el polvo amarillo saltaba a sus zapatos. Las casas eran cada vez más bajas, más pequeñitas, como él, como su vida, como su vida de gusano. . . ¡Gusano! Oyó música. ¿De dónde venía ese pasillo guitarrero y doloroso? Una chingana abierta lo llamó al descanso. Ah, de allí salía la música, la música chola, la música para los cholos. . . Aquí estaré bien, se dijo. Entró. Pidió cerveza. Y terriblemente abatido, se puso a beber. Una mujer se sentó a su lado. Gusano la echó:

—Déjeme solo, por favor.

—¡Velo! ¡Qué pretencioso! ¿No me quieres mirar ni un ratito?

Gusano alzó los ojos y vio a la mujer. De piel oscura como él, estaba delante, pintada, con grandes ojeras, labios gruesos y cuerpo sensual. Era chata, pero alegre. Rió a carcajadas del examen que le hacía.

—Sí, si te quiero ver. Vuelve a sentarte. Vamos a beber. Quién sabe de qué habló con esa mujer desconocida y torpe. El saloncito se llenó de gente. Gusano, totalmente borracho, se puso a bailar con ella.

—¿Cómo te llamas?

—Blanca, ¿y tú?

—¿Yo? ¡Gusano!

—¡Ay, qué risa! ¡Ja, ja! Anda, dime tu verdadero nombre, no seas malo. . .

—Te digo que me llamo Gusano. Gusano. . .

La noche había caído. Gusano y Blanca, cada vez más ebrios, bailaban y decían palabras sin sentido.

—¿Quieres beber más? Mira, Blanca, tengo todavía sesenta sucres para aguardiente. ¡Una fortuna! ¡Ja! ¿Para cuántas copas hay? ¡Para un montón! ¡Para un montón! Aprovéchate, Blanca, son los últimos sucres de mi vida. Lo último. . . La última cosa, ¿entiendes?

— ¡Sí, mi hijo, sí! ¡Que venga otro trago!

De súbito, Gusano se levantó, compró una botella y dijo a Blanca:

—Vamos a tu casa.

Apenas entraron en la habitación pequeñita y sucia, con las paredes empapeladas de revistas de cine y litografías de mujeres desnudas, menos la del fondo, que lucía un brillante y uniforme color rojo. Gusano se tendió en la cama y se puso a llorar.

—Oye, ¿qué te pasa? ¿Tan borracho estás? ¡Qué mala cabeza! ¡Déjate de lloriqueos y sírveme un trago! "Cuando tú te hayas ido, me envolverán las sombras —cuando tú te. . . ha. . . yas. . . i . . .do, con mi dolor a solas"—, cantó con notas agudas. En seguida, se puso a reír como una loca.

—Vamos, Gusanito, vamos. ¡Que viva el trago!

Gusano se incorporó un poco. La miró.

—Estoy triste porque voy a morir. Mira, Blanca, hoy es mi último día. He resuelto matarme y me voy a matar aquí, en tu misma casa, sobre esta cama tuya tan bonita. . . Tú rezarás después por mí, me cerrarás los ojos y me enterrarás. . . ¿No me quieres tanto para hacerlo? Alguien tiene que cerrarme los ojos. Alguno habrá. . . Ven, Blanca, dame un beso, pero uno solo. . .

Blanca, riendo, lo besó. Gusano se deshizo de su abrazo.

—No más. No quería sino uno solo. ¡Uno te digo! ¡Déjame! Después. . . ¿No comprendes que tengo que matarme ahora mismo?

Blanca, en jarras, le habló, despectiva:

—¿Qué te has imaginado? ¡Déjate de pavadas! Si has venido a mi cuarto es para acostarte conmigo. . . ¡A mí no me gustan los maricas! Muchos hombres me buscan, para que lo sepas. Si ni plata tienes ya, ¿qué más quieres que estar conmigo? Y si no, lárgate a acabar con tus llantos en otra parte, donde las podridas. . .

—Oye, Blanca, es que no puedo estar contigo. Pero déjame aquí, aquí es que me quiero morir. Yo no te quiero a ti. Yo quiero a mi mujer, pero mi mujer me puso cuernos. . . Y después, un abogado me robó todo, y no tengo a nadie más que a ti, a ti, para que me cierres los ojos. . .

— ¡Adiós! El hombre que se deja quitar una mujer, bien

merecido lo tiene. ¡Cobarde! Cara de cornudo mismo tienes. . .
¡Ja, ja! ¿Y por qué no le pegaste? A las mujeres hay que pegarles, Gusano, hay que pegarles para que quieran. Si no, de seguro que te ponen cuernos. ¡Dame un trago! Vamos a beber,
Gusanito.

— No. Ya no quiero tomar más. No me beses. No puedo.
Tengo que. . .

— ¿Otra vez a hablar de matarte? ¡Eso sí que es tras de
cuernos palos! Cuando a quien debías matar es a ella, ¡idiota!

Gusano dejó de gemir. Quedó pensativo unos instantes,
durante los cuales no dejaba de mover hacia adelante la cabeza.
Por fin, se levantó, enjugóse las lágrimas y, sin decir una palabra,
salió a la calle.

Al filo de la madrugada, comenzó a caminar con prisa. Iba
tropezando, en veces, pero siempre veloz. Su americana desaboto-
nada se abría al aire como las ridículas alas rotas de un insecto.
Llovía, pero Gusano no buscaba los portales para guarecerse
del agua que caía a torrentes. Ni siquiera se daba cuenta del
aguacero. Caminaba con los labios apretados, inclinada la cabeza,
las manos en puño, los pies torpes, pero rápidos.

Pocos minutos después, estuvo en el centro de la ciudad.
Buscó la casa de Lucía, su casa, allí donde había pasado los
momentos dulces de su vida. ¡La mataré! ¡Sí! ¡La mataré!, se
decía. Frente al zaguán se detuvo. Estaba cerrado. Entonces, se
ocultó tras un estante como un malhechor. A esperar, a esperar. . . Ya pronto sería de mañana. . . El cielo estaba teñido de
un gris sucio. Gusano esperaba, agazapado, con su idea, las manos
trémulas. . . Por fin, se abrió el zaguán. . . Una criada salía a las
primeras compras. . . Gusano avanzó resueltamente.

—¡Jesús! ¡El señor Rosendo! ¡No suba, señor!

Gusano apartó a la criada y trepó la escalera a grandes
pasos, violento y enloquecido.

Arriba, marchó derecho al dormitorio. Abrió de par en par
las puertas. Un grito de espanto partió el silencio. Era Lucía. . .
Gusano se detuvo, inmóvil, petrificado. Allí estaba él. . . Sí, era
él. . . El amante de Lucía, el pariente presumido y buen mozo. . . .
¿A quién iba a matar? Se oyó llamar canalla, cholo patán. . .
El hombre odiado con toda su vida avanzó hacia la puerta con
los puños dispuestos. . . Entonces, su boca se contrajo, inclinó

la cabeza como para embestir, sacó del bolsillo su revólver y disparó. Una, dos, tres, cinco veces lanzó el arma su amarga y dura voz. No le importó que hubiera caído: vació todas sus cápsulas en ese cuerpo inmóvil: los últimos tiros los acertó en la espalda. Como se mata a un perro, susurró apenas, maquinalmente, y permaneció todo él fijo, contemplándolo, sin poder pensar en nada más.

He relatado la historia de Gusano Barcia con placer y dolor. El me la contó húmedo de emoción. El placer que he experimentado en escribirla ha sido realmente extraordinario. Me imaginaba estar haciendo una novela, una linda y trágica novela. ¡Oh, si pudiera hacerlo!

Sin duda, la vida de Gusano tiene una estrecha analogía con la mía. Sólo que yo había matado por otras razones. O tal vez no. En ambos, en él como en mí, el oscuro impulso que nos llevó al asesinato es el mismo: la soledad, el desprecio, la humillación. ¡Pobre cholo Barcia! Es inteligente y bueno, piadosamente bueno. Tiene ideas brillantes y, ahora que ha adquirido confianza conmigo, se expresa con facilidad y con lógica. Yo he analizado sus torturas espirituales y le he hablado mucho de la conquista de mi vida interior. Está de acuerdo con mis ideas.

Yo supe que Gusano era capaz de transformar el presidio en cosa útil para el alma. Sobre todo, lo constaté, cuando me dijo:

—Después de todo, estuvo mejor que no la hubiera matado. Aún la quiero, Ramírez, y te diré más: me duele haber quitado la vida al hombre que ella quería. . . He debido matar a otros: a los abogados y a los ladrones. . . al Presidente de la Corte, a todos. . . ¡Canallas!

Un hombre que, al llegar a presidio, y sin haber tenido una vida de crimen, se expresa así, es un hombre que vale mucho. No me he equivocado. Gusano Barcia, el cholo, este pobre amigo injuriado y castigado por esa sociedad maldita que me llevó a mí también a la angustia espantosa de no creer en mí, posee un inmenso corazón: el corazón de los hombres libres y fuertes, de los que se plantan, como una señal aturdidora, sobre la tierra miserable que los hizo.

Contando tu vida, amigo Gusano, te hago justicia. Eres, como yo, una sombra para los que ríen, comen y duermen afuera

74

de esta casa de piedra. Pero en las sombras sabemos que la dicha vive en nuestros espíritus con la misma certeza con que sabemos que el sol existe detrás de las tinieblas.

Nuestras vidas, Gusano, la tuya y la mía, no son más que jirones de luz secreta arrancados a la oscuridad.

## VII

## EL FOLLETIN DE MARGARITA

Al poco tiempo de la llegada de Gusano al Panóptico fueron reemplazados el director y buena parte del personal. Se murmuró que habían sorprendido al antiguo director en malos manejos de los fondos del Penal. Lo cierto es que una vida distinta comenzó en el presidio. Había como una fiebre de reorganizarlo todo. Nuevos métodos, nuevas ideas, nuevos procedimientos se adoptaban con rapidez. Los penados sintieron el cambio en el acto, sin disimular su satisfacción. Existía verdadero júbilo en mi casa querida. Claro que era un júbilo de distinta estatura al que se acostumbra en las calles. La alegría giraba en torno y dentro de la piedra, y era, por lo mismo, sólida, nacida de adentro, sin ninguna circunstancia artificial para llenarla. Naturalmente, la impresión de terror no se perdió instantáneamente: por mucho tiempo, el látigo, la tortura y la muerte habían enfermado de espanto a los reclusos y todavía, algunos, cuando se encontraban con un guarda, mostraban el miedo en las cabezas bajas y en las miradas turbias y soslayadas. La primera señal del camino la advertí cuando pude leer el letrero que el nuevo director hizo colocar en los patios: Reeducación por el trabajo. Muchos —tal vez todos— de los penados leyeron esta frase sin encontrarle sentido pero yo lo comprendí y mi amigo Barcia también, aunque para nosotros no fuera escrita. La comentamos y la hallamos, por lo menos, decente. Pronto, la realidad vino a autenticar su significado. Desde antes existían algunos talleres, pero ahora la enseñanza y el trabajo se organizaron en debida forma. Se instalaron escuelas en cinco grupos: para analfabetos, en castellano y en quechua; una elemental para inadaptados; otra, primaria normal; la de enseñanza complementaria de la primaria; y un grupo especial de contabilidad. Además, se fundó una escuela de música y se creó una hora social, de seis a siete de la noche, en la que se hacían cantos, juegos y conversaciones. En los días de fiesta, se nos daba cinematógrafo. Los talleres de trabajo, perfeccionados hasta donde fue posible, se multiplicaron: había el de carpintería, el de mecánica, de tejidos, de cepillería, huesería, zapatería y alpargatería. Los presos de buena conducta eran premiados con contratos y créditos para la adquisición de materias primas. La Dirección administraba el negocio con los compradores de la calle. Todo esto, naturalmente, fue creando un ambiente de confianza y muchos, que desdeñaban antes la enseñanza, aplicábanse ahora a un oficio con ahínco. En cuanto a los castigos, permaneció el del "reservado"; y se inventaron, en reemplazo del barrote y del cepo, la privación de visitas, el encierro en la celda sin recibir la caricia del sol, la sanción económica, que consistía en la suspensión del trabajo, y la sanción moral, llamada así porque se colocaba al castigado de pie, en La Bomba, por una, dos o más horas, obligado a profundo silencio y soportando el desfile de los compañeros, que, forzosamente, al entrar o salir de los patios, lo contemplaban. El "reservado" era para las faltas graves. Además, raramente, se aplicaba una ducha helada a algún rebelde indomable.

Habíamos asistido, en realidad, a una revolución. ¡Todo era tan diverso! El trato que los guardas nos daban era humano y sólo pocas veces escuchábamos un grito o una palabra dura. Este cambio influyó mucho en mi ánimo y me ayudó en la lucha que sostenía conmigo mismo. Pero sobre quien ejerció un poder admirable fue sobre mi amigo Barcia, acabando por quitarle de la cabeza la idea del suicidio, que le venía con frecuencia. Cierto es que yo le había hablado mucho y que su espíritu también, como el mío, comenzó a crecer de inmensidad desconocida ante el espectáculo grandioso de la cárcel, pero nunca abandonaba totalmente la idea de matarse, sobre todo, cuando recordaba a su Lucía, su bella mujer, a la que seguía adorando en silencio.

El colmo de mi dicha lo experimenté un día que me mandó a llamar el nuevo director.

—Tengo muy buenos informes de usted, Ramírez —comenzó diciéndome—. Sé que observa muy buena conducta, lo suficiente como para que hagamos lo posible por olvidarnos de este intento de fuga que consta en su ficha.

Le repuse con dos o tres monosílabos, y esperé.

—También sé —continuó— que es usted un hombre culto y que ha sido profesor de escuela.

—Sí, señor director.

—Justamente, para eso lo he llamado. El presupuesto del Penal no es suficiente para pagar a todos los profesores necesarios y quiero proponerle que tome usted una clase a su cargo, en lugar de sus trabajos manuales. ¿Tiene usted algún inconveniente? Dígamelo con franqueza. Mi idea es que hay que utilizar a cada uno según sus aptitudes y sus conocimientos.

—No tengo ningún inconveniente, señor director —le respondí lleno de felicidad, porque yo nunca había podido acostumbrarme a las horas pasadas en el taller de carpintería, en el que desollaba mis manos trabajando con el cepillo sobre las maderas. Reconozco que soy muy torpe para las labores manuales, pero es que, además, hacía el trabajo con desgano y sin ningún deseo de aprender. Tal propuesta, pues, no podía ser mejor para mí.

—Naturalmente —me dijo aún el director—, voy a estudiar la forma de compensarlo económicamente, puesto que no se le podrá abonar en cuenta el fruto de su trabajo. Tal vez encuentre la manera en los descuentos que se hacen por malas obras y por faltas de disciplina. De ese modo, podemos obtener para usted una partida que se legalizará debidamente, algo que equivalga a un salario normal.

Según el artículo 112 del Reglamento (tenía siempre delante de mis ojos, pegado en la pared de mi celda, el capítulo que se refiere a la disciplina y obligación de los penados), del producto del trabajo se debía hacer cuatro partes: dos cuartas para ser entregadas a la familia del recluso; una, para el penado, que se depositaría en una Caja de Ahorros, y que seríale entregada al cumplimiento de la condena; y la última, a beneficio del Estado, en compensación de los gastos que ocasiona el preso.

Yo sabía todo eso, y repliqué vivamente al director:

—No se preocupe, señor. Yo no tengo familia, no tengo ningún pariente cercano. Nada me hace falta.

—¿Y lo que ganaba usted antes en el taller a quién se lo han dado? ¿A usted?

—No sé, señor.

El director no hizo ningún comentario, pero dejó notar un ligero movimiento de cabeza, que interpreté como de contrariedad. Luego, dijo:

—Por lo menos, debe quedar a su favor para cuando salga.

—No me interesa en lo más mínimo, señor director, se lo aseguro. Le doy mi palabra de honor. Estoy muy satisfecho con cambiar de ocupación. Nada más, nada más, señor director.

El tono de mi voz era resuelto y obstinado. El director me miró con curiosidad, pero no me volvió a hablar del asunto. Debe haberle parecido extraña mi actitud, pero no podía, no debía, pensar siquiera en mi salida del Panóptico. Si hubiera tenido esa idea, no habría podido lograr nada en la formación de mi nuevo espíritu. Yo estaba bien en el Penal. Dentro de él obtendría, algún día, la paz, que era mi libertad. ¿Por qué, pues, pensar en mi salida? ¡Qué estúpido hubiera sido!

Sin embargo, después, hube de recibir alguna cosa, algunas monedas, que me apuraba en gastar en cualquier antojo, especialmente en pasteles o en botellas de aguardiente, que me llegaban clandestinamente.

Lo cierto es que me sentí alegrísimo. Así se lo dije al director, sin poder reprimir mis sentimientos. Y hasta me atreví a rogarle igual destino para Rosendo Barcia, hablándole de sus cualidades y explicándole que podía servirme de ayudante y que de esa manera podría yo dictar un curso muy eficiente. Me ofreció estudiar el asunto y me despidió.

Para Gusano fue, sencillamente algo extraordinario. No me lo quiso creer y sólo cuando recibió una notificación oficial sobre sus nuevas tareas estuvo convencido. El director, sin decirme una palabra, había accedido a mis deseos. Tal vez lo encontraría útil y necesario para el plan que se había trazado.

La verdad es que, de la noche a la mañana, nuestra mísera condición de obreros forzados se transformó en elevada posición de maestros. A Gusano le costó mucho trabajo adaptarse, pero mis consejos le fueron benéficos, y pronto estuvo apto para la enseñanza. En cuanto a mí, siempre había amado a los niños, y los hombres, cuando son ignorantes, se parecen mucho a ellos. Mi trabajo, fue fácil. Me puse así en contacto con las vidas deshechas y las pasiones más hermosas y abismales. Como no sabía una palabra de quechua, no tuve, hasta cierta ocasión en que resultó indispensable, alumnos indios, pero sí enseñé a leer y escribir, así como las operaciones fundamentales, a muchos mestizos, a muchos hombres extraídos de los más bajos fondos, de los sitios en que duerme tanta miseria, tanta belleza y tanto dolor. Experimenté un gran orgullo de ser maestro de penados, de seres de los cuales la sociedad se había olvidado y que son, por lo mismo, lo más valioso en cuanto a experiencia humana hay en ellos.

Nuestra categoría, pues —la de Gusano y la mía—, ascendió rápidamente. Eramos, lo que se dice, presos de confianza. Podíamos permitirnos pequeñas ventajas, como la de permanecer unos minutos afuera, después del toque de la campana que ordenaba silencio. Sobre todo, cuando charlábamos con algún colega. ¡Qué satisfacción volver a tener colegas en el magisterio! eran, claro está, unos pobres diablos: burócratas rutinarios más que profesores, pero lucían una suficiencia ridícula y llena de encantos. El más pintoresco de todos era nuestro profesor de música. Creíase un genio, un Beethoven. Hablaba de los discos que grababa para los Estados Unidos. Cantaba, según él, con la mejor voz que tenía el país, y tocaba, además, el piano y la guitarra. Compuso un himno, que cantábamos en coro todos los días. Me parece que se llama "El Himno del Trabajo", o algo por el estilo, cuyo estribillo terminaba así:

*"Disciplina, trabajo y honor".*

En fin, todo esto me resultaba delicioso. Hablo en pasado, porque ya esa dicha terminó para mí. . . Mi espíritu ha sufrido y contemplado la agonía de estas cosas bellas. . . Fue tremendo. . . Ya lo explicaré después. . . Ya diré por qué. . .

Un día surgió lo inesperado. Gusano Barcia se enamoró y olvidóse de su Lucía. El lo negaba al principio, pero luego no tuvo más remedio que confesar la verdad. Las cosas ocurrieron de esta manera: nuestro oficio de maestros nos daba acceso a la sección de mujeres, cuya inspectora era una de treinta y cinco o treinta y ocho años, alegre, pintarrajeada, pero no desprovista de gracia. Hasta ahora no sé por qué la amó Gusano. Se llamaba Luisa Maldonado, y era íntima amiga de una reclusa, sentenciada a diez años de prisión, una famosa y bella mujer, cuyo nombre, Margarita, evocaba dulces ensoñaciones de los tiempos en que se creía en el color azul de lo romántico. Bien, ambos nos hicimos amigos de estas dos mujeres. Las demás eran pobres indias o cholas sucias y feas, deformadas por el peso de una vida de privaciones, con la inteligencia limitada que poseen los seres sumidos por siglos en el desprecio.

La inspectora hacía lo posible por alargar las entrevistas y cuidaba con avaricia los minutos para dedicarlos a la charla con nosotros. Siempre estaba en la habitación de Margarita. Debo decir que el departamento de mujeres hállase a la izquierda de la entrada principal, y está constituido por la prolongación del primer corredor lateral que se encuentra al llegar al Panóptico. No hay celdas, sino cuartos, que dan todos a un patio, en el cual se dedican las reclusas a labores domésticas, el lavado y la costura. Por supuesto, los únicos hombres que penetraron a ese patio éramos nosotros, igual que los demás profesores, puesto que no es permitido a las mujeres recibir las clases en compañía de los otros presos.

En aquellos momentos de conversación que teníamos, Luisa se comía con los ojos a mi amigo Gusano. Este, a veces, no podía reprimir una sonrisilla galante. Pero de aquí no pasaba nada.

—Buenos días, señor Barcia. Siéntese, haga el favor. He estado justamente pensando en usted. Siga contándonos esa historia de Manabí, que no nos terminó ayer.

Gusano, feliz, tomaba asiento, y hacía el relato de las aventuras de su tierra, tan pródiga en leyendas heroicas y criminales. Eran cuentos aprendidos de boca en boca, relatos de gestas libertarias y grandes revoluciones. Los narraba con exactitud de detalles para los inquietos oídos de la casi bella serrana Luisa. En cuanto a mí, escuchaba complacido y cruzaba, de vez en vez, un comentario ágil y fino con Margarita.

Margarita es una mujer joven. No conozco su edad, pero no debe haber llegado aún a los treinta años. Es morena, de grandes ojos verdes, de silueta aguda y de inteligencia pura. Cuando adquirimos cierta confianza, y después de que yo le conté la historia de mi crimen, ella me confió la suya. Después de todo, esto de contarse los dolores íntimos entre penados es una costumbre establecida. Es posible que muchos exageren y mientan al narrarlos, pero el contar su vida es una de las pocas y más bellas compensaciones que puede tener un condenado.

Esta mujer —Margarita Dávalos— había sido lo que se llama una mujer de la vida. Ahora ha convertido sus pasiones mundanas en un fervor piadoso y en un misticismo casi extravagante. Posee un temperamento sentimental y morboso y tiene la cabeza llena de ideas líricas y románticas acerca del mundo y del amor. Su cultura no es sólida, pero, no obstante, sorprende que la haya adquirido en la agitación en que vivió desde tan niña. Y más sorprende todavía su sensibilidad. Debe haberse llenado de lecturas de poemas y seguramente, fue, más de una vez, la querida bondadosa de algún poeta exótico y vicioso. No de otra manera hubiera podido afinar su espíritu, pues en cada pensamiento suyo hay algo de bello, de grande y de cursi al mismo tiempo. Es decir, como la mayoría de las calidades del alma, es fácil que una idea sea cursi: esto depende, a mi juicio, de la frecuencia con que se somete a nuestro análisis.

Debe haberle gustado que yo le hablaba de literatura y de problemas del corazón. Mi historia con Clemencia la enterneció hasta tal punto que derramó lágrimas ardientes. Me llamaba su amigo (decíame que yo la comprendía porque había sufrido casi tanto como ella) y me repetía, a menudo, que el amor es siempre trágico y cruel.

—Yo también, Nicolás, estoy aquí por haber querido con todas las fuerzas de que una mujer es capaz.

Delicadamente, yo no le pregunté nada. Fue ella misma que, un buen día, a los dos o tres meses de tratarnos, me contó sus sinsabores.

Su voz temblaba como si en la garganta le estuviera agonizando un pájaro de llanto. Me lo decía con las palabras cortadas, pequeñas y tímidas. Era tremendo que me confesara que fue seducida a los catorce años, que su madre la puso en venta a los ojos de un viejo y rico galán. ¿Por qué se confiaba así en mí? Son asuntos que una mujer nunca cuenta a nadie. Jamás, y mucho menos las de vida alegre, dicen nada de sus primeros pasos dolorosos en la estancia del placer. En fin, será que nuestras almas se hablaron desde antes y estableció se un contacto sutil entre nuestros espíritus. No callaba sus vicisitudes. Entendía yo que cada palabra que me confiaba le arrancaba un gran dolor, y esto me emocionaba mucho. Las amigas, el frívolo y dulce placer de llevar ropas de seda, la cabeza loca de los pocos años, las fiestas doradas, en las que pegaba la frente contra los vidrios maravillosos del alba. . . Pasó de mano en mano. No le importaba. Así me lo dijo con su voz delgada de agua mansa.

—¿No le importaba, Margarita? —preguntéle sin poder contenerme.

—No. Sólo me importaba divertirme. Era tan amable. Recordaba mi casa, las ollas de barro, las mantas sucias, la comida abundante y grasosa, siempre igual, la grotesca manera de hablarnos. . . ¿No me comprende? Quería ser una mujer educada. Afinaba mi ingenio y aprendía a reír con esas risas elegantes que se esconden sólo entre las paredes limpias y los trajes brillantes.

—¿Y no quería usted a los hombres que conoció?

—¡Cómo se le ocurre! Es decir, no sé. Si alguien pudiera explicarme lo que es realmente querer. Se puede amar un día como un siglo entero. Sí, los amaba, un momento, un solo instante. Pero con tantas imágenes como entraban y salían de mi corazón, en verdad, no podía detenerme mucho tiempo en ellas. Además, usted me entenderá, ¿es que encuentra usted positivamente malo que una mujer tenga sus deseos y los satisfaga?

Le di una excusa. Le expliqué que yo no tenía prejuicios, y que convenía en que la mujer podía entregarse a cualquier hombre, pero siempre que lo amase. De otro modo. . .

—Dígame una cosa, Nicolás, ¿ha poseído usted solamente a las mujeres que ha amado?

—No, pero es distinto. Las necesidades fisiológicas en el hombre. . . Usted sabe. . .

—¿Cree usted en esos cuentos? Vea, yo he cambiado mucho. . . Ahora no me entregaría a ningún hombre así lo adorase. No quiero volver a saber nada de eso, nunca más, nunca más —me dijo, enturbiando las miradas—. Pero no es que esté arrepentida y que haya cambiado mi manera de juzgar las relaciones del hombre con la mujer. Ya el hombre ha dejado de interesarme sexualmente. . . Además a veces me confundo. Alguien tendría que explicarme primero qué es amar y qué es desear. Y ese alguien, Nicolás, no existe. Lo grave no es entregarse a un hombre porque se lo desea o porque se lo ama —ambas cosas se confunden y son imposibles de separar—. Lo triste es entregarse porque sí. . . Sin aportar una migaja de alma. . . Sin que el corazón se ponga a temblar en la dulce angustia. . . Entregarse porque, porque sí. . . Esto es lo amargo y lo fuerte. . . Es como si se metiera el veneno en la sangre. . . Usted no puede comprenderlo. . . Está una muerta, Nicolás, toda transformada en hielo, en cosa. . . Y el hombre, ¡qué repugnante! No, Nicolás, ni usted ni ningún hombre podrá entender ese momento. . . Es nuestro, sólo de nosotras. . . Pequeños animales. . . Pequeños dolores que nos arrugan la cara y nos van volviendo de piedra el corazón. . . Yo. . .

Margarita se puso a llorar y yo hube de prodigarle mi consuelo. Su silencio cayó entre nosotros. No me atreví a interrumpirlo. Era un alma grande. Comprendí que era terriblemente sincera. Es muy extraño encontrar una mujer de su naturaleza en la vida absurda y pueblerina de la que yo antes había sido actor. Por eso, la admiré y lo hice con la severa penetración que acerca tanto la amistad.

En sus tiempos de mujer alegre había sido ardiente y loca. Ella misma me lo dijo sin ruborizarse. No tenía necesidad, es cierto, de decírmelo, porque bastaba mirarla para saberlo. Y sin embargo qué confesión la suya. . . Sin duda, tenía ante mí un espíritu valiente y fuerte.

Dio todo a los hombres. Lo dio cuando pudo gozar con sus sentidos y su alma, en el entregamiento íntegro. Su vida había sido una fiesta, pero con desgarraduras, porque, en el fondo de su risa, aleteaba siempre la sombra, la sombra de la desesperanza, la misma sombra que puso las manos heladas en mis ojos cuando maté. Margarita lo sabía, y en saberlo consistía su prisa de vivir de puras luces cegadoras. No era mala, no podía serlo. Era una mujer bondadosa sensible, que entregaba su cuerpo y un poco de su alma en cada vez. ¿Qué razón encontraría, de otro modo, a su existencia?

Ella me lo decía con su profunda y triste voz. Y yo la escuchaba feliz, porque en sus palabras hallaba nuevas enseñanzas, nuevos rincones humanos que aún no habían sido revelados a mi corazón. ¡Qué maravillosa es esta clase de mujeres! Las más sabias, las más buenas, las más dignas de aprecio. Tienen la pasión a punto de estallar, en cualquier momento gris de la vida, y el corazón siempre amable y libre de las malas torceduras que las normas establecen.

Gusano no profundizaba en nada. Para él, sólo existía la alegre superficie que brindábale Luisa. Risas, bromas, miradas furtivas, esos apretones de manos que tanto confunden, esos leves rozamientos que enardecen, esas expresiones en el rostro, en todo el cuerpo, que no se pueden explicar, pero que se sienten... Una tarde me lo dijo:

—Tienes razón, Nicolás. Me he enamorado de esa mujer.

—¿Y tu recuerdo? ¿Y Lucía? La has olvidado tan pronto, cuando apenas me decías que estaba unida a ti para toda la vida.

—Sí, todo es verdad... No es que la haya olvidado. Tal vez todavía la quiero. ¡Pero cómo la odio! De esto sí que estoy seguro. Mira, Nicolás, Luisa es una mujer humilde. Yo la amo, y ella me llegará a amar sin reservas. No tiene nada que echarme en cara, nada. No puedo seguir así: necesito de un calor a mi soledad, para crecerme un poco sobre mi esfera humillada. Luisa puede darme lo que necesito. Además Ramírez, necesito fundamentalmente olvidarme de Lucía. Quiero libertarme de ese dolor. ¿Comprendes ahora?

—Pienso bien. Te vas a entregar a una nueva pasión, ¿con qué esperanzas? Repara en sus años.

—Justamente, por eso la quiero, porque es sin esperanzas... Lo único que puedo decirte es que mientras ella esté en el Panóptico y mientras yo sea un recluso, nos amaremos. Pensar en más, es absurdo.

—Tienes razón, Gusano —le respondí sorprendido.

—Luisa es buena. No es ni muy bella ni muy inteligente, pero no deseo más.

—Si eso te sirve...

— ¡Claro que me sirve! Y tú lo sabes, Nicolás. El mundo nuestro es así. . .

Gusano Barcia tenía toda la razón. No debía haberle discutido. El la necesitaba. Pero. . . Mi caso es distinto. Clemencia no me ha traicionado. Clemencia apenas si existe como una cosa. . . No la poseí. . . Es algo que creció con mi alma, como crecen las ideas al andar de la vida. No necesito de nadie. La lejanía ideal de Clemencia es la mayor proximidad que tengo de ella. Otra mujer en mi vida, significaría la muerte. . . Hombre acabado. . . Sí, yo no podía ni debía juzgar los sentimientos y los problemas de Rosendo al través de los míos.

Margarita, en cambio, me ofrecía amistad, una amistad que robustecía mi amor por la mujer impalpable que es Clemencia. La mujer como amiga da lo más precioso para un corazón: acumula en él el suave secreto que enardece y adelgaza los sentimientos. Y en la lucha para hacer de mi espíritu el refugio de mis pasiones, el conocimiento de Margarita era tónico.

¡Con qué extraordinaria impureza de moral convencional me contó su tragedia! Mis ojos temblaban de emoción. Una ternura inmensa me invadía cuando su palabra se había hecho sutil y flaca, lejana y alta. Un día le había llegado la tragedia, que tanto la había acechado. Fue, como siempre, un hombre. Tal vez el cansancio, el hastío de placeres fue lo que la llevó a amarlo. Tal vez fueron sus palabras amables. Acaso admiró en él abrigos de buen espíritu. Ella misma no sabía explicarse por qué lo amó. Era rico y joven. Ella, Margarita, una mujer de vicio, pero leal.

Las cosas tenían que presentarse con aquella vulgaridad de los folletines que tan frecuentemente conducen al crimen. Con la misma categoría tonta que las angustias de Gusano Barcia. El amante se hastió. Era hombre de sociedad. Decidió casarse. Margarita lo supo. Su dolor se fue cubriendo de la pasta amarga que lo envenena todo. Le habló, pero él hizo burla de sus palabras.

—No tiene ninguna importancia —fue lo último que le dijo en tono serio.

—Prefería verte muerto antes que casado con otra mujer. Yo, yo misma te mataría. . .

Cuando Margarita me repitió estas palabras, yo temblé. El día se había cubierto de una membrana oscura. El agua de las lavanderas salpicaba los muros de la casa de piedra. Sólo se escuchaba el rumor del agua fría y algo idéntico al arrastrarse de los animales nocturnos.

Transcurrieron los días sin que Margarita pudiera libertarse de la idea que la había hecho prisionera. Volvíase huraña. Nunca más le habló de matrimonio. Siguió bebiendo . Aspiraba cocaína. Antes lo hacía sólo en las fiestas, para resistir, con la cabeza clara, el alcohol. Ahora no: rabiosamente enllagaba sus bellas narices con la droga. Con los ojos encendidos, miraba temblar en sus manos la cajita con el polvo blanco, con ese menudo polvillo que la arrebataba. Las manos se le adelgazaron, nerviosas, finas, exangüez. Unas manos de santa. . . Aspiraba la cocaína, y sus labios permanecían trémulos, entreabiertos, mostrando los dientes blanquísimos que reían solos en su cara muerta. Se anestesiaba toda ella. No su cuerpo únicamente: su alma, su espíritu se hacían volátiles y tensos. Hasta el fondo de los pulmones, llegábale el fresco aroma y le revertía las ideas. ¡Era el abismo azul, vacío, frío lejano! No tenía fuerzas para mover un músculo . Pero estaba mejor así: inerte, dejando que alrededor todo se moviera y todo pasara sin tomar participación en las cosas. En el cerebro, la exaltación maravillosa. Y en los ratos de lucidez, aquella idea sorda, distante y tenebrosa. Se enloquecía por instantes.

Yo permanecía mudo a su relato, todo convertido en alma. El jabón olía a cosa nueva. Sobre la tierra cayó un poco de agua y se volvió negra. Hablaba despacio, casi sin voz, como el sonido que habitaba en el agua movida por las manos.

Cierta noche, aun sin esperanzas, quiso salvarse. Habían comido juntos y bebido en abundancia. Margarita lo sabía: dentro de una semana él se casaría y no lo volvería a ver más. Aquella noche era la última, la de despedida. ¿Cómo perderlo, así, de repente? Se lo dijo, le suplicó. Torció sus manos blancas y largas. El reía. Pasábale sus dedos por sus cabellos, y decíale:

—Si te casas con esa mujer, te mataré. Lo juro.

No quedaba en su rostro ni una huella de dulzura. Alentaba en las palabras la dureza y la derrota. Las miradas fijas como tizones, la tenían adherida a él. Su amante, no lo vio así. Borracho, siguió riendo.

—¿Matarme tú? ¡No seas ridícula! Ya tienes otra vez las novelas en la cabeza. . . Tonta, tonta, tonta de malos chistes. . .

Margarita no respondió nada. No habló, desde ese momento, una palabra. Bebió mucho. Sólo sus ojos húmedos delataban la agitación interior. Y cuando se echaron, en el frío silencio de la noche, ella le enseñó su pequeño revólver que estaba en el cajón abierto del velador.

—Mira, ¿ves? con esto es que te voy a matar y después me mataré yo.

Al llegar a estas palabras, interrumpí a Margarita. Le pedí que hiciera una pausa. No quería que el final me llegara tan de pronto. Ansiaba saborearlo, empaparme de él, llevármelo adentro, así de abrasado y de bello. El sol ya no existía. En la tarde, las pequeñas cosas diarias se transformaban en líneas. Estaban tendiendo la ropa. El viento agitábala un poco. Y dejaba sombras dulces contra los muros de piedra. Alcé los ojos y me quedé en el cielo por un minuto, trepando mi espíritu por las tinieblas que llegaban. Margarita había inclinado la cabeza. Lloraba sin ruido. Alzó a mí sus miradas, y yo le hice señas de que siguiera. Hízose a un lado y habló con la voz apagada, una voz de tierra seca y estéril, de tierra sin pasos y sin lluvias.

El seguía burlándose. Y con su risa imbécil, se había desnudado el pecho, diciéndole que disparara allí, en el sitio más bonito de los hombres. Los movimientos de Margarita eran mecánicos. Lo contempló acostado cómo se abría la camisa y mostrábale el pecho desnudo, mientras reía en su inútil alarde masculino. Despacio, Margarita se desnudó y echó a su lado. . . Apagó la luz de la lamparilla. Se fue acercando a él . . . Yo ya no sabía cuál era la verdad, cuál lo real: si los pasos callados en esa alcoba o si las ropas moviéndose a los primeros vientos de la noche. Una tremenda confusión se me hizo en la cabeza. Era cómo si lo estuviera viendo. . . El muro de piedra se hundió. . . El cerro lleno de caminitos verdes se comenzó a alejar entre las nubes de plomo. . . Margarita estaba aquí, desnuda, juntándose a él. . . Trató de mirar su rostro en las tinieblas. . . Pasó con suavidad las manos por sus mejillas, por su frente, por su boca. . . Estiró el brazo hacia atrás, tomó el pequeño revólver, y, buscándole el corazón, disparó.

Después, Margarita cayó en sopor extraordinario. La tenía en mis brazos y no hablaba. Era igual que cuando lo mató. . . Igual. . . Ya no existía nada en nuestro ruedo. Ni las piedras ni la luz ni las tinieblas. Se abrazó a él, sintió en sus manos y en sus brazos cómo le manaba sangre caliente del pecho. Y la besó, la besó, enloquecida de terror. . . La cabeza dábale vueltas. . . No podía fijar las ideas. . . Lo había matado, por fin lo había matado. . . Y ahora, le tocaba a ella. Sí, claro, era cuestión de apuntar bien. . . El corazón. . . ¿Adónde me late el corazón? Lo escucho aquí, bajo mi cabeza, en la misma almohada, en mis mismos oídos. . . Es muy ligero. . . Ya está. . . Llegaremos. . .

Cuando recobró el conocimiento, estaba arrestada. La encontraron abrazada junto al cuerpo semidesnudo de su amante. Ella misma estaba desnuda y blanca como una diosa.

# VIII

## VIGILIA DE NAVIDAD

Margarita no acertaba a explicarse por qué no había disparado sobre sí misma. Contábame que cayó en un sueño pesado y torpe, con la sensación de haber muerto. Yo no quise, por no torturarla, volver a hablarle de su tragedia, pero un día no pude contener mi curiosidad y le pregunté cómo había podido adaptarse a la vida del presidio, y qué la había hecho tan resignada como para dominar su vicio y su temperamento.

—No ha sido fácil, Nicolás, pero todo puede conseguirse —me dijo—. Al principio, sufrí mucho. . . Pero todo fue quedando muy atrás. . . Tome en cuenta que usé coca relativamente por corto tiempo. Era más que nada la desesperación lo que me llevó a ella. Antes de conocerlo (jamás lo nombraba), nunca había aspirado. . . En fin, ya pasó.

Permanecí callado. Me miró, entonces, y me dijo:

—Sólo hay una palabra que se lo puede explicar:

—¿Cuál, Margarita?

—Dios.

No quise discutirle. Simplemente, asentí con la cabeza. Yo no había podido llegar aún a ese estado de sosiego espiritual, y la envidié. No quería servirme de Dios. Todo lo quería de mí, de mi propia textura. Sí, en medio de sus recuerdos dolorosos,

Margarita era ahora una mujer feliz. Así como se entregó antes al placer, sólo Dios y los goces místicos ocupaban su alma después de tantos años de búsqueda. Pasaba horas enteras rezando. Procuraba ser humilde y servicial. Para sus compañeras de presidio, tenía palabras de amable consolación. Sosteníalas en cada momento de tristeza y hasta ayudábalas en la costura y el lavado de ropa. Margarita, sin duda, era una mujer admirable.

Cinco años vivía ya en el Penal cuando la conocí. Por buena conducta y rebajas sucesivas otorgadas por la Corte de Justicia, había disminuido su condena en dos años. Le faltaban, pues, sólo tres para ser libre. No demostraba ninguna prisa por el tiempo que aún debía permanecer recluída. Por lo contrario, tenía cierta preocupación por su vida futura. ¿Qué hacer en el mundo? ¿Cómo vivir vestida de mujer honrada? No le restaba más alternativa que la servidumbre o el retorno a la alegría pecadora. Alguna vez le planteé yo estos problemas.

—No sé. A la verdad, me siento perpleja. Lo único que puedo decirle es que, a pesar de todo lo que pueda ocurrirme, seré una mujer honrada. Sí, sí, ya lo sé. No me diga nada. Sé que me va a ser muy difícil. Pero Dios verá. No me ha de abandonar su providencia. Si me recibieran, entraría en un convento. Ojalá.

—¿Cree usted que allí encontrará la felicidad?

—Yo no la busco, Nicolás.

Repito que Margarita era admirable. Tener la decisión absoluta, fuerte, de cambiar de vida sin los medios para lograrlo, es, sin duda, tan heroico como vencer los prejuicios morales y superar, con la armadura de una virtud sin limitaciones por lo establecido, el temor a los demás, a esos demás que son el alimento de nuestras tragedias de hombres. Yo sí que no puedo siquiera imaginarme el momento de mi libertad. ¿Qué haré? ¿A dónde ir? ¿Tengo alguna idea acaso de cómo conformar mi conducta en el mundo, en la vida de la ciudad? Seguiré, para siempre, siendo el asesino Nicolás Ramírez, el violador, el perverso criminal, de quien hay que huir y a quien hay que despreciar. Además, no podría sentir el contacto de la calle: mi piel misma es ahora distinta, de tanto frotarse con piedra. Sólo una remota, remotísima esperanza me llega en veces: la de que me nombren maestro de este Penal y pueda aquí terminar con mis días.

**Para** qué torturarme sin sentido, sin utilidad, sin mayor razón que la conjetura. No me queda otra cosa que seguir mi vida de muerto, mi maravillosa y secreta vida de muerto. Mi mundo está lleno de las imágenes que voy creando a diario, las únicas auténticas y reales. Si algún día todo se me derrumba... ¡Bah!

La inspectora ha seguido haciendo el amor con Gusano. Mi amigo vive completamente feliz. Todos sus pensamientos son para ella. Luisa, más que mis consejos, ha jugado un papel decisivo en su vida. ¿Los envidio, acaso, que se me viene tanto a la cabeza la idea de sus amores? No. Unicamente, registro hechos.

Pero hay otras mujeres además de Luisa y Margarita. ¡Tienen tantas cosas extraordinarias en los ojos! Sobre todo, ha llegado hace poco una que me ha sobrecogido por su expresión. La conocí una noche de Navidad. A las diez, pasaron una película —no recuerdo cuál, pero sé que era cómica—. Nos avisaron temprano, señalándonos a los que, por buena conducta, podíamos asistir a la función. Gusano Barcia y yo, por especial permiso, nos habíamos quedado conversando con el profesor de música y dos guardas desde las seis de la tarde, poco después, apenas terminada la merienda. Nos hallábamos sentados en los fierros de las rejas de La Bomba. Ni Gusano ni yo quisimos ir a nuestras celdas. Era un día que nos traía a ambos recuerdos de la niñez, de los tiempos que casi fueron felices, y ninguno, sin decírnoslo, queríamos permanecer solos. Era el miedo al recuerdo. Sin embargo, la charla no era suficiente para alejarme de ese pensamiento que se me clavaba entre las cejas. De vez en vez, el aroma de Clemencia me llegaba y me hablaba de dulces cosas olvidadas. Nada más que el diálogo amable. Nada más que las miradas preñadas de promesas y de risas. Nada más que la alegría de sentirnos cerca.

Cuando me venía un largo silencio, de esos que indican la tristeza inmensa que, de repente, se dibuja en los rostros, mi amigo Gusano comprendía y hablaba. Los guardas también tenían mucho que decir. Ellos también podían estar con las cosas queridas, y se ponían a hablar de cualquier cosa. Poco a poco La Bomba se llenó de gente. Comenzaron a llegar los penados, en formación disciplinaria, hablantines, noveleros. Los vi desfilar por el sitio dilecto, por el seno de mi amiga La Bomba. Las luces eran pequeñas y débiles y dibujaban temas extravagantes en los muros. Arriba, cerca de una amarilla luz central, habían colgado flores de papel, que se veían marchitas y descoloridas. Las guirnaldas y las banderitas se cruzaban sin comunicar alegría. Hacía un frío intenso y yo —no sé bien si por las luces, por el viento o por las piedras— tenía la impresión de que estaba lloviendo.

Primero desfilaron los hombres, con cuellos encogidos, las manos guardadas en los bolsillos del pantalón, la palabra ligera. Ninguno alzó los ojos a las flores ni a las luces. Marchaban como a diario. Luego, las mujeres hicieron su aparición. No vi a ninguna que demostrara alegría. Era como un paso monacal. Y hasta los pequeños huecos entre las rejas me parecían altas ojivas de piedra. La penumbra, el silencio, los pasos leves, las paredes duras, el susurro de las conversaciones y hasta las miradas que, de vez en vez, brillaban, todo contribuía a exaltar mi tristeza aquella noche. Lo único que rompía la monotonía de las luces opacas era el grito, el penetrante grito que lanzaban los policías al numerarse en los torreones de guardia. Y eso mismo estaba bien con la atmósfera densa y doliente que me envolvía.

Arriba, en el último piso, habían acondicionado la sala para el espectáculo. Nosotros fuimos los últimos en llegar. Una gran ventana abierta mostraba el  cielo estrellado, sin una nube de abrigo. De pronto, al entrar, me detuve: una mujer hallábase sentada, entre las primeras bancas, con una criatura de dos años de edad a lo más. La presencia de la niña me sobrecogió. No obstante la hora, sus ojillos, muy abiertos, reían viendo la luz, y sus manitas jugueteaban con el aire. Me acerqué a mirarla y le sonreí. La madre, entonces, clavó en mí sus ojos, unos ojos tremendamente grandes y fijos. Quise hablarle, pero no pude. Apretó contra su pecho a la criatura, y me siguió mirando de un modo que me hizo vacilar. No sé si había rabia en esos ojos, si miedo, si locura. . . Sólo recuerdo que eran grandes y que tenían una expresión inexorable. Mientra se  hacían los preparativos de la fiesta, busqué a Margarita  y le dije:

—¿Quién es esa mujer? ¿Por qué está aquí con esa niña? Es algo horrible verle los ojos y la chica en sus brazos.

—Hace pocos días que vino —me repuso—. No ha tenido con quien dejar a su hija y la ha traído. Pasado mañana, cuando vaya a la sección, la conocerá bien. Es una infeliz.

—¿Por qué la han condenado? ¿Por qué, si tiene esos ojos de enferma? ¿No se ha fijado usted en esos ojos?

Margarita sonrió con pena.

— ¡Cómo no! Parece medio loca, aunque habla con cordura. Desde la mañana que llegó le he hablado, hasta que logré romper su mutismo. No tiene otro anhelo que su hija. Un crimen pasional . . .

Y allí, rápidamente, Margarita me contó esa historia. Una nueva experiencia para mí, un nuevo conocimiento de la pasión humana. ¡Cómo se repetía el mandato del corazón en el crimen! Era más de lo que había pensado. Se llamaba Ana Chiluiza, y habitaba los alrededores de Quito, junto al campo verde y a los altos eucaliptos. Un marido borracho y el amante soldado, que surge de repente a alborotar la resignada servidumbre de la hembra. Tenían la felicidad en las manos y no la podían gozar entera, por la diaria y odiosa presencia del marido. Una noche de jarana, el amante se lo dijo. Pero ambos lo tenían en el pensamiento desde que les ardió la carne. Y él estaba allí, ebrio, dormido. ¡Iban a ser libres! ¡Iban a poder estrecharse sin el terror de ser sorprendidos! ¡Iban, sobre todas las cosas, a poder acariciar ambos a la hija, que tenían que conceder al hombre odiado! ¿Por qué no matarlo? ¿Por qué no? ¿Por qué no? La pregunta surgía entre las miradas y flotaba sobre los vasos de aguardiente. Tomaba presencia, figura material. Tenían delante, quebradas las caricias como un ala en la tempestad. ¡Maldición! Había sido un grito destemplado que el amante lanzó con las manos, con los ojos, con su lengua atada. Fue tan fácil. . . El yatagán penetró con suavidad hasta el mismo corazón. Lo dejaron allí, clavado en su carne, y huyeron. Tres días, con la pequeña a cuestas, anduvieron vagando por el páramo, por los bosques, por los caminos helados, por los senderos en que el trigo crecía como una promesa para toda la vida, por las sementeras enlodadas, por los canales que el arado señalaba, por todas las rutas de la sierra. . . ¡Huir! Encontrar el refugio donde poder mirarse las manos limpias. Apenas si comían en esa carrera loca por los desiertos, por los matorrales y las alturas. Al amanecer del cuarto día, los prendieron. El hombre, baja la cabeza, el pecho agitado, la frente amarilla plegada en mil arrugas, no dijo nada. Pero ella gritó, lanzó su llanto como una maldición sobre los soldados que la amarraban, insultó cuando quisieron quitarle a su hija, a la hija de su mala pasión. . . Y ahora, habíanlos traído al Panóptico. Entraron juntos. El, a sufrir el tormento del "reservado". Ana Chiluiza, con su hija, a mirar todas las cosas con sus grandes ojos de loca y a saber que en muchos años no podría sostener en su regazo la cabeza del hombre que la condujo, como una voz potente de las montañas inmensas, al crimen y a la soledad.

Mis ojos se habían humedecido. Margarita lo advirtió y me lo dijo:

—¡Qué sensible es usted, Nicolás! Aseguraría que está llorando.

—Lo que me duele es la chica. ¿Qué harán de ella aquí?

Las primeras notas del Himno de Trabajo cortaron nuestra charla. El profesor de música, dirigía la orquesta, formada con presos (dos guitarras y un bandolín), y todos los penados que asistían a la función levantaron las voces. Yo permanecí mudo, y hasta la musiquilla tonta y efímera de la canción me pareció la cosa más dolorosa del mundo. Después, repetí, sin saber qué hacía, las últimas palabras:

*"Disciplina, trabajo y honor"*. . .

Se apagaron las luces y empezó la película. Era graciosa, bien lo recuerdo. De rato en rato, para cambiar un rollo, volvían a dar luz. Yo, entonces, invariablemente, dirigía mis miradas a Ana Chiluiza y su pequeña hija.

Cerca de las doce de la noche terminó la función. Se cantaron unas canciones, se dieron unos vivas al director y nos retiramos a dormir. Antes de llegar a mi celda, el profesor de música se acercó y me invitó:

—Don Nicolás, no se vaya todavía a dormir. ¿Quiere un traguito?

Y al decirlo, me mostraba la botella. Acepté. Nos sentamos en el suelo, en el sitio más oscuro del corredor en el que se hallaba la serie de mi celda. Bebíamos a pico de botella. ¡Qué bien me caía el alcohol esa noche! Arriba se podía ver un pedacito de cielo. El viento entraba helado y la noche parecía de duendes y murmullos sobrenaturales. No puedo precisar lo que sentía, pero me hallaba lejos de mí, lejos de todo, ausente, como suspenso en el aire enrarecido. Esa noche, debían haberse caído sobre nosotros todas las estrellas del cielo, y aplastarnos en luces. No sé la hora que sonaba cuando entré a mi celda. El guardián también había participado del convite, rogando que le aceptaran una botella. Amistosamente, dándonos un abrazo de despedida y deseándonos mil felicidades por la Pascua, dio la llave a mi puerta. Y ya tendido, con los nervios exaltados, no pude dormir. Me estuve así contando las campanadas de La Bomba, el timbre agudo y malicioso, y siguiendo, uno por uno, los gritos de los policías. ¡Uuuuno! ¡Doooos! ¡Treeees! Los primeros se rompían sobre mi ventana. Después, llegaba la palabra como un aullido lejano, como si viniera rodando desde las alturas. Eran voces extrañas, guturales. Cada vez, el alma se me recogía y el corazón se me ponía a saltar. El cielo se puso azul. En seguida, advertí que el alba se metía, intrusa, por entre las rejas a quebrar mi pensamiento. Entonces, medio atontado aún por la mala noche, entré en sopor y me dormí.

## IX

## SOL Y TINIEBLAS

Hoy hace una semana que no escribo. He pasado unos días deprimido no sé por qué. Sentía en mis brazos el peso de una inmensa fatiga. Mis pensamientos han estado como detenidos. He cumplido mis deberes de maestro y, como nunca, mi puntualidad ha llamado la atención. Experimentaba fiebre por ser exacto, por llegar antes de la hora y ocupar luego hasta el último minuto. ¿A qué se deberá esta situación espiritual? Ni siquiera en los momentos en que conversaba con Margarita me he sentido contento. Ella lo advirtió y me lo dijo así:

— ¿Qué le ocurre, Nicolás? Lo noto preocupado.

— ¿Yo? No, no tengo nada.

—No lo niegue. Algo le pasa a usted. Tiene aire de enfermo, de triste.

—No —le repuse con cierta energía—. No tengo absolutamente nada. Simplemente, hago lo de todos los días: enseñar, andar de un lado al otro, pensar, dormir. . . ¿Por qué voy a estar triste?

Margarita no insistió, pero sus ojos me dijeron que no me creía.

Sentí un poco de rabia por su curiosidad. No sé por qué oculta razón me enojó que quisiera intervenir en mis asuntos.

Corté la conversación con un pretexto y me alejé a mi celda.

Inmediatamente, me vino la idea extraordinaria de que Clemencia podía venir a buscarme. Si ella viniera y si yo pudiera salir, aun escapado, ¿qué sería de mí? Por ejemplo, podría salir y viajar a cualquier pueblo, casarme con ella, ser un marido bueno y cariñoso, tener hijos, trabajar. . . No podía tolerar esta idea. ¿Y todo mi esfuerzo? Sí, después de mis reflexiones, eso equivalía a ser un hombre normal. Pero, ¿es que yo podía ser un hombre normal? Y sin embargo, cómo me hubiera gustado verla y sentir sus manos en las mías. No la conocí sino en la noche. ¿Sería la misma a toda luz clara? ¿Tendría esos mismos ojos tan profundos y tan inquietos? Me sabrían sus labios a la misma fruta? Y su piel, que apenas pude sentir por breves instantes, tal vez se dañara con la luz, tal vez no tendría aquel trémulo palpitar de pájaro nuevo ni aquella suavidad con que viajan los sueños. ¡No quiero verte de otro modo, Clemencia! ¡No puedo sentirte más que en las horas en que nada se ve! Tendría vergüenza de ella, un miedo atroz me envolvía estúpido, y apenas si me sería posible levantar un instante las miradas para tomarla. ¡No te quiero así, Clemencia! Estaría a tu lado como un hombre sin piernas y sin brazos, y hasta mi lengua no hablaría una sola palabra para tu corazón. Mi destino y mi fuerza radican en lo oscuro. Nada podrá borrar la sangre y el crimen que me han atado a tu amor, mujer hecha de la tristeza de las sombras. Y sin embargo, quisiera escucharte: estoy cierto que no brotará un reproche de tus labios y que tus lágrimas vendrán a mí por encima del cuerpo vacío de tu padre.

Me torturé de tal manera con estos pensamientos absurdos, así, a pleno día, que salí de mi celda. Entonces me encontré con un acontecimiento que tuvo la virtud de volver a hacerme vivir. Conocí a dos hombres, dos prófugos, el uno de Cayena y el otro de una cárcel colombiana. Todo pasó en el mismo día, con esa velocidad de cosa recién descubierta con que antes me parecía que ocurrían los hechos. Y he vuelto a sentir la necesidad de tomar la pluma y seguir con mis recuerdos interrumpidos durante siete días de abulia y de insignificancia.

Mi encuentro con el colombiano fue enteramente casual. Es un hombre regordete, de mediana edad, casi completamente calvo, que no habla con nadie y que, en las horas de recreo, camina por el patio arrojando piedritas a los muros. Reparé en él y me puse a observarlo. Al pasar junto a mí, cayó una piedra en mis zapatos, por lo que él se volvió y me pidió excusas.

—No tiene de qué, señor —le respondí con el tono más amable que pude.

Me dio las gracias. Entonces, me atreví y le pregunté, procurando distraerme de los pensamientos que venían atormentándome:

—Usted es extranjero, ¿no?

—Sí, señor, para servirle. Soy colombiano.

— ¡Ah! Cuánto gusto en conocerlo. ¿Mucho tiempo por aquí?

—Muy poco aún. Y creo que no haré verano aquí: se está tramitando mi extradición para Colombia.

—Tal vez allá sea mejor para usted.

Hasta ese momento, el colombiano no había dejado de caminar y yo de andar a su lado, con las manos en la espalda, pero con mis últimas palabras se detuvo. Bruscamente, me preguntó:

—Dígame una cosa, ¿no es usted el maestro de quien he oído hablar en los pocos días que tengo aquí?

—El mismo.

— ¡Vaya! Por fin se encuentra uno con gente con quien poder hablar. Este no es mi ambiente. ¿Con quién voy a cruzar una palabra? La mayoría de los presos está compuesta de analfabetos e imbéciles. Bien, supongo que usted es inocente como yo.

—No, no soy inocente. Mi condena es justa —le repliqué.

— ¿Cómo? ¿Qué dice usted?

Me miraba con extrañeza, los ojos muy abiertos. Tuve que volver a decirle que en realidad yo había matado a un hombre, pero que lo había hecho en una lucha y que no me sentía un criminal degenerado. Además, le traté de explicar que yo me sentía perfectamente bien en el Penal.

—Es usted un sujeto extraño —me respondió—. No lo entiendo. Nada hay como la vida. Yo siempre he sido un gozador de ella. Venimos de la tierra, salimos a la luz, la bebemos entera y después volvemos a caer en las tinieblas. ¿Para qué adelantarse? Usted se está negando a sí mismo. Lo que es yo, cifro mis esperanzas en poder ser libre. Vea, soy totalmente inocente. Y lo voy a probar apenas esté en mi tierra. Cosas de la política. . . Para eliminarme de unas elecciones, me han acusado de haber falsificado unos bonos. Yo trabajaba con una compañía de ferrocarriles. De repente, vino el golpe malo de la suerte. Cambió el gobierno, mis amigos se hallaban perseguidos, y, claro, yo constituía un peligro. . . Y nada, que me calumniaron, me enredaron, se me negó justicia y fuí a la cárcel. Pude fugar al Ecuador, y hasta acá me han perseguido. Pero ya cambiará todo, amigo, ya cambiará. Yo los desbarataré. . .

No repliqué nada a su historia. Me limitaba a aprobar sus palabras, con leves movimientos de cabeza, pues que era imposible, ante sus gestos y su voz, permanecer indiferente. En ese momento, escuchamos un grito y vimos, al mismo tiempo, correr los guardas hacia La Bomba.

Eran las once de la mañana. Los reclusos hallábanse en el patio. Pronto se formó una algarabía. El sol caía derecho y brillaba el cielo tan intensamente, que no se le podía mirar sin gozarse de tanta luz y tanta diafanidad. No sé por qué razón siempre me acuerdo de ese polvillo menudo que se levantaba con la carrera de los reclusos y que lucía como granos de oro contra el sol radiante de la mañana. La imagen de lo que presencié segundos más tarde no puede separarse en mi imaginación del espectáculo jubiloso del sol, de las carreras y del atuendo. Yo también corrí. Pregunté a alguien al paso lo que ocurría y me respondió:

—Dicen que se ha matado el francés.

—¿Se ha suicidado?

—Sí.

El colombiano no había abandonado su calma y sólo pudo alcanzarme cuando yo me hallaba frente a la celda en la que había ocurrido la tragedia. Mi condición de profesor me valió el poder entrar. Instintivamente, llevé mis manos a los ojos y los cubrí. Contra el muro yacía el cuerpo del suicida, la cabeza destrozada, los miembros exangües en un charco de negra sangre. La pared blanca hallábase pringada de los sesos blanquirrojos. Yo hubiera asegurado que aún tenía vida, pero me dijeron que no. Era la boca, espantosamente contraída, la que me parecía estar gritando. Eran los ojos saltados, inmensos de pánico, los que aún alumbraban ante un terror salvaje y desconocido. Todo su rostro era una sola mueca sangrante y desdichada. El labio superior levantado mostraba los dientes como si se hubiesen querido salir en un esfuerzo de mordedura bestial. Por la sien derecha, una raya de sangre llegaba hasta la boca y allí se adentraba casi coagulada. Y las manos, ¡qué duras, qué torcidas, qué pálidas! Otra vez, la muerte en mi delante, cayendo de esos ojos de bestia asustada. Otra vez, el más extraordinario espectáculo de la vida gritando en esa boca deshecha en muecas. ¡Oh, sí! Estoy seguro de que gritaba. Pueden no haberse escuchado sus alaridos, pero a mí llegaba su voz, su inconmensurable voz sin sonidos. Temblé como un perro que fuera a aullar. Y presentí, en el movimiento sutil de mis compañeros, que lo desconocido me poseía.

Después, dentro de las órdenes exactas de las cosas reglamentarias, todo se tornó indiferente. Sacaron el cadáver. Limpiaron, como si se tratara de una simple mancha de mugre, la pared de piedra contra la cual su cabeza habíase estrellado. Y no quedó de ese acto de tremenda protesta —la más audaz y humana— sino un papel con sellos y una comunicación oficial.

El colombiano, sin emocionarse, me relató una historia absurda y truculenta. Yo estaba impaciente por marcharme. Pero él, tomado de mi brazo, me hablaba y me hablaba. Me contaba cosas de la prisión de Cayena, cosas tremendas. Me hacía el patético cuadro de la fuga del francés, metido en un ataúd, cuando la epidemia del cólera. . . Me resultaba ridículo el colombiano con sus historias. . . Tenía que escucharlo, pensando, a ratos, en el mundo oscuro en que vivía, en esas cosas de adentro que nadie conoce y que hacen de la vida una fórmula segura e inevitable de acercamiento a la muerte.

No recuerdo ahora su nombre de origen flamenco. No hace falta para tenerlo siempre en mi pensamiento. Su cabeza manchada, sus ojos rojizos y azules, sus manos pálidas de piedra, su boca abierta y ululante han quedado en mi alma. Era ladrón, el delito de la mayoría de los hombres. Pero él había luchado contra las leyes, contra los estatutos que protegían a los más sagaces ladrones, y se estrelló, como ahora su cabeza, contra la realidad. Por fin había alcanzado paz, cuando su Ministro en Quito lo denunció, acusándolo de haberle robado su vajilla de plata después de haberle auxiliado guardándolo en su casa y dándole el trabajo de cocinero. . . Y por más que protestaba inocencia, lo habían encerrado en el Panóptico. Cuando supo que su extradición estaba terminada, no pudo más y se mató. Era bien sencillo todo esto, y el colombiano no tenía para qué cantar su cuento con esa voz melosa insoportable ni para qué pintarme escenas de truculencia barata. Yo me indignaba por momentos. No sabía cómo despedirme. Me iba retirando, poco a poco, balbuceé unas excusas y me marché corriendo en busca de Margarita.

Margarita, al verme llegar, se alarmó. Me tomó las manos y preguntóme:

— ¿Qué tiene usted, Nicolás?

—Hábleme, hábleme usted, Margarita. Siento que voy a perderme. Sólo en sus ojos puedo encontrarme de nuevo. Sólo con sus palabras puedo volver a encontrar a Clemencia. Se ha matado un hombre de desesperación y he conocido cómo la muerte es digna y grande. Yo sé que ha hecho bien, Margarita. Y estoy muy cerca de volverme loco.

Ya no pude decir más. Me eché a llorar. Las manos de Margarita enjugaron mis mejillas y a poco sus palabras buenas aliviaron mi espíritu.

¿Qué es lo que siento yo por Margarita? Mi corazón no puede pertenecerle: es entero de Clemencia. Mi vida está unida para siempre a la hija de mi muerto, y si me llego a apartar de ella, yo sé que tendré que matarme también.

Comprendo que en las miradas de Margarita no hay amor. Pero en esos ojos desamorados, en esas manos largas y vibrátiles de enferma, en esa su voz colmada de amargo acento de vida, en toda ella —milagrosa ramera—, encuentro una ternura que no he vuelto a presenciar desde los tiempos de mi madre y de mi hermana Blanca. Es como ella, como Blanca, así de dulce y de pequeña. Pero no está muerta y puedo tocarla. Es igual que si se hubiera levantado de la tumba. No, no me puedo detener en el análisis de mi atracción por Margarita. Tendría que hacer una investigación sobre la amistad. Estoy cierto que no es amor. ¡Pero es que en el alma de Clemencia no puede existir más que odio por mí, y cómo la amo! Es tal vez el último y primero de los instintos el que me lleva atado al recuerdo de la hija de mi amigo Lorenzo: el de la propia conservación. Si Clemencia me faltara, no creo que llegaría a matarme, como he pensado, no: simplemente, me quedaría muerto, porque me habría abandonado todo lo que alienta mi sangre y anima el movimiento de mi fisiología. Es el amor en mí mismo y el desgarrado anhelo de no perderme definitivamente.

No sé cuánto estuve con Margarita. No recuerdo sus palabras. Eran, tal vez, sin sentido, pero me sonaban bien. Me recluí nuevamente, renegando de mis flaquezas, recogido en mis misterios, en mis surcos extraviados, en mis bárbaras y bellas voces interiores.

El sol estaba arriba. Yo, en mi celda. Y las tinieblas extendiendo sus alas sobre los rincones que más había ocultado de mi conciencia.

Sol y tinieblas en ti, Clemencia. Y en ti también, Margarita. Y en ti, pobre hombre, que te ganaste el descanso cuando la luz cálida abrigaba los muñecos absurdos de esta casa de piedra.

## X

## LA EVOCACION DE ROMERO

Hoy ha habido una pequeña fiesta en el Penal. Ha sido el cumpleaños del director y yo he tenido que pronunciar un discurso. Mientras hablaba, Margarita no ha quitado de mí sus húmedos ojos verdes. Hallábase, con las mujeres del otro lado del salón, que se había improvisado en el último piso. Me ha sonreído alegremente y fue la primera en aplaudirme cuando terminé. Cerca de cuarenta reclusos llenaban la habitación. Comisiones de todos los talleres ofrecieron regalos al director, el que, emocionado, estrechó las manos de sus presos. ¡Qué calor humano en este hombre joven! Yo no pude hacerle ningún obsequio, pero mis palabras fueron sinceras y creo que le gustaron. Sentí un gran placer cuando me tomó las manos y me dio las gracias. Gusano Barcia estaba junto a mí, diciéndome en voz baja que se sentía feliz. Realmente, había un clima de felicidad en la fiesta sencilla. Bebimos botellas de soda y comimos dulces —que el director había dispuesto obsequiarnos—, con mas fruición que la que deben experimentar los bailarines elegantes en una fiesta de gran esplendor. Después, cantamos nuestro himno, lanzamos algunos vivas por el santo y nos retiramos muy alegres a conversar en la pista de La Bomba, como colegiales en un día de vacaciones. Cada cual contaba anécdotas y chistes. Yo reía como un loco, olvidado de mis problemas, de mi gravedad espiritual. Rosendo Barcia también reía. No cabía en sí de satisfacción. Su bondad y su dolor de hombre marginado saltaban en sus ojos con nueva luz. Me lo dijo:

—Esto es grandioso, Nicolás. ¿Por qué se tendrá tanto temor de la cárcel? A veces, la vida libre es mucho peor. Te aseguro que cada día soy más feliz. ¿Cuándo tuve yo una existencia tan plácida? No quisiera irme nunca.

—Tienes razón, Gusano, pero recuerda que hay dos causas para tu alegría: la bondad de nuestro director y tus amores con Luisa. Una cárcel siempre es un abandono. Tú te salvas de ella por circunstancias externas. Yo, mi amigo, por la dignidad de mi yo, que cada día me crece con fuerzas superiores. Pero fíjate en los otros. ¿Estuviste como yo en la cárcel de Guayaquil? Claro que sí. Y dime, ¿hubieras podido en ella ser tan feliz como aquí? Seguramente, no. Aquí mismo, en el Panóptico, fíjate en los demás, te repito. No te digo antes, cuando esa bestia inmunda era aún director. Ahora, con la nueva organización, hay cientos de presos que viven torturados en sus propios dolores. Ellos no tienen como nosotros una vida interior que los salve. La cárcel es siempre la cárcel, Gusano.

—No me hagas filosofías. No me hables de espíritu, de vida interior, del yo que crece. . . Deja tus razones para cuando las necesite. ¡No te creo nada, Nicolás! No vale que me ponga a pensar. Aun encerrado en una mazmorra, sería más feliz que en Guayaquil, suelto en el torbellino de las pasiones que viví. ¿Te crees acaso que lo que me ocurrió antes no ha sido peor que la cárcel? Tú puedes seguir meditando lo que quieras y obteniendo las razones más sutiles y extravagantes. . . ¡Allá tú! Yo estoy contento, no quiero ni pensar, me hallo tranquilo. Quiero a Luisa. Me encantan sus ojeras exageradas con la pintura y sus dientes fuertes de animal joven. Ella también me ama y no me hace un servicio. Es feliz con mi cariño. Me lo ha dicho muchas veces. En sus miradas medio bobas, hay gratitud por haberla yo preferido. Es mía, enteramente mía, total y perdurablemente mía. Lo siento en el alma, y con orgullo. ¿Qué más puedo querer? ¡Al diablo la gente libre, al diablo los negocios, los paseos en tranvías y las borracheras en los cafés arreglados con cintas y con lámparas! ¡Al diablo las mujeres de trajes recién lavados y de perfumes importados de Francia! ¡Al diablo los diarios, las noticias, el mundo, las orquestas y el vino! ¡Ja, Ja, Nicolás! ¡Al demonio todo eso! Ahora soy un hombre: puedo reírme de la cultura, de las formas de todas las conquistas de la vanidad humana. En esto consiste mi felicidad. ¿Entiendes?

Yo me eché a reír y le tendí los brazos.

—Hoy estás estupendo, Gusano. Por fin eres un hombre. Te has despojado de lo que antes te tenía envuelto. ¡Bravo! Has llegado a lo que yo quiero llegar, recorriendo caminos tortuosos. Me encanta verte así. ¿Y qué harás, dime, el día que te den la libertad?

—No quiero pensar en ello. ¿Qué haré? Tal vez tenga que volver a matar para que me encierren por lo que me resta de vida. Tal vez me tire de cabeza al agua. Acaso me marche a un pueblo pequeñito, abandonado en cualquier camino sin tránsito, y en él me iré muriendo poco a poco, anudando recuerdo con recuerdo hasta que me haya fabricado un nuevo corazón en el momento en que yo entero me acabe. Mira, no me importa nada más que mi alegría de ahora. Es lo más idiota del mundo ponerse a pensar en las cosas que pasarán mañana, en los años que transcurrirán, sobre todo, cuando somos presos y no tenemos atadura con la vida de afuera. No sé si lo que voy a decirte es justo, pero se me acaba de ocurrir: los hombres como nosotros no tenemos destino ni tiempo, ni medimos los años, y en eso radica nuestra dicha. ¿No lo crees?

Iba a replicarle, entusiasmado por sus palabras, cuando acercóseme un guarda y me avisó que el director me esperaba en su despacho. Me condujeron a su presencia. Hallábase sentado ante su escritorio, firmando unos papeles. Al verme, levantó las miradas y sonando las manos con satisfacción, comenzó a hablarme:

—Oiga, usted, Ramírez, voy a darle una noticia que supongo le alegrará. Tengo la mejor impresión de su conducta y me hallo totalmente seguro de usted. Ya sabe que las cosas han cambiado fundamentalmente en el régimen penitenciario. Hasta ahora los resultados obtenidos no pueden ser mejores. Y aunque las disposiciones reglamentarias no me autorizan para conceder salidas sin que antes se haya cumplido la mitad de la condena, he resuelto hacer una excepción. Podemos empezar desde hoy, Ramírez. ¿Le parece?

—¿Que me quiere usted decir, señor director?

—Lo que oye: desde hoy puede usted salir a la calle por dos horas. Cada quince días, es usted un hombre libre por esas horas.

—Pero...

—No, hombre, no. Saldrá usted solo, sin guardianes, sin uniforme. Vaya a pasear. Usted, estoy seguro, regresará al Penal sin atrasarse un solo minuto. Le repito que esto no se hace sino en los casos en que la conducta ejemplar durante la mitad de la condena la autorice. Con usted, aunque no tiene el tiempo necesario (es muy poco lo que le falta), es distinto, ya se lo digo. El Penal le debe a usted un servicio por su magnífica enseñanza. A partir de este momento, se le concede la gracia de las salidas. Puede hacerlo inmediatamente, Ramírez. Y lo felicito por su conducta. Cuando se halle en total libertad, será usted un hombre de provecho, útil a la sociedad y a usted mismo.

Vacilé unos instantes para responderle, porque no encontraba las palabras justas. La voz se me escondía en la garganta y allí me daba vueltas sin poderse abrir a los sonidos. Comprendí que tenía que hablar en el acto, pues el director me iba a despedir, hice un esfuerzo y traté de explicarle mi decisión:

—Le agradezco mucho, señor director, créamelo, pero le ruego que me permita que no acepte. No puedo aceptar, señor director.

—Que no acepta, ¿dice usted?

—Le agradecería tanto que no me enviara a la calle...

—Francamente, no entiendo. Yo creía... ¿qué le ocurre a usted?

—Mire, señor director, la verdad es que yo no sé qué podría hacer en la calle. No me interesa. Estoy bien, perfectamente bien aquí. Me gusta. Yo ya no tengo nada que ver con las cosas de afuera. ¿Que quiere usted que haga caminando? Le ruego que no lo tome a mal. Usted no me premiaría con las salidas. Al contrario... Si usted me obligara, tendría que quedarme sentado en la puerta, o un poco más allá si me echaran, pero siempre junto al Panóptico... No daría un paso para alejarme... Y me sentiría muy triste, señor director... Sería un castigo...

—Es muy raro. En fin, allá usted. ¿Se imagina que el orgullo lo hace todo en la vida? Ya sé que es usted orgulloso, pero hoy por hoy tome en cuenta de que sólo es un recluso convicto de asesinato.

Sus últimas palabras habían sido pronunciadas con dureza. Me miraba extrañado y con la frente arrugada. Yo, entonces, le dije:

—Si algo merezco de usted, señor director, es que no me crea ni un imbécil ni un orgulloso para estas cosas. Ya sé todo el bien que usted me ha hecho, sacándome de los talleres y elevando mi condición en el Penal. No deseo más. Es bastante para que sea grato a usted por toda la vida. Pero la calle, eso no, señor director. Me haría daño. Todo el bienestar de mi espíritu desaparecería y ya no tendría fuerzas para nada. Yo soy un hombre que vive de otra manera. ¿Puedo explicarme? Soy algo nuevo, enteramente nuevo, voy siéndolo cada vez más y no quiero dar un paso de retorno. Créamelo usted: no puedo aceptar su benevolencia. No se imagine que es orgullo. ¿Creería usted que es orgullo si le solicito una gracia?

—Hable.

—Más que en la calle, quiero mi libertad aquí. ¡Oh, no es mucho lo que voy a pedirle! Las mismas horas, el mismo tiempo que usted quiere regalarme para que me mueva como un hombre libre. ¿Quiere usted dejarme en ciertos momentos conocer bien esto, andar como se me antoje? Me gustaría ir de celda en celda, solo, sin guardas, conocer la vida de cada uno, conversar. . . Aquí tengo la calle, la vida, todo lo que me interesa y me gusta. En fin, sólo las mismas horas. Se lo agradecería tanto. ¿Puede usted hacerlo?

—No entiendo para qué lo desea usted. En el patio, en las horas de recreo, puede usted hablar con quien quiera.

—No es lo mismo. Las vidas que aquí hay son vidas que sólo existen en la celda. Una vez afuera, en la comunicación con los otros, pierden su personalidad, se diluyen en la cosa cuotidiana y falsa. Yo quiero verlas dentro. Me es útil. Tengo mis ideas al respecto. . . Usted perdone, pero toda la vida que voy llenando en mí la voy cogiendo de las otras, de todas esas que componen este mundo que nadie sospecha. Es una manera de. . . Así soy libre, ¿sabe?

Mis últimas palabras tuvieron un tono exaltado que no pude contener. Estaba pidiendo con todo mi cuerpo, con mis ojos y con mis manos que hacían ademanes que antes no me hubiera atrevido a insinuar en presencia del director.

—Mire, Ramírez —me repuso, luego de unos instantes de mirarme sin haber pronunciado una palabra—, le aseguro que no acabo de entenderle. Creo que usted se equivoca. Pero también creo que no tengo derecho para intervenir en los problemas de su espíritu. No le puedo prometer que andará usted siempre libre aquí adentro. Bastante libertad tiene usted en las horas de clase y en las de recreo. Con todo, le voy a conceder lo que me pide, sólo a título de prueba. Veremos, después. Déjeme ensayar. Usted se ha portado bien: estoy obligado a compensarlo. Tome las dos horas de libertad y haga lo que desee. Está bien.

Dile las gracias efusivamente, pero él casi no se dejó agradecer. Me hizo una seña despidiéndome. Yo, con la felicidad pintada en mi rostro, salí de su despacho, y me puse a andar por todos los corredores, por todas las series, por todos los patios, por todos los pisos. ¡Mi mundo! ¡Mi casa! De vez en cuando, volvía la cabeza. Nadie me seguía. En los primeros momentos, algo confuso, ni siquiera podía usar del privilegio que se me había otorgado. Caminaba sin sentido alguno de orientación, sin atreverme nada más que a mirar los rincones de la gran estructura, como se mira un objeto precioso recién regalado y que todavía no se osa utilizar. De esta suerte, había llegado al techo y me paseaba contemplando el cerro por el cual fugó Pérez Portilla, un cerro cuajado de altos árboles rectos y de silencio verde. A cada rato, movía la cabeza sobre los hombros para mirar el cementerio de San Diego, que se extendía al Sur como un collado cubierto de lirios blancos, cuando, de súbito, la tarde se ensombreció. El sol quedó oculto tras de las nubes densas y grises, y las cabezas de los cerros tomaron un color de plata vieja. Entonces, otra vez dueño de mí, bajé la escalera de hierro y seguí sin detenerme hasta La Bomba. Casi en la penumbra, mi amiga La Bomba cobró relieves macizos en mi espíritu. Le sonreí. Yo estaba triunfando en ese momento de mis propias evasiones. Me lavé toda el alma a su contacto. La vi alta y redonda, contradictoria y generosa. Pasé por ella, casi sin herirla con mis pasos. Tomé a la izquierda y marché recto hacia el pequeño patio del oeste. Allí me detuve. Miré, de reojo, el canal de piedra que conduce a los "reservados". Luego, sin detenerme a pensar en los hombres sembrados en esas tumbas, me dirigí hacia la última reja que asomaba en ese ángulo del edificio (en una de sus cruces), a pocos pasos del alto muro blanco. Asíme con ambas manos de los hierros y miré adentro.

Yo conocía a ese hombre. Alguna vez, en las conversaciones de las tardes silenciosas, había hecho con algunos amigos recuerdos de su vida. Moreno, de anchas mandíbulas, de rasgados ojos amarillos, cruzados por fuertes venas rojas, encontrábase echado en su tarima. En cuanto me vio, lanzó un grito:

— ¡Qué pasa! ¿Que quieres aquí?

—Sólo quiero saludarte y conversar contigo —le repuse.

— ¿Conmigo?

Lo había dicho con acento salvaje. Saltó de la cama y, agazapado, acercóse a la ventana. Como yo me retirara un poco, torció la boca en un gesto de asco, y, mientras empuñaba fuertemente los hierros, me insultó:

— ¡Desgraciado! ¡Acércate! No hay hombre que se pare conmigo. Y si quieres, abre la puerta. . . ¿Quieres pelear conmigo? ¡Hijo de perra! ¿Meterte tú conmigo? ¿Con el chino Romero? ¡Ja, Ja!

Era una risa rabiosa y animal. Sacudió las rejas, exhaló un ronquido y escupió en mis pies con desprecio.

Yo, revestido de toda mi calma, dominando el temor que me infundía, le dije:

—Pero, oye, Romero, no te vengo a provocar. Soy tu amigo. Te he visto antes en Guayaquil. Te conozco. Somos paisanos. . .

— ¡Calla, idiota! ¿Por qué andas solo? ¡Cara de paco mismo tienes! Mis amigos no son como tú. ¡Mis amigos son hombres! Y el que no ha sabido serlo, le ha costado caro. . . ¡Mi amigo! ¡Ja, Ja! Muchas corvinas me he comido y no le hace que te mate a ti también.

No me di por vencido aún. Dejé que descargara toda su rabia y volví a insistir:

—No, Chino, no soy lo que te imaginas. Yo también estoy preso por asesinato. Maté a un hombre. Lo que pasa es que me han hecho profesor. Es que me obligan. Y hoy me han dado vacaciones, me he acordado de los tiempos de Guayaquil y he querido venir a visitarte. Te puedo ayudar, Chino.

—¿Ayudarme? ¿Cómo te llamas tú? —me preguntó.

—Nicolás Ramírez. Dieciséis años de condena.

—Entonces, ¿no eres empleado del Panóptico? ¿Cierto?

—Mi palabra de honor, Romero. Soy tan preso como tú.

—¿Y por tu linda cara te dejan andar como quieres, no? A mí me tienen miedo, no me dejan salir nunca de aquí.

—Tal vez tengas razón: será porque te temen. Pero es que tú nuncas permites que se te acerque un guarda porque lo atacas. ¿Cómo quieres que te dejen salir?

—Todos son unos hijos de perra. Bastante palo me han dado ya, y no me olvido. Muchos han tenido que caerme encima para pegarme. Pero te juro que el día que pueda, los liquido.

Continuó hablando de su odio a los guardianes y de su decisión de acabar con ellos cualquier día. Este hombre no experimentaba otro deseo que el de la venganza. No le interesaban ni la luz ni el aire. No salía jamás de su celda y era imposible entablar un diálogo con él. Empero, yo había iniciado una conversación y me sentía por eso muy contento. Quería libertar su alma y conquistarla para el Penal. Atrevíme a acercarme un poco. No hizo ningún ademán hostil. Sólo sus miradas amarillas indicaban furia y desconfianza.

—Oye, Chino, tu suerte puede cambiar. Yo puedo hacer algo por ti. Ya sabes que el director actual no es como el antiguo. Yo lo conozco mucho.

—Todos son iguales. Lo que pasa es que éste no viene a hacerme dar látigo. Hipócrita que ha de ser y cobarde. . . ¿Por qué no viene, eh? ¿Por qué no viene, entonces?

—Justamente porque no quiere hacerte ningún daño.

—¡Qué buenito! ¡Ja, ja! Que me dejen no más sólo con él por un rato, y ya verá lo que es un hombre. ¿Tú sabes cómo me cogieron? ¡En el Salitre y a bala limpia! Todavía me duele la pierna que me agujerearon. . . Como veinte para uno solo. . .

—Claro que lo sé, Romero. Los diarios lo dijeron.

—¿Hablaron bien de mí? Esos periodistas también son unos desgraciados.

—Sí hablaron bien —le repliqué vivamente y comencé a halagar su vanidad—. Todos los periódicos hablaron y dijeron que te portaste como un macho. Bien que me acuerdo: te pescaron en media pampa y cuando subiste a la casa de caña de tu mujer, te dieron bala por abajo hasta que tú, para que no te mataran a la hembra, saliste y entonces te cogieron. Antes de amarrarte, te hirieron en la pierna por el miedo que te tenían. Ya vez que sé muy bien cómo fue.

—¿Y no decían nada de cuando, amarrado y todo, al verme la pierna fregada, les di de cabezadas a esos perros? ¿Ah?

—Cómo no. Tuvieron que soñarte a punta de palo para poder llevarte a Guayaquil.

El Chino Romero quedó unos instantes silencioso, sumido en el recuerdo de su última lucha a campo raso. Después, en tono más conciliador, me preguntó:

—Y tú, si no eres empleado aquí, ¿cómo es que me conoces y sabes cómo me agarraron?

—¿No te dije que te conocía desde hace tiempo, en Guayaquil? Yo iba hace años a la tienda de la Perinola, en la Tahona. Allí mismo fue donde mataste a tu primera mujer, ¿te acuerdas? Hace como quince años. . . Yo acababa de salir de la tienda con unos amigos. La liquidaste a puñaladas, Romero.

Se quedó mirándome rectamente a los ojos, apretando los labios. Luego, perdió las miradas en la distancia del cielo, como si evocara algún momento raudo y querido de la vida. Tornó a mirarme y me dijo:

—Sí, sí, me acuerdo. Fue la primera vez que maté. . . Después, he hecho lo que me ha dado la gana y he cogido lo que he necesitado. He sido el dueño del Salitre. Me he paseado por los campos sin que nadie me levante el gallo. . . Todo fue por culpa de ella. Seis veces le clavé el puñal entre los pechos. . . ¡Maldita hembra! Un hombre de verdad debe hacerlo cuando la mujer se vuelve perra. . . Yo me la saqué desde muchacha. . . Desde tierna fue mi mujer. . . ¡Y no pude con ese desgraciado de don Carlos! ¡La muy bruta! Pero acostarse con un blanco le costó la vida. No me arrepiento. Pero yo la quería, la quería desde que era muchachita. . . ¡Por la plata se hizo perra! ¿Para qué me hablas de ella? ¡El desgraciado de mi patrón! Se rieron de mí. . . Se burlaron. . . Así son las hembras cuando se van a la ciudad. . . Yo me la traje desde arriba, de donde no hay patrones blancos ni trajes bonitos. . . ¡Por tonto! La conocí muchachita. . . La embarqué en mi canoa cargada de naranjas y de plátanos. . . Se vino así no más, porque entonces me quería. . . Yo no sabía nada y era tan idiota como, un hombre honrado. Es que me gustó porque parecía caña brava y tenía unos ojos grandotes como la montaña. . . Así mismo era. . . Igual que las madrugadas en el corral del ordeño: tierna como la leche tibia y como el vaho que respiran las bocas de los terneros. . . Reía como un árbol cargadito de mangos y sabía correr por la sabana como las potrancas. . . ¡Maldita hembra! Me desgracié por ella. . . Ni me la recuerdes. . . Le inventé amorfinos en la guitarra para que me cantara como las colembas que yo criaba. . . La ciudad me la perdió. . . ¡Yo mismo me la llevé en mi canoa de pechiche para que el blanco me la mordiera como si la tuviera en venta! La quería, te digo que la quería desde tiernita. . .

Había tanto dolor en sus palabras que no supe cómo responderle. Toda la reserva humana de este hombre, bestializado por su camino de crímenes, le temblaba en la voz. Hubiera querido decirle palabras amables, pero no pude hacerlo. Evoqué, como él, mis días de juventud. ¡Chata y roma juventud de la que yo no quería acordarme! Pero aún no puedo despojarme de ella y me salta como una traición dentro del pecho. . . ¡Tiempo que viene de atrás! Era cuando bebía, por superar mi insignificancia de maestro de escuela. ¡La Perinola! ¡La Tahona! Allá, cerca del río, en el barrio perfumado por las chirimoyas de Puná, en esa tienda de la vieja muchinera, cuyo fogón tenía el mismo hollín alegre de mis veinte años. . . Yo conocía a la mujer del Chino Romero. Muchas noches lo encontré a su lado, fanfarrón y pendenciero, consumiendo el jornal de los sábados en botellas de áspero aguardiente. La vieja Perinola vendía cantando sus muchines, esforzándose por guardar —avara del tiempo que la vencía— su fingida gracia de prostituta. Noches alegres y fuertes de mi Guayaquil marinero, que todavía emergen de mis recuerdos. Cuartos de barrio malo en los que gocé, plena de sueños la cabeza, del amor vagabundo de mis primeras mujeres. ¡Sueños míos que se han roto! Eran, como en el verso de Goethe, demasiado bellos para existir. . . Yo conocía a la mujer del Chino. . . Su carne, como la de todas, tenía la corteza de los frutos salvajes y el color picante de la canela. . . Hembras con olor de hierba para la tristeza de mis años mozos. . . Todas las luces que prendí se han acabado. . . Está mejor así. . . Estoy maduro, en camino de envejecer, pero voy remozando la tesitura de mi voz interior, y he de llegar, lo juro, a desprenderme de las sombras de mis malos recuerdos. . .

—Ramírez, no me hables más de ella. . .

Alcé los ojos y miré a Romero. Un segundo después había ya superado mi dolorosa evocación y me disponía a emplear frases nobles para su dolor, cuando del extremo del patio me llamaron a gritos.

Era un guarda el que se acercaba a mí, agitado, pálido el rostro y haciéndome señas con las manos. No sé qué fue lo que presentí, pero tuve la impresión de que acababa de ocurrir algo tremendo. Despedíme de Romero, ofreciéndole volver a visitarlo, y pregunté al guarda lo que había acontecido.

—Venga, Ramírez, venga pronto.

Estas fueron sus palabras de respuesta. Me sentí con pánico. Lo seguí sin hablar. A pocos pasos, escuché los gritos más dolorosos y extraños que nuca pudieron llegar a mis oídos. Aún experimento el mismo escalofrío cuando los recuerdo. Agudos, con un metal desconocido, todavía en algunas noches vuelvo a escucharlo, y me pongo a temblar.

Fue allí, en el regazo de mi amiga La Bomba, donde lo encontré para no volver a verlo jamás. Acababa de encenderse la luz, cuyos débiles reflejos morían en el patio frío y manchado de pedazos oscuros. Las puertas de hierro de La Bomba se abrían a todos los caminos del llanto, del odio y del olvido. . . Acaso, también sus rutas conducían al placer, al íntimo placer de no reconocerse nadie en sí mismo. . . El piso estaba resbaloso, húmedo. . . Las escaleras parecían correr hacia arriba y moverse, sí, moverse sin que se hubiera dado un solo paso. . . Me asusté: nunca fue tan siniestro este lugar amado; nunca su expresión fue más allá del cemento, de la piedra y de la fuga. . . Yo no sé cómo decirlo, no encuentro voz ni sentido. Sí, no tenía sentido La Bomba, por esta vez. No lo tenía, porque había alcanzado, de un salto, todos los sentidos confundidos de la vida.

Cerca de ella, acababa de encontrar la liberación un nuevo espíritu de esta casa de piedra, y ese espíritu era el de mi amigo Barcia. ¡Qué de rutas atravesó su maravillosa angustia! Me vacila la mano al escribir. Me es horrible repetirlo, así, fríamente, en los recuerdos que escribo. Desde ese momento —el más serio y pungitivo de mi vida en esta casa— se me ha escapado el tiempo de mis garras de amor y los años pasan sobre mí como cosas perdidas. ¿Llegaré alguna vez también a.destrozarme en esas tinieblas dulces por las que se marchó mi amigo? Años perdidos los míos. . . Y los tuyos, Gusano. . . Perdidos y vacilantes sobre nuestro yo. . .

¡Amor de Clemencia, dame la palabra justa y buena para poder decirlo! ¡Para poder decirme a mí mismo que estoy ausente de tiempo porque la cosa infinita se me va acercando por instantes sin medida!

## XI

## LA LIBERACION DE GUSANO

He tenido que dejar transcurrir un tiempo para decirlo. Han sido días de meditación, de evocar, de un agitarme por dentro, de consumirme en conjeturas dolorosas. Empero, no he derramado una sola lágrima, no he tenido ni un pequeño instante de desesperación. Mi dolor y mi sorpresa han sido secos. He fabricado razones inverosímiles, afanado como un místico en hallar una verdad que transporte y adelgace mi carne. No ha dejado de sufrir una sola parcela de mi espíritu, arco tendido en el vacío sobre los vientos bárbaros y los suaves aires reparadores. Más allá de todo, más allá de las auroras azules y de los crepúsculos de acero. Llegué a sentir mis inquietudes como un acoplamiento de nubes densas prontas a estallar en colores, en sonidos o en desgarrantes voces torrenciales. Después, la fatiga me ha ganado. Con los ojos enturbiados, profundamente hundidos en mi cara pálida, he quedado exhausto por este deshacerme y crear al mismo tiempo. No sé por dónde llegaré a evadirme de mis palabras secretas. El mundo que soñé por mío es ancho para mis manos enfermas y el esfuerzo que realizo por ser el propietario de mis imágenes me deja en el aliento un amargo acezar de moribundo.

Aquí lo tengo todavía, metido en mí como una piedra lanzada contra el pecho. Aquí están sus ojos que no me conocieron. Aquí sus manos ágiles y flacas trepando por los rayos vacilantes de la luz mortecina de La Bomba. Sus estridencias, sus gritos y su llanto sin lágrimas; aquí, metida en mí, la contorsión bufonesca de su cerebro viajero. Todo él presente y lejano, trágico y dulce, crecido en la ausencia de su liberación.

Querido amigo Gusano, ya nunca más llegaré a ti aunque sigas viviendo. No sé si podré seguirte alguna tarde, cualquiera de ellas en que sepa vencer. Eras, como yo, un hombre despojado, y ahora lo tienes todo en ti mismo. Eras, como yo, un encendedor de luces, y ahora. . . ¿Qué ocurre ahora en tu vivienda que yo no puedo entender, amigo sordo? ¿Por qué caminos transitan tus razones? ¿En qué valle de maravillas corre tu alma sin distancia? Una mano feliz debe haberte tocado en la frente. Y como cuando me criticabas la lógica que yo te hacía para liberarnos, en estos momentos en que ya no sabes nada de mí ni yo de ti, tu risa ha de sonar, irónica y alegre, igual que las palabras que te dictaron las sombras en esa tarde en que te burlaste de mí.

Todo podía habérseme ocurrido menos que Rosendo Barcia enloqueciera. Ahora, que he indagado con el médico del Penal, sé que el diagnóstico establece un mal específico por origen. Acaso. Dicen que nada falla en los laboratorios cuando los reactivos conducen de afirmación en afirmación. Para mí, la duda siempre está presente. Lo demás, es vanidosa tontería, porque nada de lo real puede reducirse a fórmulas y colorantes. Que se halla loco, es lo cierto. Yo mismo lo vi casi en el momento en que atravesó las fronteras oscuras para perderse o quizá para salvarse. Me han dicho que su delirio es hermoso, que es dueño de inmensas tierras, que le obedecen millones de hombres y que a su voz potente y mágica la traición de sus enemigos se derrota. ¡Qué feliz serás, amigo Barcia! Has vencido a tu demonio pálido y triste.

Fue de repente. Es posible que ya, eufórico y brillante, estuviese loco cuando me habló de la dicha que sentía en la cárcel, de la belleza de su nueva vida, de tantas cosas hermosas y ágiles antes no dichas en su espíritu. Nadie supo informarme con certeza del instante en que se operó el trance. Lo encontraron en el patio, en medio patio, con los brazos en alto, gritando cosas incomprensibles. De súbito, volvía el rostro y tendía los brazos hacia adelante. Luego, echaba a correr. Y nuevamente se detenía a lanzar proclamas contra el viento.

117

Los guardas se acercaron recelosos a él. Mientras le hablaban, cruzó los brazos y escuchó, altivo y fuerte. Tranquilamente, después, extendió el brazo derecho y ordenó que se retiraran, y como no le obedecieran, montó en cólera. Sus ojos se agrandaron, la sangre trepó a sus mejillas y las palabras se cortaron en un tartamudeo. Gritó. No eran palabras —me contaban—, eran cosas inarticuladas las que brotaban de sus labios descompuestos. Lo dejaron por unos instantes, mientras avisaban al director.

Yo llegué en ese momento. Lo habían atado. Corrí hacia él, sin darme cuenta de lo que le había pasado. El director me advirtió:

— ¡Cuidado!

Ya había llegado yo. Quise abrazarlo. Orgulloso, me rechazó, echando atrás la cabeza.

— ¡Gusano! ¡Gusano! —le dije.

— ¡Atrás! ¡Atrás, felón! ¡No me toques! ¡No me incendies! Me has hecho amarrar, pero sabré vengarme. ¡Fuera    de aquí!

Me lo decía con los labios temblones, las miradas rojas. Yo me volví hacia todos, recogido de miedo. El director movía la cabeza despacio. Comprendí que no había nada que hacer. Posé mis ojos otra vez en Gusano.  Una lágrima se me escapaba y no hice nada por contenerla.  Me retiré unos pasos. Llegué hasta la misma pared de piedra, y allí, adosado, estuve largo rato viendo lo que hacían.

Fue el mismo director en persona quien lo consiguió. Se acercó, fumando un cigarrillo. Comenzó a hablar con Gusano en tono, al parecer, dulce. No alcanzaron mis oídos todas sus palabras. Tal vez le hablaba de los propios sueños de grandeza que Gusano había gritado en el inmenso patio. Acaso cultivaba su delirio con la voz humilde de un vasallo. A los pocos minutos, Gusano Barcia comenzó a caminar junto al director. Los seguí. Cruzaron la puerta de hierro para entrar a La Bomba. Allí, como con alguna intención que yo sólo podía entender, se detuvieron, seguramente un minuto o la mitad de uno, pero a mí me pareció lo menos una hora. Sentíame inclinado y pequeñito. No podía escuchar nada. Contemplé la armazón de hierro, la lejana cúpula del centro, las escaleras heladas, las entradas y salidas, el piso brillante del cemento. No me era posible ordenar mis ideas. El aliento se me apretaba en la boca. Por fin, salieron de La Bomba y tomaron el camino derecho hacia la puerta.

De repente, Gusano rompió a reír. ¿Le habría dicho alguna cosa graciosa el director? No sé por qué me hago esta clase de preguntas, que me niego a calificar. Gusano reía, reía copiosámente. Sus carcajadas eran metálicas, compuestas de ecos sucesivos. Se ahogaba en risa. El rostro congestionado era como si se volcase, como si se esforzara por arrancarse la piel, por arrojarla lejos, contra el suelo, contra las paredes, contra los rostros de los que le rodeaban. No sé cuánto tiempo duró aquella risa, que a mí me cortaba como un puñal. Se fueron reduciendo las carcajadas, hasta que resultaron finitas, delgadas, casi silenciosas. Entonces, volvió a caminar.

En la última puerta, no pude contenerme. Procuré dominar el tono de mi voz, y grité:

— ¡Gusano!

El volvió dulcemente la cabeza. Buscó con las miradas la pared en la que yo encontrábame y clavó en mí unos ojos inolvidables, lejanos, y llenos de niebla. Levantó, en una pausa, la mano derecha y comenzó a acariciarse la boca. Pasaba los dedos ligeramente sobre sus labios, de uno a otro lado, y me miraba, me miraba de un modo extraño, pero dulce. Movía la cabeza despacito. Y me seguía mirando. ¿Desde dónde me miraba Gusano? Yo me llevé las manos al cuello y cerré los ojos.

## XII

## SOLEDAD

La amistad de Margarita no puede contarse como para que yo diga que no estoy solo. Es, en verdad, una profunda amistad, un sentimiento estrecho, una mutua compasión tal vez, lo que nos ata. Pero esto no sustituye la amistad entre los hombres. No alcanzo a darme una explicación completa, sobre este punto. Junto a mí, han pasado Gabriel Pérez Portilla, aquel bello joven de mi pecado, Gusano Barcia. ¿Y ahora? Ahora no tengo a nadie. Comienzo a sentir la ausencia que ya no me molestaba porque tenía a mi alcance algún alma que robustecer, un diálogo que hacer, un diálogo masculino. Es tanto mi olvido y mi ausencia, que no he vuelto a visitar al Chino Romero, que no quiero visitar a nadie más, y he renunciado, en cierta forma, a la libertad que me concedieron dentro del Penal. No quiero saber nada de los otros: he comprendido que me es perfectamente inútil. Los presos, por lo general, me miran con desconfianza, no obstante tratarme con un poquillo de respeto, que se debe, seguro, a las clases que les doy. Es ese respeto el que me mortifica. Antes, me hubiera satisfecho y enorgullecido. Ahora. . . Mi adelanto es mayor. . . Quiero parecerme a ellos, quiero que me traten como a todos. No lo puedo conseguir. Cuando se hallan reunidos en el patio, conversando a altas voces y con seguridad usando palabras fuertes y expresiones obscenas, basta que yo me acerque, para que se callen. Me rodea, entonces, un silencio denso, un alejamiento hostil. No. No tengo ni un solo amigo. Yo les hablo, procuro descender en lo posible a sus espíritus. ¿Pero, en realidad, es que trato de descender? Acaso no esté bien alto todavía para ser su semejante. No sé. Me pierdo en un mar de cavilaciones y no acierto.

Solo. Esta es la verdad. Grandiosamente solo. Es una impresión que comencé a sentir cuando Gusano Barcia se marchó por los caminos de la locura. Muchas veces he pensado si no sería mejor que me volviera loco. Es, después de todo, una manera de superación. ¡Loco! Saltaría todas las etapas que aún me faltan, tendría en mis manos todas mis imágenes. Haría con mi vida y con mi pensamiento un solo delirio, una sola majestad, un solo mundo. ¡Mi mundo! Crear los objetos, hacer las cosas a mi antojo, ver los colores como mis ideas los conformen. Debe ser bello. Lo único que me duele al pensarlo es que podría perder para siempre la sombra dulce de Clemencia y, entonces, se me acabaría toda la rabia por hacerme yo mismo y sería algo así como el resto de un naufragio. ¡Vacío! Y yo he de elevar mi pensamiento, lo he de afinar, lo he de extender hasta que yo mismo me encuentre en Dios, sin que tenga que volverme loco. ¡Seré mi Dios y mi obra!

Comprendo que estoy divagando. Tal vez sean asuntos necios los que se me antojan. Pero nadie es capaz de alcanzarme con la imaginación y saber el proceso anímico que me atormenta y me embellece.

¡Solo! Es la palabra que, desde hace meses, no sé cuántos, se echa junto a mi cabeza, en mi tarima, bajo el número de mi celda, bajo ese gran 247. Cuando me envuelven las tinieblas, siento una cosa que me sube por el cuello, que llega y me baja los párpados, que me hace grande y heroico. Es mi soledad, mi tremenda y bella soledad.

Ahora no escribo con frecuencia. Heme procurado un agujero en mi cuarto, entre unas hendiduras de la piedra, y en él escondo mi manuscrito. Si lo dejara fuera, seguramente me lo robarían. También escondo allí algunas frutas y algunos objetos para escribir. Todo esto lo compro con los centavos que mis clases me procuran. Alguna cosa me hace enviar el director y algunas me vienen directamente de los presos gratos. Claro que las solicito a manera de pequeños préstamos, pero no los devuelvo. Es un secreto que tengo. Si lo supiera la Dirección del Penal, se terminarían mis clases. Yo creo que no cometo una falta recibiendo algunos centavos. Los días de visita los invierto en cualquier cosa, casi siempre frutas o pasteles, porque el dinero me lo robarían también. Vivo, así como un avaro, escondiéndome, haciéndome siempre más solo, más singular. Y esto, claro que me gusta mucho.

En veces, dejo de escribir durante meses enteros. Es cuando paso mis horas como un sonámbulo. Camino al azar de puerta en puerta, de serie en serie, de patio en patio. Si levanto las miradas, me encuentro con el cielo alto y azul o con los árboles y los cerros. Si las lanzo derechas, con las tapias de piedra. Si las inclino, con la piedra del piso. No hay más en mi círculo, y tampoco necesito de más. Aquí radica la razón por la cual el tiempo me va importando cada vez menos. En un principio, lo contaba ávido, haciendo rayitas en las paredes de mi celda, y siempre sabía con justeza el día del mes o de la semana. Cierto día, cuando me di cuenta —auxiliado por Gusano— de que el tiempo era una noción que no me pertenecía ya, borré todas las rayas. No sentí ninguna emoción. Empecé este relato, cuando cumplí cinco años de cárcel. Lo sigo y lo seguiré toda mi vida, pero sin importarme ni el tiempo ni las cosas que ocurren fuera de esta casa de piedra. Ya no sé cuánto tiempo llevo encerrado. El tiempo no existe. Es una enseñanza que leí hace años en algún manual de filosofía. Es, en suma, una reacción arbitraria del hombre, ocasionada por su propia limitación. Si ya no sirve de nada, ¿para qué voy a tener tiempo? Evidentemente, es algo vacío el tiempo. Los minutos rápidos y los minutos lentos viven en mí como yo quiero que vivan o como la especial actitud de mi espíritu lo hace. Nada más. Se me ocurre que pensar así es acercarse a la eternidad, que es lo mismo que acercarse al sentido de todas las cosas o al sentido de la nada. Aún no me encuentro totalmente apto, pero ya superaré estas nociones y entonces seré feliz.

Lo que más me apena de mi situación posterior al viaje de mi amigo Gusano, es que no me siento suficientemente fuerte como para hallarme alegre de mi soledad. Yo la voy amasando, queriendo, pero lo compenso inadvertidamente, conversando con todas las personas que puedo. Pregunto detalles insignificantes, averiguo las razones de cada crimen (no para hacer nada, sino sólo para saber), hablo a porrillos y sin límites, aunque no me respondan o me respondan con evasivas. Después, cuando viene la noche, cuando el timbre de La Bomba ordena el silencio, me recojo envolviéndome en las sombras y siento que principio a encontrarme a mí mismo cuando estoy sin compañía. Me hago promesas para el otro día, pero las rompo. No me puedo contener. Cualquier cosa, cualquier bagatela se me ocurre para entablar un diálogo. Estas son mis diarias caídas y mis desengaños. ¿No es bastante haber llegado a tener por todo dolor estas pequeñas contradicciones? Ningún cerebro equilibrado y justo, podría afirmar lo contrario.

Ayer, por ejemplo, por este vicio de saberlo y curiosearlo todo, pasé momentos de amargura. Era día sábado. Un día especial, muy especial de la semana, pues en él ocurre un acontecimiento muy triste.

Hace ya mucho que se viene haciendo. Fue después del cambio de director, luego de consultas y reglamentaciones que aprobó el Instituto de Criminología. Se permitieron visitas femeninas a los penados. Todo hombre que hubiera merecido calificación de conducta excelente, recibía el premio. Si era casado, la esposa llegaba a él y permitían que se encerrasen juntos en la celda. A los solteros, les estaba permitido las visitas de las prostitutas, en las mismas condiciones que a los casados. Desde las dos de la tarde se iniciaba el desfile. Las mujeres sucias y miserables de los suburbios de Quito llegaban. Unas, usaban sombreros feos, largos trajes chillones, y exageradas pinturas en los labios y las mejillas. Eran viejas. La pintura trazábales anchas rayas en el rostro. Los ojos se enderezaban, debido a las pestañas espesas de carbón. Y las ojeras grandes, hundíanles las miradas con la misma distancia que tienen las carroñas. La mayoría llevaba manta o simplemente esperaba en el primer intermedio con la grasosa cabeza al aire. Allí se estaban hablando, jugándose bromas, hasta que un empleado hacíalas desfilar de una a una. Entraban al despacho del médico. No tenían necesidad de una indicación. No bien se juntaba la puerta tras de ellas, levantábanse las polleras y se acostaban en la mesa del examen. Era un examen rápido. En cinco minutos, había terminado. Después, los presos, algunos medio avergonzados, otros,cínicos, se las llevaban a las celdas. . . Muchas veces, yo contemplaba estas escenas desde un rincón. Escuchaba, en ocasiones, disputas acerca de la paga, que se hacía por adelantado. Un regateo dramático se establecía entre la mujer y el penado. Por fin, convenían en el precio, casi siempre de dos o tres sucres, y que muy raramente, en condiciones excepcionales de la mujer y el recluso, llegaba a cinco. Yo me entretenía, por espíritu de observación, en contar el tiempo —el único tiempo con un poco de sentido—, que permanecían encerrados. Llegaba el guarda y golpeaba la puerta, dando un grito:

— ¡Afuera!

Y como no respondieran, insistía:

— ¡Afuera! ¡Rápido!

Salían. El hombre con un poco de cansancio en el rostro. La mujer, tranquila, arreglándose la manta en la cabeza o componiéndose los cabellos mugrientos.

Desde luego, jamás se me pasó por la cabeza cometer acto tan inicuo. Ya he explicado mucho cuál era mi conducta frente a la función sexual, a la que no considero, en modo alguno, indispensable. Cuando se deja de comer, viene la muerte. Prescindiendo del acto sexual, no se muere. Antes bien, son las células sexuales las que asesinan a las otras y ocasionan la vejez y la muerte. Se trata de una cuestión elemental, y a mí, claro, me importaba y me importa la vejez, más de lo que cualquiera puede pensar, porque yo me encuentro, por tantos medios, fuera del tiempo.

Vuelvo a mi relato, que no quiero dañar con razones tan difíciles de comprender por la generalidad de los hombres. Pues, ayer sábado, estaba yo, como de costumbre, apostado contra el muro del corredor del primer intermedio, contemplando aquel desfile, cuando se me acercó una mujer y me habló:

— ¿Tú no quieres, mi hijito?

La miré. Era una mujer joven aún, aunque no mucho. Morena, de bellos ojos, aunque de rostro feo con manchas de granos. Llevaba el traje muy alto y tenía anchas caderas. Las piernas eran rectas. El busto, demasiado crecido, pero de buenas formas disimuladas entre unos encajes baratos que le bajaban desde el hombro.

— ¿No me contestas?

Yo la seguí contemplando. La envolví en las miradas. No hay para qué analizar ese momento, tan duro, porque es fácil de llegar a él. Mi recuerdo dio un salto hacia la época de mi vida de hombre libre, o de casi libre. Tuve en mi presencia las mujeres, las profesionales que había gozado. Y de súbito, me entraron unas ganas locas, desesperadas, de beber, de emborracharme, de abrazar a esa mujer, de gozar con ella hasta el crimen, hasta lo inenarrable. Un aliento de rijosidad me corrió por la sangre y me brotó en los ojos. Lo tremendo es que no hice nada por desechar el deseo. Me ardía y lo dejaba arder. Claro que yo hubiera podido dominarlo pero era tan agradable encenderse así. . . Tuve los labios fríos. Debían haber estado intensamente pálidos. Sonreí con ellos.

—Anda, mi hijito, llévame a tu pieza. . . Lo que tú quieras. . .

No respondí una palabra. Lentamente, con los dedos temblones, levanté el brazo derecho. Rocé mis dedos asustados en la piel de su hombro desnudo.

En ese momento, sentí la clavadura de unas miradas en la nuca. Volvíme rápido, y me encontré con el negro Jaramillo a mis espaldas. Cojo, avanzó con las muletas un par de pasos, me miró soberbiamente y me dijo:

—Usted no la quiere. . . ¿no? Aquí no se puede perder el tiempo. Esto es para los hombres. . . Si no la quieres, me la llevo yo.

Sin contestar, me hice a un lado, arrugando mis cejas, humillado, vencido. Eran las primeras palabras que me dirigía el negro Jaramillo, desde nuestro lejano intento de fuga. Años enteros posiblemente que no me hablaba. Yo le notaba las ganas de hacerlo, pero no le daba oportunidad. Parecía no haber cambiado ni un solo rasgo de su cara: como en mí, el tiempo no había transcurrido para él. No sé por qué me había tomado inquina. Tal vez pensaba que yo, igual que él, debería haberme roto las piernas. Que yo también debería haber saltado a pesar de todo. A lo mejor, se imaginó que yo tenía la culpa de su caída, de que yo era un delator. . . ¡Quién sabe! Voluntariamente como advertía el odio en sus miradas, eludí siempre toda explicación. Por otro lado, era peligroso que yo hablara con él, pues podría arriesgar mi reputación de hombre de buena conducta.

—¡Ja! ¿Qué dice? A mí me gusta la hembra. . . ¿Se decide? ¿Cuánto paga usted? Yo doy el doble. . .

Lo miré de soslayo y me retiré de prisa, sin hacer un gesto ni pronunciar una palabra. Alcancé a oír, a mis espaldas, un murmullo, entre risas encogidas:

—Este no puede. . . No lo hace nunca. . . No sopla, hija. Dicen que. . .

No pude escuchar la última palabra, pero me la imaginé y me puse a temblar. Se me humedecieron los ojos. Incliné la cabeza como si la hubieran golpeado y subí hacia mi celda. Trepé uno a uno los escalones, las escaleras torcidas. El hierro sonaba bajo mis pasos. De rato en rato, regresaba de lo alto mis miradas y no me cansaba de ver aquel hueco de armazones medio oxidado, con deseos desesperados de arrojarme de cabeza contra la piedra. Tuve que sostenerme con fuerza para no ceder a la inclinación que me llevaba. Entré a la celda. Cerré con cuidado y me puse a pensar.

Yo no hubiera nunca llegado al pecado. Jamás. Sólo mis dedos temblaron y gozaron su placer. . . Sólo mis dedos al tocar su hombro. . . Pedí perdón a Clemencia. Le grité que, por un leve instante, la carne se me había sublevado. ¡Clemencia! Por mi pecado no te puedes apartar de mí, porque tú naciste del crimen. El abono de tu figura ha sido la sangre. Creciste, así, sobre mi destierro como una flor sobre el pantano. Sólo tú para el vencimiento de mi carne. Tengo la piel herida. Me duele. Los mundos pequeños de mis células se mueven agitados y voraces. ¡Es por ti la sed y el hambre! ¡Es por ti, Clemencia!

Hoy temprano me había casi olvidado de lo ocurrido ayer, cuando, al entrar al departamento de mujeres para ofrecer mi acostumbrada lección, me salió al paso Margarita. Me tomó del brazo, me condujo a un rincón y me habló:

—Oiga, Nicolás, ¿es cierto lo que me han contado?

Margarita olía a jabón. Tenía las mangas remangadas hasta más arriba del codo, húmedas aún del lavado de ropa. Pero sobre todo, tenía la sonrisa muy fresca y los ojos llenos de agua de peña.

—¿Qué le han contado, Margarita?

Margarita volvió a sonreír. Se me acercó al oído. Sus palabras me llegaron pasito. Su aliento me hacía leves cosquillas en las orejas. Y un mechón de sus cabellos, soltado al viento me rozaba en la frente.

—Es que —seguía murmurando—, yo no lo he querido creer. . . Me dijeron que ayer, cuando la famosa visita, usted quiso llevarse a su cuarto a una mujer, pero que se la quitó el negro Jaramillo.

Me retiré dando un salto y alcé la voz:

—¡Eso es mentira! ¡Le han mentido a usted, Margarita! ¡Se lo juro! Yo no he querido llevarme a ninguna mujer ni nadie me ha quitado nada. . . No he visto a Jaramillo. . . No lo veo nunca. . .

—No se exalte así —me dijo Margarita—. No he querido ofenderlo. ¿Qué de malo tiene que haya querido usted estar con una mujer? Le aseguro, que me parece lo más natural.

—¿Le parece a usted?

—Pero claro. . .

—No, Margarita, yo no quiero la carne. . . La odio. . . Quiero a Clemencia. La deseo. La amo. Es mía, profundamente mía. Ya le he dicho. . . Yo puedo dominar esa cosa sucia. ¡Sucia!

Margarita tuvo un gesto amable. Inclinó la cabeza con gracia y me respondió:

—No diga eso. No es cierto. Yo, sí he podido. Pero es que yo tengo cosas que usted no tiene, problemas distintos, cuerpo distinto y el amor de Dios.

—Yo tengo a Clemencia.

—Es justamente Clemencia la que hace que usted no pueda olvidar el deseo.

La miré de frente con rabia.

—Usted no entiende a Clemencia.

—No se trata de eso, Nicolás. No lo niegue. No hay nada de malo. . . Es muy natural. . . Usted. . .

Tenía una sonrisa tan bella a pesar de mi rabia. Tenía unos ojos tan dulces y tan claros. Palpitaba en sus mejillas un aire tan leve, un rosa tan pálido. . . La gracia de su cabeza me hizo daño No sé lo que pasó por mí. Eran días de crisis que me asaltaban. . Con arrebato, acaso con odio, la tomé en mis brazos y la ajusté Fue cosa de un segundo. Margarita se impuso. Dura, altanera, me dijo:

—¡No sea imbécil!

Y se marchó.

Yo, confundido, retorné a mi celda sin dar mi clase. Me encerré. No lloré. Pero un ahogo seco me agarró de la garganta y me empujaba la lengua hacia adentro.

¡Solo! Sentí el mismo silencio que hay en Dios. Un temblor de trance me sacudió. Y mis manos se clavaron en mi pecho de puro ardor desconsolado.

## XIII

## GRITOS DE PIEDRA

Desde aquella entrevista con Margarita quedé enfermo. No hablaba con nadie. Dejé de ser, por un tiempo, curioso. En las horas de asoleo, medía el patio de uno a otro extremo, caminando con las manos en la espalda. Mis clases resultaban deficientes: lo sentía, lo adivinaba en la difícil comprensión de los penados. Rehuí el trato con Margarita, a quien apenas si miraba, pero una mañana me llamó la atención:

—¿Por qué no quiere hablar conmigo, Nicolás? ¿Qué es lo que pasa?

—No me pasa nada, Margarita.

—¿Está enfermo?

—Tal vez.

Margarita alzó los ojos burlones y me dijo con palabras cortaditas:

—Cuidado con la neurastenia.

Hice un gesto con los labios y no le respondí.

—Bueno —agregó—, lo cierto es que ni me quiere saludar. Volvamos a hablar como antes, ¿quiere?

—Sí, Margarita, lo deseo mucho.

Y comenzamos a hablar. Yo, feliz, conversé de todo. Hablamos de la vida, de sus majaderías, de temas serios y baladíes.

De las cosas de afuera, ni una palabra. Agotamos el tema de los presos, de las tragedias de muchos de los hombres que estaban condenados. Y comparamos los peores crímenes. Luego, hicimos una doctrina de la moral y de la ley y nos preguntamos con frecuencia la razón de tantas cosas oscuras. Al fin, llegamos a la tesis de Dios, en la que siempre estábamos en desacuerdo. Margarita era una católica convencida, una especie de mística, con terrores, dogmas y supersticiones. Mi idea de Dios era bastante más complicada, así pareciese simple: yo pretendía llegar a Dios por mi camino. Lo llamaba con muchos nombres, como si fuera la explicación de lo inexplicable, como un anhelo, como una religión íntima, como una gestión oculta del ser limitado. Yo qué sé cuántas cosas le dije, paseándome con aire doctoral, deteniéndome de pronto, levantando la mano para dar fuerza a mis palabras. Margarita no tenía otros argumentos que la ignorancia humana, los milagros, la fe en una vida mejor, la respuesta a las preguntas angustiosas y, más que a todas, a la justicia y al bien. Incluso, hablamos del infierno. Aquí, Margarita me hacía algunas concesiones, especialmente cuando le dije que el infierno no era otra cosa que la negación metafísica de Dios. Sin embargo, a poco ya se desviaba a lo positivo, a los castigos, a la sanción. ¡Cómo hablamos aquel día de nuestra reconciliación! Estuve tentado de besarle las manos. Estaba, como siempre, bella. No usaba polvos ni tampoco le hubiera sido permitido, es verdad, pero había tanta frescura en su cara. El traje azul desteñido la ceñía y le caía muy bien. Siempre usaba ese color de vestido, como uniforme que no estaba obligada a llevar. Ese vestido sencillo, hacíala aún más bella. Lo que más me gustaba de su cuerpo eran sus ojos, sus grandes ojos de agua verde.

Cuando hube de despedirme, a causa de la hora, ya era yo otro hombre. Caminé alegre, firme. Fui a beber un poco de agua, y, en el acto, me dirigí, mientras llegaba la próxima clase, a mi celda, extraje el manuscrito del hueco y escribí un poco, para continuar más tarde. Normalmente, sólo trabajaba mis lecciones en las mañanas. Las tardes teníalas libres. Durante dos o tres horas, vagaba por todo el gran Penal, pues el director no me lo impedía. Tal vez por esta razón los penados no me querían. Es una lástima. Ahora, ya no me importa tanto: estoy muy satisfecho de mis últimos días. Mis clases han resultado brillantes, después de mi entrevista con Margarita, si es que pueden ser brillantes unas cuantas operaciones aritméticas, algunas nociones de sintaxis y las reglas tan pesadas de la ortografía.

Tengo en estos días dos alumnos indios. Hablan bastante español, pero, por supuesto, no saben leer. Hace apenas un mes que los trajeron. No he averiguado su crimen, pero lo sé de antemano: robo. Es muy raro que un indio mate, a no ser en movimientos colectivos, enloquecidos por el látigo, la esclavitud es el alcohol. Muchas veces, los acusan injustamente de robo. Siempre es el mismo caso, sin ningún interés apasionante, por lo cual no he preguntado nada a mis nuevos alumnos. Tampoco me habrían respondido, es verdad. Los primeros días he sostenido una lucha tremenda para enseñarles las letras. Me recibían muy desconfiados, encogidos como si estuvieran muriéndose de frío. A cada palabra mía, sólo me contestaban:

—Sí, amito.

Pero no repetían una sola letra. Agoté todos los recursos. Hasta que un día les dije, furioso, que iba a decírselo al director y que, entonces, les darían una paliza tremenda y no les darían de comer. Sólo me respondieron, cuando les exigí respuesta:

—Sí, amito.

Entonces, se me ocurrió una idea diabólica: les dije que el castigo que iba a imponerles era sortear cuál de los dos debía morir y que, al sortearlo, se lo mataría a cuchilladas en su presencia y el otro se quedaría solo, completamente solo y encerrado. Para hacer más patético mi discurso, saqué de mi bolsillo el cortaplumas, abrí la hoja más grande y se la mostré.

—Con esto —díjeles—, aquí, en el corazón, de punta, pero antes les he de hacer cortar las orejas a los dos.

—No matará, amito —dijeron ambos.

Y así, poco a poco, casi yo desesperado, mezclando amenazas con palabras dulces, después de largos minutos de pesados silencios, me repitieron las primeras letras.

La tarea, ya, me fue más fácil, aunque no dejaba de renegar interiormente de tener que enseñar a los indios. Siempre con ese aire de escondidos, siempre con esa impasibilidad en el rostro, metidos en el poncho de colorines, los pantalones sucios y gruesos, los pies desnudos, chatos, de dedos gordísimos, llenos de costra, como suelas. . . Decididamente, no entiendo a los indios. No podría permanecer con ellos más de media hora. Muchas veces me pregunto qué son, qué piensan, y no logro saberlo. Un día, a pesar de que no me interesaba, les pregunté:

—¿Por qué están presos?

No me contestaron.

Pregunté varias veces. Por fin, me dijeron:

—Amito patrón mandó.

No sabían nada más. Creo positivamente que, al responderme así, eran sinceros. Ellos mismos no lo entendían. Y al parecer, vivían tranquilos y satisfechos en la prisión. Por lo menos, tenían comidas, seguramente mejores que las que hacían en el feudo patronal. Jamás les oí una queja, mejor dicho, un indicio de queja en sus gestos, que no ya en su voz apagada de tantos años. Tal vez, en el fondo turbulento y simple de sus espíritus, sentían nostalgia por la tierra, por los campos dulces, por el trigo maduro, por la sementera de papas, por las heladas, por el misterio afilado de los vientos del páramo, por la casucha enterrada en los alcores suaves, de largas y cadentes pausas verdes, o por el frío arrebato de las quebradas, de los precipicios, de los caminos perdidos entre las patas de las cabras. . . ¡quién lo sabe! Me era imposible sondear en sus almas. Entre ellos hablaban quechua, a saltitos, casi murmurando, casi sin abrir los labios, como masticando las palabras. Y siempre con la cara de olvido. Y siempre con los ojos sin voces.

Claro está que el contacto con los indios me comunicaba un poco de tristeza, pero en estos días de placer, en esta gran alegría que experimento por mi reconciliación con Margarita, nada me importa ver sufrir a los indios. A lo mejor, ni siquiera sufren. Simplemente, no conocen otra expresión, otra presencia que la que han adoptado por generaciones enteras ante los hombres que los dominan con barbarie. Bueno, pero estoy hablando de cosas que a mí, en el fondo, no me interesan. Nada tengo yo que ver con los indios. Me intereso por mí y los problemas que me circundan, pero que siempre tienen algo que hacer conmigo.

Sólo un incidente me turbó la alegría. Eran las diez de la mañana. Yo me paseaba por el patio. Los presos hablaban en grupos. Dos cholos costeños, en un rincón, cantaban con una guitarra:

"Nadie te puso puñal en el pecho". . .

Me dirigí a ellos porque quería volver a escuchar estas canciones que yo mismo había cantado en mis chinganas de hombre oscuro. De repente, al paso, tropecé, y caí. Volvíme, y pude ver que el negro Jaramillo me había enredado en una de sus muletas. Se puso a reír. Yo, disimuladamente, seguí caminando como si nada hubiese ocurrido. Me acerqué a los presos que cantaban. Casi en el acto de llegar, se callaron y sonrieron. Entonces, yo eché la mano al bolsillo y extraje un sucre que tenía, el único para la semana entera, y se lo di.

—Cántenme algo de Guayaquil —les pedí.

Se miraron. Uno de ellos analizó la moneda cuidadosamente, la guardó, sacó sencillo del nudo de un pañuelo que llevaba oculto y entregó al compañero cincuenta centavos. Después, alzó los ojos a mí, que permanecía callado, y me dijo:

—Bueno, pues.

Y cantó, mientras el otro acompañábalo en la guitarra. Yo estaba adosado a la pared. Lentamente, me fuí rodando hasta que me senté en la tierra y bajé la cabeza. Cerré lo ojos. Frente a mí, junto a mí, tenía las imágenes de una época que no me había servido para nada, pero que, en veces, procuraba recordar por cierta especie de placer enfermizo que ya antes he tratado de explicar. Hacía tales esfuerzos de imaginación, que veía las parejas saltando, zapateando, dando fuertes golpes contra las tablas viejas de la chingana. . . El cuarto estaba lleno de humo denso. . . Las voces roncas y gangosas de los guitarristas no descansaban. . . Las mujeres, sudorosas, se doblaban con gracia. . . El baile de punta y talón estremecía la casucha. . . Y yo sentado, recibiendo las atenciones de los cholos, gozaba con todos mis sentidos. Me alcanzaban puro de caña en vasitos de grueso vidrio. Yo los vaciaba sin repugnancia, sin experimentar mayor ardor en la garganta. Lo que más me gustaba era el refinado, por tostadura de anís que me picaba en la lengua y me provocaba más sed. Cuando la música callaba, alguno levantaba un grito, hinchándosele las venas del cuello:

— ¡Que viva la dueña del cuarto!

— ¡Echale más yuca al caldo!

Y nuevamente, ya estaban bailando. El ambiente era pesado, pero hermoso como un aguafuerte. Me envolvía el vaho de veinte bocas jadeantes, de ojos ardidos, de sudor a macho, de humo y de carajos. Las muchachas se llevaban el pañuelo al rostro y se enjugaban con él y volvían luego a mantenerlo apretado, muy apretado, en la mano izquierda en veces, lo extendían, a pesar de lo húmedo que estaba, tomábanlo de punta a punta y bailaban, agitándolo, el pasillo suelto de la Costa. . . Se torcían, se inclinaban, miraban, miraban hacia el suelo y movían los pies con gran agilidad y un calor que enloquecía. . . Levantábanse las faldas hasta las rodillas. . . Los hombres eran más torpes, más lentos. . . Ellos no lanzaban las miradas hacia el suelo: era a ellas a quienes las dirigían, rectas, provocativas. Seguían a las mujeres con todo el cuerpo y con toda la voz angustiosa de la tonada.

— ¡Viva Alfaro y que siga el baile! ¡El baile!

Eran, a pesar de todo, hermosos tiempos. No los extraño ahora, pero los recuerdo. Fueron, posiblemente, los únicos momentos de belleza que entraron en mí espíritu. Esos, y los días anhelados de mis primeros años, cuando anduleaba trepándome a la espalda de los tranvías o cazaba moscas con la mano en el aire para arrancarles las alas.

Volví en mí cuando la música terminó. No quisieron tocar más ni yo tenía más dinero. Díles las gracias, y me dirigía a mi celda, cuando, nuevamente, me encontré con el negro Jaramillo. Al verme, escupió en el suelo y se puso a fregar el escupitajo con la pata de la muleta. Yo tampoco hice caso. ¡Tanto tiempo que no cruzábamos una palabra, y ahora me hostilizaba! Cierto que siempre me había mirado con miradas hostiles y rabiosas, pero, en fin, a más no se había atrevido. No sé por qué, ahora, de repente. . . ¿No será que se ha enamorado de Margarita, y tiene celos de mí? ¡Qué idea tan ridícula! Pero es muy posible, porque la mira de un modo. . . Yo no me fijaba en él. ¡Era una cosa tan pequeña! Tal vez yo sentía un poco de miedo, y no me avergüenza confesarlo. Así, pues, seguía mi camino, cuando me lanzó esta palabra:

— ¡Maricón!

Ya no pude soportar más. Me mordí los labios. Aparenté mucha calma, enderecé mis pasos hacia él y, sin tono fuerte ni voz dura, le dije:

— ¿Qué le pasa a usted, Jaramillo?

— ¿A mí? ¡A mí no me hable!

—¿Por qué me molesta?

—Usted no pasa de ser un blanco pretencioso... Y maricón, para que lo sepa... Si quiere pelear, yo le peleo con muletas y todo...

—¿Por qué razón voy a pelear con usted?

El negro Jaramillo tenía una sonrisa ufana entre los labios. Varios presos nos rodeaban, ansiosos del espectáculo. Leí en las miradas que esperaban que yo atacase. Llegué a oír un murmullo de voces. Y, por fin, claramente:

—Ve que el maestro es flojo...

Yo, revistiéndome de toda mi dignidad, me dirigí a ellos:

—Mi valor, compañeros, no consiste en darme de puñetes con cualquiera. Yo no tengo la culpa: no soy un hombre fuerte. Mi valor está en otras cosas. Ya saben ustedes por qué estoy preso. Yo no le he hecho nada a Jaramillo. No sé que le pasa conmigo. No tengo nada contra él... No hay razón, no hay razón...

Jaramillo me interrumpió:

—Es un grandísimo hipócrita... Dice que no es fuerte, y yo no tengo piernas... El otro día estaba queriendo quitarme a una mujer, pero vine yo y me la llevé... Si ni para eso sirve el muy gallina... No sopla... ¡Hey, vengan todos, que les voy a contar una cosa! ¡Para que vean quién es el maestro! ¡Ja, ja!

Me retiré, sin esperar más, profundamente herido. Caminaba rabioso, a pasos apresurados, violentos. Me fui a mi celda. De allí, hacía esfuerzos por regresar y castigar a Jaramillo. Mi imaginación calenturienta me ponía delante de él, le pegaba, le escupía, lo agarraba del cuello... De cada trompada hacíalo rodar y él no podía levantarse con las piernas rotas, como rellenas de paja... Después, me volvía a todos y les gritaba que quién era allí el más bravo, que quién quería probar mis puños... Todo yo me mordía interiormente.. Me despreciaba... ¡Y no poder hacerlo! ¡Y no tener el valor que yo, entre sueños, me asignaba! ¡Negro canalla! ¡Negro canalla!

Poco a poco, me entró la calma, pero una calma terrible. Comencé a urdir mi venganza, y, sin pérdida de tiempo, pensé ponerla en práctica esa misma noche.

Ya había caído la tarde. Yo, usando de mi relativa libertad, permanecí entre los corredores, esperando el momento propicio. Se trataba de lo siguiente: yo era bastante amigo de un guarda que conseguía para los presos aguardiente de caña. Mejor dicho, era su negocio; ganaba una comisión en cada botella, y todo marchaba perfectamente bien. Algunas noches, cuando me sentía desfallecer, me llevaba escondida en la pretina del pantalón mi botellita y me la bebía durante mis largos insomnios. Pues bien, mi plan era muy sencillo. Cierto que no tenía dinero, pero el guarda me fiaría y yo estaba dispuesto a firmarle un vale por lo que él quisiera, con tal de vengarme de Jaramillo. Le iba a pedir, que me trajera una botella de puro, pero compuesta en "ojo de pollo", y que probara de esa o de otra botella algunos tragos junto a la celda del negro. Este, que era gran aficionado a la bebida, seguramente le pediría. . . Mi amigo el guarda le pasaría la botella y cuando ya estuviera completamente borracho, era muy fácil provocarlo a pleito, por ejemplo, arrojándole piedras o cáscaras. . . Naturalmente, esta parte de mi plan no lo iba a comunicar al guarda. A él sólo pensaba decirle que se trataba de una broma. Andaba por los corredores sobándome las manos de satisfacción. Claro, el negro se pondría furioso, haría un escándalo, delirante, como otras veces, procuraría pegar a todo el mundo. . . Con seguridad que le aplicarían un buen castigo, tal vez el reservado. . . ¡Me la pagaría!

Así estaba yo de rabioso. Comprendo que mi conducta y mi pensamiento eran indignos, pero. . . Es que a veces uno se trastorna cuando es ofendido sin razón. Se había hecho noche completa. Una que otra sombra no más se movía por los corredores. De las celdas llegaban murmullos de conversaciones, toses, algunas risas enanas. . . ¿Hasta qué hora no llegaría el guarda? Me comenzaba a impacientar, cuando he aquí que, de súbito, escucho el timbre de alarma de La Bomba y siento que corren por el otro lado del edificio. . . Una luz de linterna dejaba manchas de luz por las paredes altas. . . Gritos. . . Pasos apresurados. . . Carreras. . . Inmediatamente, tomé a la izquierda, busqué la escalera y trepé al piso siguiente. Por él me fui despacio estirando la cabeza, seguro de que algo muy grave había ocurrido. Me olvidé por un minuto de mi venganza. Al final de una de las series, sobre el lado que daba al jardincito, vi un tropel de gentes y mucho alboroto. Me acerqué. No podía mirar hacia adentro. Como el viento venía derecho desde el cerro, me subí la bufanda hasta la boca y traté de entrar. No lo pude conseguir. Pregunté lo que había pasado.

— ¡Han matado a Pedro Gonzabay!

Me abrí paso casi a viva fuerza. Miré. Sobre la tarima, agarrado su puño derecho de la frazada, estaba el cuerpo de Gonzabay cubierto de sangre. En el cuello tenía aún clavada una lezna, que seguramente provenía del taller de zapatería. La herida era atroz. No sólo se habían contentado con enterrarla, sino que la habían removido adentro, como trizando, arrancando todas las venas. La sangre se había detenido ya. Eran ríos de sangre. Todo el pecho era una sola mancha roja y el cuello parecía que lo hubiera tapado con grandes tomates abiertos.

El director del Penal no estaba. Mandaron a buscarlo a su casa, pero no lo hallaron. Posiblemente, tenía licencia o había salido de Quito por algunas horas, pues, con frecuencia, se ausentaba al campo vecino. Mientras tanto, comenzaron las averiguaciones. Yo tuve un sobresalto en el corazón. Pero no dije nada. Permanecí silencioso, contemplando ese cuerpo rojo y aquellos ojos espantados. Pero Gonzabay era el amante de... No lo quiero nombrar. Nunca lo he hecho. Cuando narré su historia, me contenté con llamarlo el joven bello. No sé si aún es tan joven, pero tengo que seguir llamándolo así. Su nombre me quema en los labios y esa noche me dolía todo su recuerdo con un malestar de fiebre. ¿Cómo él hubiera podido matar a un hombre tan fuerte como Gonzabay? Rechacé al punto la idea, cuando pude ver al joven X, a quien traían a la celda de Gonzabay. Me hice a un lado, lleno de frío, temblando, con un miedo que no osaba controlar. El joven X, se asió con ambas manos de los fierros y se puso a llorar. Todavía pensé que se trataba de pena, de dolor ante el cuerpo asesinado de su amante... Pero, no. Gritaba cosas incoherentes, lloraba como una mujer nerviosa y pedía perdón. Sí, había sido él.

La guardia de policía había llegado ya. Se lo llevaron. Sufrí mucho pensando en el castigo que le aplicarían. Y de súbito, como inspirada por el demonio, se me vino la idea a la cabeza. Por un lado, pensé mitigar la pena del joven X; por el otro, dar cumplimiento a mi venganza. Sonreí, temblando aún, y me acerqué a uno de los principales guardianes, una especie de sub-jefe, que siempre me había hecho demostraciones de afecto, deteniéndose a conversar conmigo en sus visitas de inspección. Lo tomé del brazo y le dije casi susurrando:

—Permítame.

—¿Qué desea, Ramírez?

—Es que. . . ¿sabe usted? Estoy emocionado con ese crimen espantoso, y quiero darle un dato.

El sub-jefe se incorporó y quedó tieso, escuchando:

—Sí, tengo una sospecha. . . Aunque, a lo mejor, no es así. . . Vaya usted a poder afirmar algo. . . No hay pruebas. . . Apenas, conjeturas. . . Y sobre todo, porque lo conozco muy bien. ¡Vaya que lo conozco!

—¿De quién se trata?

Yo moví despacio la cabeza. Me cogí la barba.

—Sin embargo, puede que me equivoque. . . Yo no quiero acusar a nadie. Puede haber sido una mera coincidencia. . . Nada, hágame usted el favor de excusar.

— ¡De ninguna manera se va usted a quedar callado! ¿me oye? Dígame lo que sepa.

—Yo no le he dicho que sé nada.

—Bueno, lo que sospecha, lo que vio, lo que. . . ¡Vamos! Lo que usted me iba a decir. . .

Tosí, sin perder mi calma. Hice un gesto de resignación. Y de pronto, cuando él menos se lo esperaba, le hice esta pregunta:

—¿No cree usted que X es un joven muy. . . muy. . . ¿cómo decirle? ¡Sí, eso es. . . Muy impresionable!. . .

—Es un maricón.

—Puede que sí, pero es impresionable. Tiene un temperamento parecido al de las histéricas, ¿verdad?

—Cierto. ¿Y?

—Bueno, lo que pienso es que alguien deber haber influido en él para que cometa ese crimen. De otro modo, es imposible. . . Si ni siquiera antecedentes de criminal tiene.

—¿Y quién puede haber influido en él?

—Realmente, no lo sé.

—¿Entonces? ¿Para qué diablos me hace usted perder el tiempo?

—Es que yo. . . yo le iba a decir a usted que. . .

— ¡Por Dios, Ramírez! ¡Dígamelo ya!

El sub-jefe había levantado las manos, furioso, y sus últimas palabras eran verdaderos gritos.

—Por favor, más despacio. . . No se exaspere.

No me replicó nada, sino que me miró más iracundo aún. Comprendí que ya no podía hacerle esperar más, que ya me había disculpado bastante, y se lo dije:

—Vea usted, ese jovencito andaba medio enamorado del cojo, del negro, ¿cómo se llama?

—Jaramillo.

—Exactamente, él mismo. O, mejor dicho, el negro Jaramillo, que es un tipo inmoral, anda medio enamorando al joven X, porque yo creo que el joven X quería a Gonzabay, pero lo celaba mucho, y Gonzabay también era aficionado a las mujeres y todo lo demás, usted sabe. . . Pues, bien, hace días que veo al negro Jaramillo andar hablando a las chiquitas con él. . . Y esta mañana, estuvieron juntos muy largo rato. . . Cuando alguien pasaba por donde se encontraban, permanecían mudos. . . Luego, volvían a hablar, haciendo señas apuradas. . . Después de un rato, entraron al taller de zapatería. . . ¿No vio usted la lezna? Eso es todo, mi jefe.

—Está bien, está bien. Lo haremos declarar esta noche mismo.

El sub-jefe tenía una cara cruel.

—Pero, oiga, yo no hago ninguna acusación. A mí no me consta nada. Quiero darle una pista, nada más. . . A lo mejor, estoy equivocado. . .

—Está bien, está bien.

—No, señor. . . Debo estar equivocado. ¡No me crea usted! Por favor, no me crea usted. . . No es cierto. . .

—Pierda cuidado, Ramírez, que no voy a decir una palabra de quién me lo dijo. . . Usted sabe que aquí se lo considera mucho. . .

Y sin esperar respuesta, se marchó.

Yo quedé como en el aire. No podía saber a ciencia cierta si estaba contento o no. Creí que me iba a poner satisfecho, feliz con mi venganza. . . Y, cosa rara, no experimentaba nada más que una cosa desfalleciente y unas ganas tremendas de correr y de ocultarme. Pero casi que no podía moverme de donde estaba. Después de lo menos un par de minutos, me dirigí despacio, casi sin asentar los pies, a mi celda y me eché en la cama.

Ya debían haberse llevado al negro Jaramillo, seguramente al "reservado". Y como el director no estaba, a lo mejor lo apaleaban. . . Sí, el sub-jefe me dijo que lo haría hablar. . . ¿Y el joven bello? ¿No correría la misma suerte? Sentía miedo por él, un miedo y una compasión que me desconcertaban. Creí oír gritos. . . Me levanté, llegué hasta las rejas de la ventana y lancé mis miradas hacia abajo, pero no pude ver nada. Mi celda queda justamente sobre el jardín, del lado izquierdo, más o menos arriba de los rincones del "reservado". Nuevamente, los gritos llegaron a mis oídos. . . Luego, escuché distintas las voces. . . Creí reconocerlas. . . Las dos. . . Las dos. . . Un escalofrío me corrió en la espalda. . . No me cabía duda: los martirizaban. Todos los presos debían haberse asomado a sus ventanas. No los veía, pero presentía sus manos asidas a los hierros, sus brazos hendidos por los barrotes, sus ojos agudos, sus bocas abiertas. . . Los gritos venían de abajo, como de un subterráneo. Y en la noche tan negra y tan callada, no parecían alaridos de hombres sino de animales extraños, de insectos gigantes, de roedores, de cosas un poco olvidadas o desfiguradas. . .

Los presos comenzaron a protestar. Alguno dio la primera voz, que se estrelló contra el silencio como una piedra contra los cristales oscuros. Fue, primero, un solo grito, largo y rabioso:

— ¡Nooooo!

Repitió un coro de centenares de voces:

— ¡Nooooo! ¡Nooooo! ¡Nooooo!

— ¡Nooooo!

La casa de piedra, la enorme casa dura, se fue hinchando. La sombra de los techos, de las paredes, de las rejas daba la impresión de que se movía, de que se inclinaba al peso de los gritos.

— ¡Nooooo!

Yo me empiné para mirar. Volvía a caer sobre mis talones. Me retiré de la ventana, y volví a ella, con una desazón extraña en el pecho.

— ¡Nooooo!

Ya no se oían los gritos de los martirizados. La bulla de los presos lo envolvía todo. Crecían, crecían por instantes, más altos que los techos, más arriba que la noche, más agudos que las más inquietantes voces interiores, sus gritos poderosos y nocturnos. Luego, lanzaron silbidos, unos silbidos penetrantes y delgados. Y en esa pausa, se aterró el Penal entero como entre un círculo de víboras.

Y el coro reiniciaba un alarido, elevándose cada vez más, hasta que el solo grito inmenso caía en mis oídos:

— ¡Nooooo!

Hubiera querido gritar yo también. Correr abajo, salvar a los condenados, acusarme, rogar, imponer. Pero mi voz estaba muerta. Entonces, volví a retirarme de la ventana y caminé a prisa los pocos metros de mi celda, en varias direcciones. No sabía qué hacer. La noche apretándome, las sombras en mi torno, y las voces de un montón de cadáveres gritando:

— ¡Nooooo!

Busqué un trapo sucio que había en el suelo y quise taparme con él mis oídos. Me ajusté las sienes, las mandíbulas, me eché en la cama, me encogí enovillado, los músculos tensos, todo yo apretado, pero el grito inmenso me perseguía.

Por las rejas entraban las sombras y cada una me venía a repetir aquel grito de potencia rara. El viento era helado. Sobre mi cabeza, veía moverse la doblada perspectiva del techo opuesto y entre los árboles del cerro noté un agitar de tormenta. Arriba, muy alto, un puñado de estrellas, inmóviles y frías. Abajo, un abismo de piedra negra.

— ¡Nooooo!

Comenzaron a sacudir las puertas. Los candados hacían una bulla vieja, oxidada y chirriante. Unas cuantas piedras cayeron al patio. Se arrancaban las gargantas gritando. Sentí, a poco, ruido de policía. Frente a mí adiviné el cañón de una ametralladora. Todos los techos se llenaron de soldados. ¡Y no podían tapar con nada esas bocas secas y ardientes!

## XIV

## EL DIALOGO SORDO

Ayer había otra fiesta en el Penal. He pasado muy contento y muy activo, trajinando por todos lados. No sólo ha sido por la fiesta: he tenido, además, sueños muy dulces, muy tiernos: la presencia de Clemencia se ha llegado a mí con una claridad cegadora. Ha reído con su boca de campánula, con sus ojos, con toda su piel frágil y aterciopelada como las uvas y brillante como los panderos de los gitanos. Ha estado muy cerca de mí. Casi puedo decir que me ha besado. Venía de su boca un soplo que me abrasaba en calor de llama joven y tenía entre las manos una agilidad maravillosa de canario. Amanecí fuerte, sano, superior. ¡Clemencia! A veces, pienso que no existes, que saliste de mi corazón así como salen los suspiros y los ayes felices. . . No me has dejado perder. Tu luz me conduce. Y en la arquitectura de tu cuerpo de agua tengo el paso justo para mis brazos.

Es mejor que no hable más de ello. Es tanta mi felicidad, que la quiero escondida para mí, como un secreto. Se me antoja que las palabras me brotan en murmullo y que su imagen no se desprende de mis pasos. Una luz del día me la borra por instantes, pero no se aleja: camina dentro de mí y yo me encierro más para que nadie me la vea. Después, en las sombras, va saliendo físicamente de mi pensamiento y se queda junto a mí para que yo la goce con mis manos, con mis ojos, con mis palabras de delirio. ¡Ah, Clemencia!

No quiero hablar de este amor, y se me escapan las palabras. Escribo ahora con lápiz, pues me he quedado sin tinta y por algunos días no dispondré de un centavo para compras: todo lo he invertido en el regalo que he hecho a Ana Chiluiza ayer. El lápiz se me escurre y viaja solo por las carillas de papel. Quisiera poder dibujar para hacer en cada página su retrato. Y hundir entonces mis ojos más y más hasta que me olvide de las cosas que me rodean y me adelgace como un hilo musical en la noche.

Tengo la seguridad, Clemencia, de que tú me habrías acompañado en la fiesta de ayer. Que habrías participado de mis alegrías y que tú misma, con tus manos un poco infantiles, habrías compuesto el tocado de la novia. No lo hiciste tú: fue Margarita quien te sustituyó, porque Margarita es tu amiga y mi amiga. Muchas veces, la imagen de Margarita te reemplaza un poco: es como una postal que pasara sobre la otra. Por eso. . .

Bien, Ana Chiluiza se ha casado. Ella y su amante, condenados a la misma pena, por el delito de haberse libertado del estorbo de su amor, hicieron hace meses una solicitud creo que al Presidente de la República. Y les ha concedido la gracia. Y ayer se han casado, y yo he servido de testigo en la ceremonia.

Recuerdo muy claramente la noche en que conocí a Ana Chiluiza. Hace ya algunos años, no sé realmente cuántos, porque hace mucho que el tiempo no transcurre para mí y lo mismo puede ir muy rápido que muy lento o pasar muchos años o simplemente pocos días. Me es igual. Pero sí recuerdo aquella noche de Navidad, aquella vigilia misteriosa. . . Margarita me contó su historia. Ana Chiluiza hallábase con su pequeña hija, hoy mucho más crecida. Hace ya mandados por las tiendas de la cercanía y sale a jugar con los chiquillos del barrio del "Aguarico". Es una criatura que parece alegre, de movimientos nerviosos y de grandes ojos saltones como la madre. No recuerdo bien su nombre, pero sí estoy seguro de que no es Ana.

A las once de la mañana fue la ceremonia. Yo estuve arreglándolo todo desde las nueve. Se improvisó una capilla, en la misma sala del último piso en la que se proyectó la película aquella noche de Navidad. Toda la mañana me la pasé trepado en las escaleras de tijera, colgando guirnaldas de flores de papel, disponiendo las sillas, dando los últimos toques al altar, acomodando la mesa de los sandwiches y de las kolas, en fin, en una serie de pormenores que no hubiera permitido terminar por ningún otro.

Mientras tanto, Margarita arreglaba a la novia. A eso de las diez y media de la mañana, apareció, conducida por Margarita, vestida con un traje blanco de olán y unas cintas lilas en la cintura y junto al pecho. Su cara madura tenía una expresión blanca y como que sus ojos no miraban con la misma dureza de antes. Poco después, salió el novio, Teodomiro Santistevan, compuesto con americana, cuello y corbata de color azul marino. Ese día le había sido permitido quitarse el uniforme, y tal vez por esta sola razón, encontrábase radiante.

Había venido el Jefe Político. El director del Penal era el padrino de la boda. Yo actué de testigo en ambos matrimonios, en el civil y en el eclesiástico. La ceremonia civil fue muy sencilla. Se leyó el acta, el Jefe Político hizo las preguntas de rigor, y luego los declaró marido y mujer y lo demás. Entonces, comenzó la ceremonia de la Iglesia. El cura se hizo esperar como un cuarto de hora. Cuando apareció, todo el mundo quedó callado y nadie se atrevió siquiera a moverse. El cura, un viejito, entraba muy despacio y con ademán bondadoso. Comprendí que los presos se habían conmovido. Naturalmente, los invitados a la boda éramos muy pocos: sólo los de conducta excelente. No tenía yo, por tanto, ningún temor: el negro Jaramillo no me molestaría. ¡Negro canalla! Del "reservado" y después de la paliza, lo habían llevado a la enfermería. Esa noche, si no acierta a llegar el director en la madrugada, hubiera ocurrido una tragedia inolvidable, pues los presos no cejaban en sus protestas. Parecían ser gritos de otro mundo, de latitudes apenas presentidas por un corazón miedoso. Fue él quien impuso el orden, suspendiendo también el castigo. Sólo quedó un rebelde que, como un poseso, rechazaba a todo guarda y se la pasaba gritando. El director pidió la llave de la celda y entró solo, a pesar de los consejos que le daban por qué no lo hiciera. Al verlo entrar, el preso se recogió contra la pared y esperó. El director le ordenó que avanzara y, como no lo hiciera, se acercó y, rápido, le golpeó en las quijadas. Esperó. Cuando el rebelde volvió en sí, al primer gesto que hizo de rabia, volvió a castigarlo con sus puños, y así lo dominó. Bueno, en cuanto al negro Jaramillo, parece que no le hicieron otros cargos, convencidos de su inculpabilidad, debido a las declaraciones del joven X. Yo quise buscar una explicación con el sub-jefe, pero éste no le había dado ninguna importancia al asunto, en la creencia de que podían, por mera casualidad, haber entrado juntos al taller de zapatería. Lo cierto es que, como ya había pasado el primer momento de cólera, nadie volvió a acordarse del lío en que, por mi culpa, se hallaba mezclado Jaramillo. Desde luego, yo no vi a este hombre en mucho tiempo. No salía por esos días al asoleo. Y mis paseos por el patio los hacía a horas en que estaban los demás en los talleres o encerrados en las celdas. En cuanto al joven X, tengo el temor que se muera de pena, y cuando salga del "reservado", en el que aún se encuentra, el nuevo proceso que le han levantado, caerá sobre la cabeza de un muerto.

No quiero acordarme de cosas tristes. Es el matrimonio, la unión de Santistevan con la Chiluiza, lo que ocupa todo mi pensamiento. ¡Qué felices parecían ambos! El cura los bendijo, puso en sus manos dos gruesos anillos de acero, y después habló sus diez minutos dándoles consejos. Acabado el acto, se brindaron sandwiches y kola. Yo comí mucho, con buen apetito, y tuve la osadía de ponerme a conversar con el director, que se hallaba jovial.

A eso de las doce y media del día, Teodomiro Santistevan, con permiso del director, por supuesto, se llevó a la novia. Dirigiéronse a la celda de él. ¡Allí tendrían su luna de miel! Era el nuevo hogar de unas pocas horas. . . Me parecía un poco extraño, pero, en el fondo, encontrábalo normal y sencillo. Se encerraron. Nosotros seguimos bebiendo refrescos y dando fin a las provisiones.

Cuando el director se marchó y la fiesta oficial hubo terminado, me acerqué al profesor de música y a otros amigos, hicimos un pequeño ruedo, nos escondimos en una habitación revestida de cal que hallábase cerca de la peluquería, y bebimos aguardiente. Entre nosotros hallábase el peluquero, un sujeto fanfarrón y estúpido, que había sido soldado, creo que corneta, y que vivía fastidiándome con sus historias de batallas. Por eso, yo me cortaba el pelo lo más de tarde en tarde que podía, y prefería quedarme con los largos mechones sobre las orejas y sobre la frente, porque no me fastidiaban mucho. No había sillas en el cuarto. Nos sentamos, pues en el suelo. Tampoco disponíamos de vasos y por pereza ninguno se ofreció a conseguirlos. Bebimos, entonces, a pico de botella, pasándola de mano en mano.

Bebimos muchas horas. El profesor de música hablaba y hablaba a porrillos, con palabras difíciles, la lengua entrabada. Nos decía de sus triunfos y de los que muy pronto alcanzaría en los Estados Unidos. Un guarda, a su lado, no abría nunca la boca sino para beber. El peluquero, con su larga cara de imbécil, en todo metía la cuchara. Y un viejito, condenado a dieciséis años, se puso de repente a contarnos historias de aparecidos en el Penal.

Aquel viejito era un tipo simpático. Se llamaba Pablo Durango, y había nacido en Cuenca. Era moreno, pero de color lavado. Su rostro, lleno de arrugas, parecía un retrato al carbón, con esas enormes cejas brotadas, con esas arrugas como nudos de árbol en la frente y ese cuello de pata de gallina. Las manos teníalas un poco desfiguradas, con protuberancias y sabañones. Y en los ojos pequeñines, lucía un brillo ágil como de llamitas intermitentes. Reía con los ojos al más pequeño chiste, sin poder mantenerlos abiertos. Entonces, toda su cara se recogía, se transformaba en menudos pedacitos de un mapa y le brotaban lágrimas de puro contento. Cosa extraña, conservaba una dentadura firme y blanca, con la cual destapaba las botellas de un solo esfuerzo.

Ya antes había conversado un poco con él. Ahora, que lo tenía en mi delante, sin oír la charla aturullada del profesor de música, le pregunté por su delito. El viejo rió —don Pablo, como le llamábamos—, y sólo me dijo:

—Eso de matar es muy fácil. . . Aun para los hombres buenos. . . La gente que no lo ha hecho nunca se cree que es cosa del otro mundo. . . ¡Nada de eso! Es cuestión de resolverse, de que se le suba a uno el coraje hasta arriba, y ya está.

—Pero, ¿por qué mató usted?

— ¡Ah, mi amigo! Se mata por tantas cosas. . . A veces, sin querer, otras, por loco, otras porque hay que hacerlo así. . . Matar. . . No importa, don Ramírez, no importa. . . Pretendí arrancarle algunas palabras más dulces, le hice varias preguntas, le acorralé, pero don Pablo sólo me respondía:

—No haga usted caso de los arrepentimientos. . . En realidad, nadie se arrepiente de nada nunca. . . Sólo en los primeros momentos, por el miedo, uno cree que está arrepentido. Mentira. Uno siempre tiene que justificarse. Yo lo volviera a hacer. . . Está bien que me hayan traído aquí: es la Ley. Si no, todo el mundo mataría y eso no estaría bueno. Yo no entiendo la Ley, pero debe ser buena. . . ¡Bah!

Don Pablo rió. Echóse al gaznate un trago tremendo, pasóse la manga por la boca, escupió contra una esquina y se calló.

Fue después de un rato, cuando ya soplaba el viento de la tarde y cuando las ventanas de esa habitación comenzaron a tomar un color rosado transparente, comenzó sus relatos de aparecidos.

Contó tantas historias don Pablo. . . En la noche dijo que salían los muertos del Panteón, de ese jardincillo de la izquierda, cerca de las fosas de los "reservados". Eran los huesos de las torturas. . . Un diálogo a secretos se entablaba entre ellos. . . Don Pablo los había oído y los había visto. . . Caminaban —se deslizaban— a lo largo del patio y se iban perdiendo entre las sombras. Otras veces, andaban por el techo y asustaban a los policías. Por eso, en ciertas noches, se dejaban oír disparos. . . Había uno que siempre salía, cuando nada se podía ver. Era un hombre que se había ahorcado. Protestaba su inocencia, cuando aún tenía vida en los pulmones. Andaba diciéndolo a gritos, a todo el mundo, y a veces a sí mismo, gesticulando, discutiendo. . . Y un día, lo encontraron colgado de las rejas, ajustada al cuello la sábana sucia, los pies rectos y los ojos hinchados. Don Pablo no lo conoció.

—Hace tiempísimo de eso. . . Desde cuando era tirano García Moreno. . . Yo no lo conocí: tanto tiempo. . . Y eso que es la segunda vez, don Ramírez que me encierran. . . Todavía sale porque el Jefe del Panóptico lo martirizaba. Quiere vengarse y lo busca, lo busca por todas partes. A su paso, deja malos olores y los perros de la vecindad se ponen a aullar. ¡Yo lo he visto, don Ramírez! Es alto y flaco y anda arrastrando la sábana con la que se ahorcó.

—¿Y sabe —agregó— por qué salen los muertos de debajo de la tierra?

—¿Por qué, don Pablo?

—Ajá. Porque de antes el Panóptico tenía a debajo el mismo edificio que arriba: eran los calabozos peores, para los más criminales. Pintados en negro, negrísimo, don Ramírez. Allí fue donde se murió el austriaco. También es cierto que las celdas de arriba eran negras, pero había aire. . .

—¿Qué austríaco, don Pablo?

—¿Me dirá que no conoce la historia del austríaco?

Le respondí que, efectivamente, no la conocía, y roguéle contármela.

—Hace un montón de años que es conocida por los más viejos. . . A mí me la contaron. . . Yo he estado dos veces, le digo. . . Era un noble. Los jesuitas tuvieron la culpa. Eran muy amigos de don Gabriel y ellos lo mandaron porque era el asesino de un príncipe. ¿Cómo es que se llama el empleo que tenía ese señor? Ayuda, ayudante de algo. . .

—¿Ayuda de Cámara?

—Eso mismo. Dizque le ordenaron matar al príncipe por cosas de la política, y que el rey, el propio padre del príncipe, consintió en el asesinato. . .

—¡Qué cosas, don Pablo!

—Déjeme acabar, don Ramírez, y verá. Resulta que había una revolución y el príncipe andaba con los jefes y dizque era muy amigo del pueblo y estaba de acuerdo con los periódicos que atacaban al rey y lo demás. . . Parecía que querían botar al rey y fundar una República. . . Por eso lo mataron. . .

—Ya eso se hubiera conocido en la historia. No puede ser.

—¿Y qué sabe usted si se conoce o no? Aquí será que no, pero allá deben haber muchos que lo saben. Yo tengo mis datos. . . Después del asesinato, inventaron un suicidio por amor, porque el príncipe estaba muy enamorado. Y entonces, fue que los jesuitas se encargaron de mandar al noble austríaco desterrado al Ecuador, para que nadie supiera del crimen, porque entonces los jesuitas eran muy amigos de García Moreno, y éste lo encerró en el Panóptico, en las celdas de abajo, del subterráneo. Allí se murió. . . Y fíjese, don Ramírez, que si hubieran matado al austríaco, hubieran despertado sospechas, porque era el íntimo del príncipe, y dos muertos, ¡qué caray! Inventaron el viaje mejor. . .

—Oiga, don Pablo, eso que usted me dice es muy raro. . . Un suicidio por amor, ¿dice?

—Así mismo lo inventaron.

—Pero eso se parece mucho a la tragedia de Mayerling.

—¡Eso es, don Ramírez! ¡Ya había oído la palabrita antes!

Me incorporé un poco y levanté la voz:

—¡Eso es absurdo, don Pablo! ¡Enteramente absurdo! El príncipe Rodolfo se suicidó. No puedo creer lo que usted cuenta: es antihistórico.

—Vaya    usted a creer lo que dicen los libros, don Ramírez. Sólo dicen lo que les conviene. . . Cuando yo le cuento, es porque es verdad, y cuando el río suena, es porque piedras trae. . . Si hasta publicaron un folleto en alemán, delatando lo del crimen y lo demás.

—¿Dónde se puede conseguir ese folleto?

—Eso sí  que no sé. Lo decomisaron, pero yo sé que quedaron unos pocos. . .

Me puse a pensar en lo que me había dicho, a confrontar fechas e influencias. . . Era extraordinario. . . Años oscuros, años trágicos, años de las monarquías reaccionarias que dirigían espiritualmente este país. . . Después, me eché a reír.

—¿De qué mismo se ríe, don Ramírez?

—Nada, don Pablo. Es una leyenda linda. Su historia me ha hecho mucha gracia. Tomemos un trago más a la salud de los duendes. . .

—Lo del trago, está bueno. Lo de la risa, usted no sabe, no sabe, don Ramírez. . .

Era casi noche. La provisión de aguardiente se nos había terminado. Nos levantamos. Yo me tambaleaba un poco, pero tenía mi cabeza bastante clara. Me despedí en el cruce de los corredores y me disponía a ir a mi celda, cuando vi salir a los novios de la suya. Ya había terminado el permiso. Su luna de miel se había ahogado. Un guarda los esperaba a cierta distancia. Ellos caminaron por el corredor sin decir una palabra. En el recodo que había de separarlos, conversaron. Fue un diálogo lleno de tanto dolor, de tanta cosa pura del corazón, de ese corazón que yo trato de apedazar, que me detuve y me puse a escuchar favorecido por las tinieblas  Es mejor que lo reproduzca exactamente, pues lo escribí palabra por palabra cuando estuve en mi celda. Yo lo escuché, agazapado, con mi casi exaltada cabeza de borracho. Era así.

*Santistevan:* Bueno, pues, ya tenemos que despedirnos.

*Ana:* Sí.

Callaron un largo rato. Luego:

*Santistevan:* Te asomarás por el patio. Yo estaré en la reja.

*Ana:* Sí.

*Santistevan:* Te saludaré con la mano.

*Ana:* Bueno.

Santistevan calló como sumido en amarguras. Teníale tomada una mano a su mujer y se la apretaba tan fuerte que ella pretendió retirarla.

*Santistevan:* No me quites la mano.

*Ana:* Bueno, pero no me la aprietes tanto. Me duele.

*Santistevan:* ¿No te gusta que te haga doler un poquito?

*Ana:* Pero sólo un poquito, Teodomiro.

*Santistevan:* Un poquito, un poquito. . .

Se miraron. Estaban frente a frente. La luz de las estrellas rompía el hueco del techo y caía sobre sus cabezas.

*Santistevan:* ¿Y la chica?

*Ana:* Bien cuidada está. Ha de dormir.

*Santistevan:* Cuando sea grande. . .

*Ana:* ¿Habremos salido ya?

*Santistevan:* Creo que sí.

Se hizo un nuevo silencio. El aire helado pasaba adelgazándose por entre esos dos cuerpos de piedra gris. Yo lo sentí en mis orejas y en el punto más sensible de mis ojos. Fue por eso que se llenaron de lágrimas.

*Santistevan:* Cuéntale bien a la chica que ya nos hemos casado.

*Ana:* Ya le dije.

*Santistevan:* ¿Y qué te dijo ella?

*Ana:* Nada.

*Santistevan:* ¿Nada? ¿Ni una sola cosita tan siquiera?

*Ana:* Sí me dijo. Me dijo que ella también quería casarse.

*Santistevan:* ¡La chica!. . . Voy a pedir permiso para que me la mandes mañana un ratito.

*Ana:* No han de dejar.

*Santistevan:* ¿Por qué?

*Ana:* Nunca la dejan ir adonde están los hombres.

*Santistevan:* Cierto.

El guarda avanzó unos pasos. Santistevan, entonces, se adelantó un poco para alejarse, y continuó bajando la voz:

*Santistevan:* Ya ha de estar el trigo. . . ¿Te acuerdas?

*Ana:* Sí me acuerdo.

*Santistevan:* Siempre me gustaba verlo de lejos, desde la loma, mientras tocaban el yaraví.

*Ana:* A mí también.

*Santistevan:* Quisiera beber chicha y correr por la loma y montar en el potro canela y después irme a comer las manzanas de la huerta de don Rafael...

*Ana:* Ya no podemos...

*Santistevan:* Ya no podemos... Estamos aquí y después seremos viejos, muy viejos...

*Ana:* Asimismo me siento... ¿Qué será, pues, eso?

*Santistevan:* Nada. Empezar muriendo ha de ser.

*Ana:* Ahá.

*Santistevan:* Que pasen no más ligeritos los años...

*Ana:* Juntos estamos, Teodomiro...

*Santistevan:* Pero...

*Ana:* Allí viene el guardián. Nos tenemos que despedir.

*Santistevan:* Hasta el sábado, Ana. Vendrás a mi... cuarto. ¡Y nadie nos ha de molestar como antes! Tranquilitos...

*Ana:* Hasta mañana. El guardián...

*Santistevan:* Compraremos semillas y bueyes...

*Ana:* El guardián ya viene. Hasta mañana.

*Santistevan:* Compraremos semillas y bueyes...

*Ana:* Es tarde ya...

*Santistevan:* Para las ferias iremos al anejito...

*Ana:* Teodomiro...

*Santistevan:* Una casita he de hacer...

*Ana:* Calla, que nos oyen.

*Santistevan:* No caerá ni una helada sobre la sementera...

*Ana:* La chica se va a despertar y creerá que está sola y se ha de andar asustando, creyendo que yo me he ido... El guardián...

*Santistevan:* Ganaremos mucha plata... No seré más soldado, más soldado...

*Ana:* Hasta mañana.

*Santistevan:* La vida tendrá que hacerse larga, larga, Ana. Es para alcanzarla...

*Ana:* No mucho, Teodomiro. Tengo frío...

El guarda se acercó y puso la mano en la espalda de Santistevan. Enmudecieron. No dijeron ni una palabra más ni hicieron seña alguna. Apenas si podían verse sus rostros, secos como los páramos. Ana Chiluiza se volvió de espaldas y empezó a alejarse. Santistevan la contempló unos segundos. Luego, se metió entre los corredores y perdióse.

Yo me sentí mal. El amor, me dije, nada tiene que ver con las bodas ni con las ceremonias. Pero sí con el crimen. No quería dejarme vencer por nada, pero el corazón todavía me saltaba con la misma ingenuidad de los años corridos. Entré en la celda. Me cogí de los barrotes y pensé que yo sería muy dichoso si pudiera tener un diálogo así de simple con la sombra de Clemencia.

El viento me refrescó la cara. Miré hacia el patio. Hasta llegué a desear que uno de esos muertos saliera de sus cuevas y se pusiera en mi delante. ¿Pero quiénes son al fin los muertos en esta casa de piedra?

## XV

## TORMENTA

No ha sido, realmente, un motivo de regocijo, pero sí ha constituido una novedad, una especie de distracción. Fue así: a eso de las once de la mañana se notó gran movimiento en el Penal; subían y bajaban los empleados y el director se constituyó en la oficina desde muy temprano; entre los presos reinaba una sorda agitación, que nadie se explicaba: estaba en el ambiente, en la atmósfera cargada, entre las paredes. Todos sabíamos que ocurría algo, pero nadie sabía a ciencia cierta lo que era.

Yo vi entrar a los soldados. Sobre el techo, se colocaron cinco ametralladoras y en todo el corredor que lleva a La Bomba se situaron policías armados. Después, advertí que estaban aseando las celdas de la Serie E., que son las destinadas a los políticos. Comencé a darme cuenta de lo que sucedía, pero todavía era mera sospecha.

Las celdas de la Serie E. son un poco mejores que las otras. Están revestidas de cal y tienen un lecho mejor. En lo demás, son idénticas y tan frías como todas. Esto del frío es algo que se me ha hecho tan natural que casi no lo advierto. Debe ser porque tengo mucho calor adentro. . . No es frío: es algo distinto, helado, húmedo, que se desprende como un sexto sentido, todavía no claro, desde las paredes y lo penetra a

uno de tal manera que el cuerpo adquiere otra estatura, algo ena-
na, algo delgada, algo retorcida. La respiración absorbe partículas extrañas de un aire rancio, y poco a poco ya se siente la carne
entera empapada con el contacto de una piel de hielo. Se la
siente hasta en el olor, bajo la lengua, en los ojos, y, sobre todo,
en las manos y en los pies. Pero, en fin, ya me he acostumbrado.
Lo único que de mí se ha resentido un poco, son los bronquios,
pero este malestar lo remedio con aguardiente que bebo en las
noches. Sin embargo, no es cosa excesivamente molesta: un poco
de tos, una picazón algo agradable y nada más.

Ya me sé la historia de las celdas de la Serie E. De allí
colgaron  y asesinaron a ese militar cuando la sublevación de
La Bomba. De allí también descolgaron el cuerpo de Eloy Alfaro.
Me lo han contado. Y  he visitado la celda en que murió. Es la
número 276. Han colocado allí unos recuerdos y una lápida.
Es todo lo que queda. Fue asesinado vilmente, de acuerdo con
el Gobierno y con la tropa y con el director del Penal, un hom-
brecillo que había sido favorecido antes por el propio General
Alfaro. Es una de las tantas historias que conserva esta casa de
piedra. Su vida entera, en cada aposento, en cada agujero, en cada pedazo de aire que circula entre los hierros, está llena de historias trágicas y sórdidas. Esta es una de ellas, apenas una de ellas:
nada más. El viejo General, al sentir ruido, se había levantado a pedir silencio. Le respondió un balazo en el cráneo. Así
hicieron con los demás, con el Estado Mayor y los amigos de
don Eloy. Sólo uno luchó, prendido de las barandas para no
caer, pero le clavaron las bayonetas en las manos hasta que
se soltó. . . Las puertas del Panóptico se abrieron y un oficial
llamó al pueblo para que entrara. . . No fue el pueblo el asesino.
Dicen que uno se iba quejando por las calles. . . Tal vez. . . Lo
cierto es que el pueblo  recibió sólo cadáveres. Los arrojaron de
arriba, como muñecos de año viejo, como cosas sucias llenas de
sangre, vacías de piel y de huesos. . . El asesinato fue dispuesto,
planeado, oficialmente. . . El pueblo, enloquecido, recibió cuerpos fríos y sogas para arrastrarlos. . . ¡Viva el pueblo católi-
co!, gritaban los soldados. ¡Abajo los masones! Alfaro y los
suyos fueron arrastrados por las calles de Quito. . . Por las ave-
nidas, iba dando botes la cabeza del caudillo, apedazados sus
miembros, sus sesos afuera, profanada la parte más íntima de su

cuerpo. ¡Bella y terrible lujuria! Una sed de sangre y de torturas circuló por miles de almas. . . Y esta cosa tremenda, una de tantas, salió del Panóptico, de mi casa querida, de lo que está más allá del cálculo y el sentimiento. . . Aquí no hay más que muerte y sangre, demonios y lujuria, ardor sin fronteras, sublimación sin límites. Pero no, no fue igual a las que yo conozco esta historia. . . Cuando levantaron el cráneo del viejo como una copa, en ese instante la leyenda adquirió proporciones de tragedia griega. . . Brazos levantados, gritos de coro enfurecido, llamas de deseos amarrados, y el brindis sobre todas las cosas como un oficio sobre las colinas de los dioses. . . Pero esto fue en la calle, lejos de mi casa. . . ¡Cuántas cosas aquí adentro! Sólo los espíritus fuertes como el mío son capaces de salvarse. No se vive como en el mundo de los otros. No lo puedo explicar: nadie me entendería. ¡Es tan cosa aparte!

Pues esas celdas de la trágica serie las estaban limpiando. Era indudable que traerían a presos políticos, a presos de calidad. Como yo nada sabía del mundo ajeno, no sospechaba exactamente de qué se trataba. Pero me picaba la curiosidad, y me puse a atisbar. Habían transcurrido apenas unos diez o quince minutos, desde que las celdas estuvieron listas, cuando escuché tiros lejanos. Tal vez media hora de disparos. Venían de sitios remotos. Se trataba, sin duda, de un pequeño combate. Hacia las doce, llegaron los camiones con los presos. Los traían como en carreta, apiñados, entre las ametralladoras. Un batallón entero, al mando de un comandante en exceso nervioso y pálido, hizo su aparición. En el acto, los metieron en las celdas y el batallón se quedó afuera, desplegado en guerrilla, con las ametralladoras y los fusiles listos. Seguramente, temían un rescate de los presos, o pretendían disimularlo para asesinarlos. Después, cuando los ánimos estuvieron quietos, los principales presos fueron sacados de las celdas y llevados a la planta baja, a las habitaciones con pisos de madera. Allí los instalaron y advertí que el director procuraba brindarles toda clase de atenciones.

Hice, naturalmente, mis investigaciones, y supe que se trataba de diputados a un Congreso. Y no me ocupé más de ellos. Lo anoto como un detalle más, que ofreció una pequeña variación a nuestra vida. Fue, sin duda, un acto intruso a nosotros. Esta casa no es para políticos. Nos pertenece a nosotros. Por nosotros y para nosotros está hecha. No sé si fue este sentimiento, o bien que el mejor trato ocasionaba celos, lo cierto es que entre los presos se dejaba notar rabia contra los políticos. Era como una categoría encima de la nuestra. Sólo una noche, en que se rumoreó que los policías los iban a fusilar, los penados estuvieron listos a luchar por los políticos. . . Yo supe que el primero que iba a arriesgar la vida en defensa de esos señores, era el director. Y con él a la cabeza, todos nosotros hubiéramos peleado hasta descuartizar a los asesinos, mejor dicho, a los asalariados de los asesinos que estaban sentados en sus cómodas sillas de traiciones. . . Pasado este incidente, lo importante volvió a reinar, y lo importante es que en el Penal todos somos iguales. ¡Iguales! ¡Aquí no hay Gusanos Barcias ni maestros de escuela pusilánimes! Es como si la muerte nos hubiera igualado. La muerte o los sentimientos más altos y puros que roen, de vez en cuando, en la pulpa de la vida humana.

En cuanto a mí, se han producido acontecimientos mucho más serios. Hace tiempo que no reacciono tan fácilmente como los otros. Claro que me asocio a ellos, pero mis sentimientos de celos o de protesta son epidérmicos, nada profundos. Cada vez, me encierro más en mi mundo, en mi bello mundo misterioso, en lo que yo mismo, a pulso de mis manos, voy haciendo. Cierto que la vida aquí es superior a cualquiera otra, porque no se cuenta con la misma medida, pero junto a ella está la mía propia, mi vida, mi existencia casi sobrenatural.

Tales acontecimientos se produjeron cierta mañana, en que asomado a mis rejas, vi a uno de los políticos, custodiado por un guarda, que conversaba animadamente con Margarita. Margarita sonreía y él le hablaba. Me molestó, pero, al fin y al cabo no hay en verdad sentimientos tan grandes, o, mejor dicho, tan íntimos como para que me dé rabia que Margarita sea amable con un extraño. Acaso mi molestia, provino de que es una parte de mi mundo y de mi creación. La cosa es que experimento algo parecido a que si mi vida hubiera sufrido una quebradura, tuviera un agujero por el cual penetrasen aires extranjeros. Es algo pequeño. Pero no puedo permitirlo.

Los vi juntos varias veces. Parece que él solicitaba de Margarita pequeños servicios, tales como el zurcido de las medias y uno que otro lavado de ropa. Día a día me iba creciendo el furor en el corazón. Pero no decía nada, absolutamente nada, a Margarita. Mi rencor, el peor de todos, era sin palabras. Apenas si me podría conocer algo en las miradas, pero yo me cuidaba muy bien de que no adivinase mis pensamientos y, para evitarlo, evadía su presencia.

Un día me habló:

—Nicolás, otra vez anda usted un poco raro.

—Tal vez no sea yo el raro. . .

—No me haga reír, Nicolás.

—No lo pretendo. Hasta luego, Margarita.

Margarita, llena de risas, la cabeza ligeramente inclinada y los ojos hacia arriba, transparentes, me detuvo del brazo.

—Vamos, ¿qué le pasa a usted?

—Nada. Le aseguro que no me pasa nada.

—¿Entonces?

—Entonces, ¿qué?

—Por favor, Nicolás. . .

—No le entiendo, Margarita.

—Vea, Nicolás, ¿me perdonaría usted si le hiciera una pregunta con toda franqueza?

—Preferiría que no me preguntase nada.

—Sin embargo, se la voy a hacer, porque yo a usted lo estimo mucho y me duele que ande tan alejado de mí.

—Como usted quiera, entonces.

— ¡Ay, Nicolás! ¡Qué severidad! ¡Qué tono!

Guardé silencio. Me sentía un poquito ufano, pero escondí mis sentimientos tras de las arrugas de mis cejas y procuré mirar hacia otro lado.

—¿Le molesta a usted que yo converse tanto con ese señor?

Lo dijo, así, de repente, como pasando a una ofensiva, pero la cara entera le retozaba de risas.

—¿Qué señor? —respondí yo, afectando indiferencia.

—Ese, pues. El político. . .

— ¡Ah! Sí, me parece que ha conversado usted algunas veces con él. ¿No es ese alto, de pelo ensortijado, y moreno?

—El mismo. Un antiguo amigo.

—¿Antiguo amigo?

—Sí, de hace muchos años, de hace muchos años. Desde

mucho antes que yo hiciera eso que usted sabe. . .

—Entonces, usted y él. . .

—¡Nicolás, no se ponga tonto! No es eso. . .

Cambié en el acto de postura espiritual, me traicioné y le pedí ansioso:

—Cuénteme usted, Margarita.

—Si no hay nada que contar. Simplemente, es un antiguo amigo. Está preso. No se acostumbra a esta vida. Pide de mí algunas cosas pequeñas. . . ¿Cómo negarlas? Es diputado. De repente, lo he encontrado aquí, convertido en otra cosa. . . ¿Qué quiere usted que yo haga? Además, me trae recuerdos. . . Siempre es agradable. . .

—¿Agradable? ¿Le importan mucho sus recuerdos?

—No es eso, es que siempre. . .

—¡Siempre!

—Vea, Nicolás, usted sabe que el único mundo que a mí me interesa es el mundo de Dios.

Yo, que tanto había discutido con ella acerca de Dios, me así de sus palabras, y pregunté:

—¿Está segura de que sólo le importa Dios?

—Completamente.

—¿Nada más?

—Y usted también.

—Margarita. . .

—Vamos, déjese de estas cosas. Usted es muy sensible.

Me despedí jubiloso. Puse un pretexto cualquiera, pero la verdad es que yo deseaba estar solo, que lo necesitaba imperiosamente. Me alejé hasta mi celda, lleno de mí, moviéndome en mí.

Algunas horas estuve así, tan pleno, tan íntimo, que me olvidé de todo. Sin embargo, con las primeras horas del anochecer, me renació la inquietud. Serían las siete de la noche. Abrí la celda y me puse a caminar por los corredores. Afuera, llovía. Apenas una garúa delgada y torcida, que me salpicaba el rostro como si fuera rozado por una pluma. Paseábame inquieto. De lejos, miraba hacia el fondo tenebroso de los enrejados. La perspectiva se angostaba hasta perderse sin fin, como un agujero. Tuve la sensación de que debía ir allá. Y fuí. Caminé sin descanso, pero al llegar encontraba con que no había ningún agujero y que el agujero había quedado a mis espaldas. Volvía a alejarme, y otra vez la ilusión me hacía dirigir los pasos hacia aquel sitio oscuro. . . Volví a mi celda y me acosté. Imposible saber el tiempo que permanecí en el lecho. Nuevamente, salí. Busqué a mi amigo, el proveedor de aguardiente, y le supliqué que me trajera una botella.

—A ver, déme —díjome, extendiendo la mano.

—Lo malo es que ahora no tengo dinero.

—Ya me debe tres botellas, don Nicolás.

—Es que ésta la necesito de urgencia.

—Y ahora está lloviendo, habrá que ir lejos y me puede dar un resfriado.

—Vaya, no más, le pagaré el doble, le pagaré lo que quiera. . . La semana entrante sin falta. . .

Lo tomé de las solapas y empecé a empujarlo suavemente. Mi tono era de súplica, pero también de imposición. El no me repuso nada, pero salió y al cabo de media hora, en que yo me torturé caminando al azar, volvió con la botella.

Me retiré. El quiso beber conmigo, pero yo se lo impedí, y me encerré.

Mi puerta, como todas, tiene un cerrojo grandote, un pasador de hierro, que, a veces, no encaja bien la armella. Totalmente, a oscuras, comencé a pasar el cerrojo, y no encajaba. Dejé la botella en el suelo, y me puse a trabajar. Abría la puerta, que se quejaba a herrumbre, y volvía a cerrarla. Me fatigué. Tuve que levantarla un poco con las manos y luchar hasta conseguirlo. Tal esfuerzo me dejó exhausto. Me tendí en la cama, echéme las manos en el rostro. Tuve un pequeño mareo. Procuré dormir, pero me era imposible. Me acordé de que tenía una botella. La destapé y bebí. Volví a echarme. El sueño no venía a mis ojos. Imágenes contrarias me torturaban, y un desasosiego extraño me poseía. Empecé a emborracharme.

Nada de lo que pasó después puedo precisarlo bien. Tal vez muchas cosas fueron efecto de la borrachera. Tal vez mi cerebro estaba, como casi tengo la seguridad, muy claro. La verdad es que no es la primera vez que dialogo con las sombras y que éstas se me acercan. Me había quedado sentado contra la pared, sobresaliendo mis piernas de la cama. Tenía los ojos cerrados. De súbito, los abrí medio espantado.

Un estruendo me había hecho incorporar. Al través de

mis párpados, una viva luz había penetrado hasta el fondo de mis ojos. No era nada. Una tempestad. No me había dado cuenta de que, mientras dormitaba o bebía, el aguacero se había transformado en diluvial. El Penal estaba arropado en silencio. Sólo la lluvia prodigiosa lo azotaba. Comenzaron a caer rayos en los alrededores. Sus culebritas torcidas, geométricas, me divirtieron unos instantes. Pero sentí un poco de miedo. No de que me cayera un rayo, nada de eso. Sólo del ruido, de la majestad de las sombras, del frío, de algo raro que me circulaba por las venas... En un momento, me dije que por mis venas no andaba sangre, porque las tenía muy frías y muy duras... Sería aguardiente, sería agua de la lluvia... Nada de sol en mi sangre... Nada de sol... Sería el líquido misterioso... Acuoso, claro... Sin sentido... Me pellizqué un brazo y no me sentí...

El aguacero torrencial entraba por mi ventana. Pronto se formó un charco dentro de mi celda. El charco brillaba un poquito y se movía. Entonces, me poseyó una ridícula idea. Me descalcé, me quité los calcetines y me dirigí hasta el charco y me paré en él, frente a la lluvia y mirando los relámpagos, como si fuera yo una sombra más, alguna cosa que había dejado de existir hacía tanto tiempo...

Mucho rato estuve así. Era muy extraño, pero no sentía el frío, y cuando nuevamente sentado, me pasé las manos por las plantas de los pies, las retiré con escalofríos de espanto en la nuca: ¡Estaban secas! ¡Milagrosamente secas!

Invoqué, supliqué. No sé si con lágrimas, pero el llanto era de corazón, adentro hacia adentro. ¡Clemencia! Otra vez, como desde hacía algún tiempo, cuando pude contemplar la imagen medio borrosa de la hija de mi amigo Lorenzo, los ojos verdes de Margarita substituyeron a los suyos... Después vino la boca, la nariz, el pelo encima de la frente... Cerré los ojos... Es decir, pensé que los cerraba, o los ajustaba, porque debo haberlos tenido ya cerrados... Las figuras, luego, tomaron otra actitud: Clemencia, de pie, triste, me fijaba los ojos... Y de entre las sombras húmedas, se fue dibujando una figura, un contorno... Comenzó a pasarse por encima de la otra, borrando a mi Clemencia... Primero un lado.. .Los brazos, la cintura, el rostro... Se colocaba la nueva muy despacio encima de la otra... Era Margarita... Siempre con su risa... Con el uniforme azul desteñido, tan dulce...

La lluvia caía encima de nosotros y nos tenía empapados. Los truenos se acercaban. Estallaban en mis cabellos. Yo tenía las manos encima de mi cabeza y los ojos prendidos de la imagen azul...

Hasta que el cerro inmenso, cuajado de árboles y de piedras sostenidas por las puntas, se desplomó con un alarido sobre mi celda y nos sepultó a los dos.

## XVI

## EL TIEMPO CIEGO

Todo se ha desvanecido. No queda una brizna de yerba dulce en los campos desolados. Mi corazón es como las pampas de la Costa: duro, amarillo, seco. Padece de sed que no se nombra. Padece de hambres que no entran en la geometría sonora de una palabra. Estoy como la piedra: sin sentido, y como ella, frío y amenazante. ¡No queda nada! Mis pies me conducen igual que cuando se llevan los pesos que no se quieren cargar: arrastrándome. Mis brazos no se levantan una pulgada de su sitio. Y la cabeza no se cansa de mirar el surco que el recuerdo fue dejando por los caminos.

Alguna vez hablé de soledad. ¿Qué sabía, entonces, de estar solo? Pequeñas ausencias, neblina fugaz que pasaba por la brillante cosa que se estaba consagrando en mí. Hoy tampoco sé lo que es estar solo. No lo sé; lo siento. Lo llevo hincado como un aguijón y mi voz sale de los corredores invisibles, de los rincones negros, del oculto sentido de mi sangre sin alma.

Eso es. Estoy sin alma. La soledad tampoco tiene alma, y yo me encuentro solo. No tener alma es como perder de pronto el equilibrio y no encontrar asidero. Es la falta de un sentido entero, es la falta de todos los sentidos. . . Los afectos ya no tienen cabida en mi corazón: me han abandonado. Y mi orgullo, mi vanidad, mi valor han muerto como libélulas quemadas en mi luz. Yo mismo soy un muerto, inmenso, que no tiene más que un grito largo y amargo entre los ojos, el grito de todos los momentos ausentes y trágicos que nadie conoce. Soy un muerto. Nada más que un muerto. Y lo quisiera saber bien, para entonces echarme y esperar que se corrompa mi carne y se me caiga la piel y mis dientes rían opacos y mis ojos se hagan hondos. Sentir el cosquilleo de los pequeños animales royéndome, la caída del polvo de mis huesos, la delgadez de mis tibias amarillentas, las cuerdas ridículas de mis dedos tan ansiosos y ágiles.

Me han abandonado. A mi alrededor no hay más que sombras y cosas desaparecidas, y yo mirándolas. ¿En qué corazón hallar alguna toba ligera y cálida? ¡Piedra fría y muerta! ¡Piedra fría y áspera! ¡Piedra fría y negra!

Se fue ayer. Me duelen los miembros como si la hubiesen arrancado de mí. Se fue ayer. Jamás lo presentí en mis más atrevidas conjeturas, en mis sentimientos de espantos, en los dolores de mi pecho recogido. Y sólo ayer he sabido que amaba a esa mujer que se ha ido y que no he de volver a ver... Acaso... No quiero ni pensarlo. Ya tengo mi tumba aquí, mi bella y dulce sepultura. Aquí me quedaré por siglos enteros, con las sombras de mis piedras... ¡Mi mundo! Igual que Dios, ya no puedo apartarme de mi propia creación, que es mi pecado.

¿No la volveré a mirar una sola vez? No será necesario. La llevo grabada al fuego en las pupilas. Camina conmigo y aspiro el aliento de su boca y de sus besos que nunca me dio. Nunca supe que la amé. Nunca supe que la amo. ¿Y Clemencia? ¿Adónde estás, Clemencia? Hace tiempo que me huyes, que me esquivas, pero no te he faltado. Sí, lo recuerdo: tu presencia milagrosa y radiante, tu sangre vertida en tu padre... Todo esto, todo esto, ¿por qué lo voy a olvidar?

Es que se ha hecho un milagro. Es decir, no un milagro. No puede haber milagros en lo que me ocurre. Es cosa exacta, rigurosa, comprobada. Tú, Clemencia, has tomado otra carne y otros ojos. Los ojos se te inundaron de agua cuando moriste, y se te hicieron verdes... Porque tú debes haber muerto, tienes que haber muerto... Y, entonces, ya igual a mí, viniste a hacerme compañía y te llamaste mi amiga vigilante, y me ayudaste a levantar las miradas como un bienaventurado. Por eso la razón de que en mis insomnios y en mis borracheras tu imagen se borraba cuando la otra llegaba. Era una substitución. ¡Y no lo había entendido!

¡Margarita, tú eres Clemencia! Lo sé como una revelación. De súbito, como un relámpago de luces amables, pero tremendas. Y para que lo haya podido comprender, te has tenido que marchar. Si lo hubiera sabido antes. . . Tus labios se habrían roto entre mis besos. . . Tus manos habrían temblado en la caricia. . . Y todo tu cuerpo pálido se habría deshecho como un polvo luminoso al contacto del mío. . .

¡Te has ido, Margarita! Y ya no tengo a nadie que me entibie los huesos. ¿Vendrás en mis sueños? Ya sé por qué has venido con otra forma de mujer, Clemencia. Para que te siguiera deseando. . . Para que no gastara nunca tus caricias. . . Para que siempre estuviera anhelante de ti sin haberte tomado más que el alma. . . ¡Y no lo entendía! Por eso me torturaba en la presencia de Margarita, por eso sentía ansias de pasar mis yemas vibrantes por su piel, por eso se me nublaban los ojos y se me hacían nudos de amor en la garganta. . . Mis noches de miedo y mis noches de tentaciones. . . Mis apreturas con la noche, con mi lecho duro, con las cosas que poblaban mis sueños. . . ¡Ansias de apretar! ¡Ansias de ajustar hasta la muerte! ¡De penetrar y de engarfiarme! Y yo, inútil de mí, creía que era el vicio y me resistía y me defendía. . . El vicio no era más que la forma de tenerte, y te tendré todos los días, todas las noches heladas, ahora Margarita, ahora que te has ido, ahora, Clemencia, ahora que te has muerto y que, por segunda vez, me has dejado solo con mi deseo en estallido sin colmar, con mis sentidos en llaga, con mi sangre embravecida. . .

Tu muerte, Clemencia, llegó en un momento pálido. Con el mismo sentido que tiene la pequeña llama al crepitar antes de ser ceniza. Con el mismo ruido que los pasos trémulos de los niños que comienzan a andar. Con el mismo perfume que hay en las alas de las mariposas enfermas. Te fuiste entregando, en nuevo nacimiento, a la vida que no acaba: al ancho convento de las sombras. Tu carne estaba allí, extendida, fina y dulce. Tus ojos estaban allí como los vidrios oscuros que nadie osa mirar. Tus senos se alzaban tras el sudario como dos pequeñas campanas de miel. Y tu boca, Clemencia, tu boca, entreabierta y casi blanca, sonreía por el tránsito en que iba a echarse a cantar como cantan los pájaros negros en la selva dormida. Así te fuiste, Clemencia. Así llegaste a mí. Blanca, pálida, incierta, vagarosa. ¡Y no sonaban más tus palabras alegres! ¡Y no vibraba más tu cuerpo de laguna transparente! ¡Y no bebías más el dulce vino rojo de aquella copa que me llenó de sangre las manos y el pecho!

En los últimos días, el trato con Margarita era extraño. Me miraba con sus ojos claros y un poco triste. Y muchas veces, en el amable coloquio que teníamos, guardaba silencio profundo. Yo no sabía lo que era. No se lo pregunté. Tenía miedo de que me amase y yo también tenía miedo de amarla. Diez noches de tortura cayeron sobre mí como diez asfixias sobre mi pecho. Nos veíamos a cada momento. Y nuestras conversaciones triviales se envolvían en una atmósfera densa que ninguno de los dos quería ni podía romper.

Sólo la víspera me lo dijo. Tenía anchos los ojos de ternura. Su voz flaqueaba un poco. Y acaso, un ligero temblor le embellecía las manos.

—Nicolás, tengo que decirle algo doloroso.

—¿Doloroso, Margarita? ¿Usted tiene que decirme algo doloroso a mí?

—Sí, Nicolas.

Inclinó su cabeza plástica y hermosa. Yo la quedé mirando hasta la nuca, siguiendo la raya delgada del peinado, y su frente se me hizo pequeñita como de niño.

—No le entiendo, Margarita.

—Es duro, pero, ¿qué hacer? Algún día tenía que ocurrir. Nos hemos entendido tan bien, hemos hecho tan buena amistad. . . ¡Nunca lo olvidaré!

—¿Por qué hablar de eso? ¿Por qué hablar de olvido? Es una palabra que no puede entrar en mis oídos.

—Y sin embargo, Nicolás —repuso levantando las miradas y clavándomelas de lleno en medio de mis ojos—, es necesario. Hoy más que nunca.

—¿Por qué?

—Jamás dude de mi afecto, de mi. . . Lo recordaré mientras viva, y aun después de muerta me llevaré algo de usted.

—Me aterra, Margarita, oírle estas palabras. ¿Qué ha ocurrido?

—¿No ha tenido usted en cuenta el tiempo que llevo de condena?

Sospeché la verdad, pero la arrojé a un lado sin quererla ver. Quise borrar la sospecha, destruirla y me crecieron fuerzas para ello.

—Ya sabe que el tiempo no me interesa, que no lo entiendo, que no existe para mí otra cosa que el espacio y que hace mucho que todo se me hace simultáneo dentro de él.

—Sin embargo. . .

—El tiempo es absurdo, Margarita. Tan absurdo como andar de cabeza o plantar árboles en la piedra.

—El tiempo ha llegado.

—No.

—Sí, Nicolás.

Su afirmación no admitía réplicas. Me llené de silencio y comencé a ahogarme en él. Por fin, pude hablar palabras lejanas y vagas, acerca del tiempo, acerca de lo que nunca comienza ni acaba.

—Me quedan pocas horas, Nicolás. . .

No respondí. Mordíme los labios hasta que brotaron bolitas de sangre.

—Mañana, Nicolás. . .

—Mañana. . .

—Sólo un día más. . .

—Sólo un día.

—Tendremos que vernos y decirnos adiós.

—¿Hasta cuándo?

—Hasta cuando la muerte nos acerque o nos veamos en la vida.

—Nunca seré de esta vida.

—Seguiré unida a usted.

—¡No lo diga! ¡No diga nada, Margarita! ¡Cállese! ¡Me hace daño! ¿Por qué se va usted? Me abandona. . .

—No lo abandono. Mi condena ha terminado. Mañana estoy en libertad. Me siento extraña. No sé realmente cómo será eso ahora. . .

—En libertad. . . ¡Ah, sí! En libertad. . . Yo también estoy en libertad, ¿sabe? Sólo que. . .

—Lo siento mucho, Nicolás. Si supiera cómo lo siento. . .

166

—Se va usted. . . ¡Oh, qué dolor en la cabeza!

—Le escribiré con mucha frecuencia, le contaré mi vida, seguiré con usted para siempre.

—Hágalo. Yo lo necesito y usted también.

Me tendió las manos. Yo se las ajusté. Mucho rato nos quedamos mirando el uno al otro, sin decir palabra. Cuando nos separamos, tuve la intuición de que Margarita lloraba. No había querido mirarle a los ojos, pero le adivinaba el llanto silencioso y recogido.

¿A qué relatar las escenas duras y tiernas? ¿A qué hablar de mi noche? ¡La escondo y la guardo como un avaro! Me muerdo de las manos de impotencia. . . Pero no diré una palabra. . . ¡No diré nada a nadie! ¡Tiempo cobarde!

A las once de la mañana, del día siguiente, se marchó. Yo no la fui a despedir hasta la puerta. Media hora antes estuvimos juntos. Me sentí fuerte. Conversé hasta con agilidad. A veces, una insolente rabia asomaba a mis ojos. Y estuve terriblemente afecto y vanidoso.

—Vamos, ¿qué espera usted? No se va quedar todo el tiempo en el Panóptico, supongo.

Margarita sonreía, más dueña de sus actos y sus pensamientos. Yo quería torturarla, hacerla sufrir, hacerla sentir todo mi despecho, mi coraje, mi crueldad. . . ¿No era más mía por este camino? No lo sé, pero me gozaba en querer atormentarla.

—Volverá usted a la vida. . . Bailará. . . Se divertirá. . . Tendrá nuevos amores. . . ¡Amores extraordinarios, Margarita!

—Sshhhh. . . —fue todo lo que respondió.

—Claro, yo estaré muy contento. No la olvidaré. Es usted guapa y los hombres la persiguen. . . Y afuera, va a encontrar usted un tiempo lindo, corto y largo, ancho y redondito, acomodado a todas las situaciones, a todos los espíritus. . . ¡Lindo tiempo! Usted coge un calendario y ya se agarró todo el tiempo que necesita. . . Es muy fácil. . . Y después se pone a hacer rayitas coloradas en los días y los va matando a su antojo. . . Y voltea una página del calendario y ya tiene usted otro día y otro mes. . . es una cosa linda, ¿verdad?

. . . Desde el techo, la miré alejarse. Por la calle en descenso, bajó, a pausas, pero liviana. El empedrado estaba húmedo y algunos trozos brillaban con el sol. Un soldado bajó corriendo. Otro, volvía portando una canasta. Dos chiquillos se arrebataban un objeto. Y allá, abajo y lejos, la ciudad estaba envuelta en nieblas.

Cuando la perdí de vista, apenas como un puntito negro en el camino, me puse a mirar a los techos y a las distancias. Los tejados se colocaban en desorden, hacia abajo, hacia arriba. . . Las calles, torcidas, con altos y bajos, conducían todas hacia un gran corazón olvidado. . . Más allá, el pequeño cerro del Sur enseñaba la cabeza redonda y verde y le trepaban casas por la espalda. A mi derecha, un flaco obelisco se erguía. Y en el descenso de las lomas, había mucho orden en los huesos de los muertos.

# XVII

## EN EL LIMITE MARAVILLOSO

Me desperté hoy con una extraña idea en la cabeza. Debo haberlo soñado, primero, porque, de otra manera, ¿cómo iba a ser posible que lo pensara? Muy temprano, como de costumbre, estuve en pie, y ya no me dejó en paz el pensamiento. Naturalmente, partía del hecho de que ahora sí me encontraba solo. La ausencia de Margarita fue para mí una catástrofe, de la que me voy reponiendo a medida de mis fuerzas interiores. Una inmensa sensación de vacío eterno me penetró hasta los rincones que no se expresan nunca, pero que tienen una vida tan intensa y cierta dentro de nosotros. No hay hombre por ruin que sea que no se oculte un poco de sí y en tal ocultamiento, del que nada propiamente se sabe, radica una montaña de ideas y de resoluciones tan oscuras y mezcladas que sólo se ponen en limpio, cuando salen, de pronto, a la superficie. Eso es lo que me ha pasado a mí esta mañana.

Sí. ¿Por qué no? Hacía mucho que no sabía una palabra de Gusano Barcia. Y ahora quería volver a su amistad. Claro, no lo he de hacer, pensaba. Es apenas, una idea tonta, medio ridícula, extraordinariamente sentimental. . . Pero, en el fondo, sabía que sí lo iba a hacer. Sí lo iba a hacer. . . ¿Por qué lo iba a hacer? No tenía amigos. La víspera, la noche fuerte y negra , tuve pensamientos duros. Así venía padeciendo mucho tiempo, muchos meses, desde la ausencia de Margarita, que fue para mí casi como la ausencia de Clemencia o la ausencia de mí mismo. Pero anoche, al comenzar a dormir, me brotó de súbito una especie de amor furioso y sin límites por el Penal. ¡Penal García Moreno! ¡Casa absurda de piedra! Entre las sombras de mis sueños, mi casa grande se me acercaba con las formas humanas. Es casa que tiene alma. Habla. Tiene lengua recta y no cede ante el prejuicio ni ante los convencionalismos de la vida de relación entre los hombres. ¡Penal García Moreno! Me parece que recién te he descubierto, que nos unen los lazos de un amor más grande que el amor animal y vegetal: el amor helado de la piedra. Tu grandeza me conmueve y tus altas paredes lisas y tus torres de fortaleza y tus cinco techos cruzados poseen el sentido de la elevación. Es indudable que te amo.

Tal vez esta postura de mi espíritu me llevó al deseo repentino de ver a mi amigo Gusano Barcia. No sé por qué lo pensé. No puedo concretar por qué razones se me presentó la idea fulminante. Me reí en un principio. Me puse a atar ideas, y en realidad las imágenes que había recibido la víspera acerca de mi casa de piedra nada tenían que hacer con el deseo poderoso de ver a Gusano. Sí, no se trataba sino de una de esas ideas tontas, sin sentido, que de repente se le ponen a uno, como, por ejemplo, pensar que le han crecido alas y que se echa uno a volar, o que de un salto se puede pasar por los tejados. . . Claro, yo no iba a hacer eso. . . ¿Para qué? Me lo repetí durante horas enteras. . . Y sin embargo, sabía que sí lo iba a hacer, que sí lo iba a hacer de todos modos. . .

En media clase de aritmética, me llevé las manos a la frente. ¿Por qué demonios pensaba tanto en eso? Terminé de trabajar a eso de las once de la mañana. Entonces, me puse a pasear por el patio. Y sin quererlo, me tropecé con el negro Jaramillo.

— ¡Adiós, pobre maricón! —me gritó.

Yo pretendí no hacerle caso, pero se me echó encima y me golpeó con una mano. No sé lo que pasó por mí, pero saqué valor y lo empujé violentamente, haciéndolo rodar por el suelo. Como no pudo alcanzar la muleta a tiempo, yo me reí a carcajadas y lo insulté. En seguida, continué mi camino. Los presos se habían congregado alrededor de Jaramillo. Apreté el paso, pero no hubo remedio, me alcanzaron. Hicieron un ruedo, cercándonos a los dos. Jaramillo, de color ceniza, me dijo:

—Ahora vamos a pelear como hombres.

—Yo no peleo con usted.

—Tienes que pelear, porque te voy a pegar.

Lancé mis ojos en. todas direcciones, pero no había un solo guarda cerca. Comprendí que mi situación estaba perdida. Un ligero temblor me sacudió las piernas. Aún traté de hablar dos o tres palabras. . . Inútil. El negro Jaramillo ya me arremetía, furioso, como un rayo, apoyándose en la muleta izquierda. Lo dejé acercar. No intenté siquiera levantar la mano. Tenía la esperanza de que, al no pegarle yo, no se atrevería. . . De pronto, ajustó la muleta debajo del brazo y sentí en la cara su puñetazo. Me tambaleé, pero no caí. Sin decir nada, me llevé una mano al rostro y me toqué la mejilla.

—Y ahora, ¿no quieres pelear?

Enderecé los ojos, bajando la cabeza y me mordí los labios. Sí, tenía que pelear. . . Yo, mi espíritu, mi carne hecha sombra. . . Mi propio muerto. . . ¡Pelear! Ajusté los puños y lo esperé. Una cruel agitación me golpeaba en el pecho y un rencor más grande que toda la vida me consumía. Intentó alzar otra vez la mano. Yo, al par que le golpeaba en el tórax, levanté una pierna y le di un puntapié. El negro Jaramillo cayó.

— ¡Así no, que es cojo! —gritaron los presos.

El negro ya estaba en pie, milagrosamente saltando sobre sus muletas. Se me echó encima. Yo vi brillar la hoja del cuchillo entre sus manos. Me aterré. No pude ver de dónde había sacado ese cuchillo. . . Quise gritar que Jaramillo me iba a asesinar, pero me encontré sin voz y no hubiera tenido tiempo de hacerlo saber a los otros, cuando ya habría caído mi cuerpo ensangrentado. No me quedó otro remedio que empujar violentamente a los que me rodeaban y correr. . . De lejos, agitado, grité:

— ¡Está con cuchillo! ¡Quítenle el cuchillo!

En esta vez no me persiguieron, porque se acercaban los guardas. No me detuve, sin embargo, en mi carrera, por más que me llamaban y me pedían explicaciones. Llegué a La Bomba. Allí recobré por un leve minuto el aliento y proseguí, no ya corriendo, pero sí a largos pasos, hacia la oficina del director.

Aún no sabía lo que iba a hacer. Me asaltó de repente otra

vez el pensamiento de la mañana y seguí mi marcha apresurada. Me preguntaba, con la velocidad de la carrera, lo que diría al director, lo que le pediría, lo que le denunciaría. . . ¿Me iba a quejar? No sé. De improviso, me vi en su presencia. Alzó los ojos, detuvo su mano que firmaba en el escritorio, y me preguntó:

—¿Qué le pasa, Ramírez? Yo no lo he mandado llamar.

Me sentí en ese mismo instante perfectamente tranquilo y hasta osado. Esperé un momento hasta que mi voz saliera muy normal, pues por fuerza de la carrera, me podía temblar, y, en lugar de acusar al negro Jaramillo de su intento de asesinarme, le dije:

—Nada, señor director. Le ruego que me perdone. Es que. . . Mire, si yo le pidiera una cosa, ¿me la concedería usted?

—Depende de lo que pida.

—No es que propiamente se lo voy a pedir. Es una simple idea, nada más que una idea. . . La curiosidad. . . Vamos a ver, por ejemplo, qué diría usted, señor director, si, como si yo fuera medio chiflado, le pidiera de repente, que me dejara usted salir y visitar, pongamos por caso, el manicomio. . .

—Oiga, Ramírez —me dijo calmadamente el director—, yo creo que a usted le pasa algo. Me parece que se halla muy nervioso. . .

—¿Nervioso yo? ¡Ja! ¡No, señor director, nada de nervioso!

—¿Entonces? No puedo perder mi tiempo, Ramírez.

—Es que, señor director, se ha olvidado usted de que Rosendo Barcia, Gusano, está en el manicomio y yo. . .

—¡Vamos! ¡Hace tanto tiempo! Sí, en efecto, allí debe estar todavía. . . Y usted naturalmente, como era tan amigo, quiere visitarlo. ¿No es así?

—No, señor director, se lo preguntaba simplemente por si acaso. . . A lo mejor, algún día se me ocurre de verdad y entonces. . . Pero, fíjese, es una idea tonta, completamente tonta. ¿Para qué voy a ir yo a visitar a Rosendo Barcia? ¿No le parece?

El director se echó a reír. Llamó un guarda y le hizo preguntar por teléfono al manicomio si allí se encontraba Barcia. Luego, con una calma paternal, me dijo:

—Allí está aún. Me hace usted mucha gracia. Parece un chico de escuela. . . Le concedo el permiso. Irá usted acompañado, porque no conoce bien y porque está mejor así. Mire usted, Estrada —dijo dirigiéndose a uno de los empleados—, acompañe a Ramírez. Disponga de una hora. ¿Está satisfecho? —preguntó, volviéndose a mí—. Puede retirarse.

Yo quise replicar, pero el director ya no me escuchaba: había vuelto a trabajar y era indudable que debía irme. Salí de la oficina, no muy seguro de lo que acababa de hacer... Por el corredor iba pensando en que había cometido una tontería. ¡Salir yo del Penal! ¡Dejar mi bella casa de piedra! ¿Sería capaz de soportar la presencia de las calles? ¿No haría daño a mi corazón esta salida? No había que pensar más en ello. Había llegado a esta conclusión, que me pareció la mejor y más sensata, cuando el guarda que me había acompañado sin yo advertirlo me tocó del brazo y me dijo:

—¿Vamos?

Me asusté de que tan bruscamente interrumpieran el curso de mis pensamientos. Lo miré unos segundos y luego, sin añadir una palabra, corrí hasta mi celda, de la que descendí inmediatamente. Traía en la mano un puñado de monedas. Se las di al guarda, preguntándole:

—¿Bastaría esto para ir y regresar en automóvil? No tengo más.

—Con esto sobra.

El guarda se acomodaba la americana. Se perdió unos minutos, mientras yo quedaba absorto en el corredor, para volver luego con el sombrero puesto.

—Tenemos que esperar un poco —me dijo—. Ya pedí el automóvil.

No repuse. Una extraña y fuerte desazón me poseía. No estaba quieto. Cambiaba de postura a cada instante. Movía las piernas. Me adosaba a la pared. Me frotaba las manos, me mordía las uñas... Era algo muy difícil de vencer... no debía ir... Era casi una traición.     Sí, una traición a todos mis planes, a toda mi obra... Afuera... ¿Qué de mí puede haber afuera? Realmente, el mismo Gusano me importaba poco, sí muy poco... Estaba loco. Claro, se había vuelto loco, y ¿qué hacer? Nada. Entonces, yo no tenía ninguna obligación ni ningún provecho en ir... ¿Qué le iba a decir? ¿Le preguntaría por su salud? ¿Le diría que Luisa no había llorado por su ausencia y que ya se había largado del Panóptico y que había tenido muchos amantes? ¿Qué le iba a decir yo? ¡Salir a la calle! Me parecía que cada piedra se movía en las paredes y que todas me reprochaban mi gratitud. La bocina del automóvil me sacó de mis cavilaciones. El guarda se enganchó a mi brazo, diciéndome:

—Vamos, que se hace tarde.

No supe cómo, de repente, me encontré sentado en el automóvil. Estábamos viajando. Habíamos descendido por aquel sendero inclinado por el que se perdió la figura menuda y cálida de mi Margarita. . . Eché una ojeada. . . El panorama me era conocido. Muchas veces lo había visto desde el techo. El automóvil andaba a regular velocidad y el ruido del motor me comenzó a molestar. Me senté recto, al filo del asiento, como esperando, como listo a hacer algo, cuando me di cuenta de que no iba a hacer nada, y, entonces, me eché hacia atrás, cómodamente, y esperé. Una larga sucesión de casas apretadas me saltó a la vista. Una serie de callejuelas estrechas. . . Mis ojos ardían. La gente andaba despacio. Algunos grupos de hombres conversaban por las esquinas. Y mientras más población y más casas encontraba, yo me iba haciendo cada vez menos hombre, menos carne, menos digno. . . Era como si me quitaran todo y me fueran vaciando, ahuecando. . . Una sensación parecida a la que experimenté el día que me trajeron al Panóptico — ¡hace tantos años!— me fue ganando. Sí, me llevaban a alguna parte muy lejana, muy oscura. . . Todo era un sueño. . . Yo no había pedido nada ni me acordaba que tenía que visitar a nadie. . . Me llevaban. . . Me llevaban a matar, a ejecutar, porque yo, en ese momento, acababa de matar a mi amigo Lorenzo. . . Me conducían al patíbulo. . . Me eché a temblar. . . Miraba de soslayo al guarda y empecé a medir la manera de abrir la puerta del automóvil y escaparme. Pero, me dije, ¿por qué me van a matar si yo ya estoy muerto? ¡Muerto! Tal vez no me haya muerto todavía, tal vez no, tal vez no, tal vez no. . .

Habíamos llegado y me hicieron descender. Tenía una gran casa frente a mí, y no aparecía nada de patíbulo ni de. . . Me entraron ganas de pedir misericordia, pero no acerté. Nos hallábamos en una especie de portería. Chillaron unos goznes y me vi adentro. Ahora, sí, todo se acabó, pensé. ¡Y mi casa de piedra! No volveré nunca a verla. ¡Y Margarita! ¡Sus cartas que no

me han llegado! ¡Todo el mundo contra mí! ¡Todos persiguién-
dome!. . .

No sé por qué razones comencé a recobrar la calma. Andábamos por un pasillo embaldosado y no oía mis pisadas. Tosí,
por gusto, por escucharme la voz. Miré a ver al guarda. Me había estado hablando hacía rato, pero yo no lo había oído. Sus
últimas palabras fueron:

—Tenía muchas ganas de conocer el manicomio, ¡caray!
Veremos a su amigo. Dicen que en la habitación del fondo está.

Frente a la puerta y mientras se abría, mi pensamiento fue
más lúcido. En la misma entrada me detuve: un grito sordo se
me escapó de la garganta y no me atreví a entrar.

Gusano estaba en la cama. Sí, era él. No me cabía duda
alguna. Encontrábase mortalmente pálido, con el cabello sobre
las orejas, la barba muy crecida, las uñas largas y amarillentas y
los ojos redondos y fijos como dos bolas de vidrio. Me quedó
mirando, mirando. . . Me dieron un pequeño empujón, y entré.
Eramos tres: el guarda, un médico y yo.

—Aquí está un amigo de usted que viene del Panóptico
—le dijo el doctor.

—Sí, sí —repuso Gusano, pero no dio señales de recono-
cerme.

—Oye, Gusano, soy yo —le dije—. Soy yo. ¿Estás bien?

—Aquí —me respondió despacito—, aquí estoy mejorando,
como usted ve, con estos aires saludables. . . Sí, sí, sí, sí, sí
—quedó diciendo, mientras movía la cabeza de un lado a otro,
con el mismo ritmo lento.

El doctor salió. Yo, por decir algo, me referí a él:

—Muy bueno el doctor, ¿no?

—No es bueno.

—¿No?

—Es que tampoco es doctor. Es el primo. . . El primo de
la Lucía. . . Muy joven el pobre, muy joven. . .

Su cabeza continuaba con el mismo vaivén, igual que si
estuviera desprendida del tronco. Con los dedos, se sobaba el bi-
gote, con sus espantosos dedos pálidos. . . Por un solo instante me
clavó las miradas. Luego, continuó mirando a todas partes y a
ninguna, levantadas las cejas, la mueca de los labios caída. . .
Había mal olor en la habitación. Olor viejo, olor de cosas guar-

175

dadas. . . Del cabello, se desprendían partículas de caspa blanca y sobre los pelos de las mejillas rodaba algo así como la piel de las cucarachas cuando mudan.

No soporté un minuto más. Me levanté.

—Vámonos ya —dije al guarda.

Y sin esperar respuesta, salí.

Afuera, recobrado en mucho de mi ausencia anterior, pude fijarme con más detalles en el manicomio. Pero no fue en el manicomio justamente. Fue en las ventanas. Los locos asomados comenzaron a gritarme y a chillar. Uno bailaba con un pañuelo en el aire. Y los más, no hacían sino gritar y gritar, con voces muy raras. Se agitaban como se agitan los monos pequeños tras de las jaulas. De la ventana que estaba sobre mí, una garganta partía los oídos produciendo un ruido de gárgaras y soltando, luego, tremendas carcajadas, que terminaban siempre en un rápido hipo.

Llegué al automóvil. El regreso lo hice triste, aguiñapado. No quise mirar las calles ni los hombres ni las casas. Entorné los ojos y me puse a pensar. Pero, cosa extraña, no podía pensar en nada. Siempre había querido abstraerme hasta no pensar en nada, sin haberlo podido lograr, y ahora podía hacerlo no queriéndolo. . . Era extraordinario. . . No podía pensar en nada. . . Comenzaba a fijar las ideas en alguna razón, y se me olvidaban. Trataba de concretar mi pensamiento, por ejemplo, en el ruido del motor o en las puertas del automóvil, y en el acto me olvidaba. . . ¡En nada podía ya descansar las ideas!

Claro que ni siquiera pude saber el tiempo que rodamos por las calles de la ciudad. Yo iba transformado. Y el no poder pensar en ninguna cosa concreta me parecía cosa de maravilla. . .

De lejos, vi una gran mole de piedra. Me esperaba. La disposición de su arquitectura me parecían dos grandes brazos que me abarcaban entero. A mí y a mi pensamiento que no podía fijar. Pero en ti, ¡oh Penal García Moreno!, sí pude pensar. Fuiste creciendo ante mis ojos. No era que yo me acercase. Eras tú que venías a mí, a encerrarme, a darme el apretón de piedra. . . Tú no tienes pecho, en verdad. Sólo tienes brazos. . . Inmensos brazos de sombras. . . Y el canto del silencio entre tus ojos, perdidos en las luces más raras de la atmósfera. . .

Tus celdas, tus hierros, tus millares de piedras grises, tu cal blanca, tu patio brillante, tu cementerio de huesos criminales. . .

Entré por tu boca. Resonaban en mis oídos los golpes de las piedras con las que te levantaron. El jadeo de los indios que te hicieron te soplaba en ese momento para darte el alma que me has comunicado. . . Y el martilleo de los hierros eran las primeras canciones que salieron de tus labios gigantes. . .

Entonces, al llegar a ti, al estar nuevamente dentro de ti, regresó mi espíritu a poseerme y a confortarme.

¡Tú me lo diste, Penal García Moreno, para que el mal que me roía pudiera elevarse, con las alas más duras, hasta tu misma frente inmóvil!

## XVIII

### SEBASTIAN CASAL

Una cara nueva en el Panóptico es algo que se nota aún antes de verse. Como que el aire circula cohibido. Todo se vuelve deseo de ocultarse. . . Pero, más que nada, anda por los rostros de los presos una curiosidad, unas ganas de hacerse notar, de investigar, de tomar actitudes especiales. Esto ocurre siempre y siempre porque hay algo nuevo dentro del Penal. Esa mañana, cuando acababa de comenzar el asoleo, yo lo noté. Y a poco, confirmando que no me había equivocado, conocí a Sebastian Casal.

Sebastián Casal es hombre cenceño y bien espigado. Tiene los pómulos muy marcados, los ojos vivísimos y con miradas de lechuza y una nariz prominente y aguda. Se adivina que posee mucha fuerza o muchos nervios. Viste con limpieza y ríe muy poco. Las cejas son pobladísimas y lleva los labios siempre ajustados. Está siempre pensando en cosas que no revela, pero es atento, aunque seco, al hablar.

A nadie ha contado su delito. A nadie ha hecho confidencias. El conversa de otras cosas y otros problemas. Circularon leyendas de su pena. Un robo, un asesinato. . . Era un hombre, según aseguraban, de grandes aptitudes y sólida cultura, a quien la miseria lo había atenazado cuando se dedicó a las luchas políticas. Perdió empleos, no pudo nunca obtener medios de ganarse la vida, y así, un buen día. . . Pero nadie sabe a ciencia cierta nada. Son conjeturas y chismecillos. . . Tal vez llenó alguna venganza. Alguno aseguró que se trataba de un crimen pasional. Comprendí en el acto que eso no podía ser verdad, que ese hombre no era capaz de una pasión amorosa tan intensa y pura. . . También, como digo, lo acusaban de ladrón. . . Supe, sí, que él se defendía ardorosamente de esta acusación. Lo extraño es que sólo fue condenado a seis años, singularidad que advertía que las cosas no se hallaban muy claras.

Naturalmente, Sebastián Casal hizo amistad conmigo. Es decir, debo hacer una explicación: propiamente amigo, no. Creo que este hombre no podía ser amigo de nadie. Lo que deseo dar a entender es que nos frecuentamos bastante y que él me buscaba en algunas ocasiones para conversar conmigo, o, mejor, para discutir. Habíamos formado un círculo compuesto del viejito don Pablo Durango, del profesor de música, un guarda, Sebastián Casal y yo. Casi a diario nos reuníamos a beber. Casal nos acompañaba y discutía con entusiasmo, pero no probaba el licor. Era un hombre, por ciertos aspectos, extraordinario.

Mis relaciones con don Pablo Durango se estrecharon mucho por haber asumido mi defensa ante el negro Jaramillo. Nunca me contó nada don Pablo, pero yo lo supe. Lo hizo porque le pareció bien, porque se le ocurrió. Un día, sin más ni más, se dirigió a Jaramillo y le dijo:

—Oye, negro, te quiero advertir que no molestes más a don Nicolás.

—¿Y a usted qué le importa?

Don Pablo arrugó los ojillos y se lo quedó mirando largo rato. Después, añadió, silbando:

—Ya sabes. . . No dirás que no te advierto. . .

Y le volvió la espalda. Tengo que significar que don Pablo Durango infundía mucho respeto. Se decía de él que era hombre valiente y osado hasta la temeridad. Pero, más que eso, era su conocimiento del Penal, de los reglamentos, de las historias de aparecidos, de todas las leyendas de la cárcel lo que rodeábalo de una aureola de superioridad. Además, su vejez y el ser el más antiguo de los penados. Respetaban en él a todas las cosas que el delincuente no ha respetado en su vida. Es algo que surge de fondos lejanos, de repente, con una fuerza inviolable. Aparte de eso, don Pablo poseía una astuta inteligencia campesina que sabía usar a las mil maravillas en sus conversaciones con los compañeros.

Desde luego, el negro Jaramillo no se dio totalmente por vencido. Pero lo cierto es que sus amenazas e insultos se alejaron, no sé si por miedo a don Pablo o simplemente porque se había cansado en virtud del menor caso que yo, día a día, hacía a sus provocaciones. Sólo muy rara vez nos cruzábamos en el camino de La Bomba o en el patio. Yo miraba para otro lado. El me lanzaba los ojos con odio, mascullaba algunas palabras que no alcanzaba a entender, y así quedábamos en nada, lo que se llama en nada. Con el joven X no hablaba, pero sí nos mirábamos en veces. Había caído en una postración melancólica, de la que no salía sino en extraordinarias ocasiones. Se aislaba y siempre mostraba a todos su aire huraño y tímido.

Pero es de Sebastián Casal que quiero hablar. Me deparó una de las sorpresas más grandes que yo he recibido en la prisión, que es como decir en mi vida. Yo tenía —y tengo aún— el convencimiento de que la cárcel modifica en mucho la vida mental de los presos. Cada uno reacciona de diversa manera, pero reacciona al fin y al cabo. Para mí ha significado tanto, que ni siquiera lo digo ya, porque está en mí y me produzco de manera espontánea. Hasta mis delirios provienen de la nueva textura de mi alma y de las luchas interiores que me acercan a la liberación de mi sangre podrida en la vida inútil que antes llevé. Sólo que los delirios se me acercan únicamente de rato en rato, y a veces transcurren muchos días sin que nada me altere los nervios. Ya no me asustan. Hasta los extraño y comprendo que me producen placer, aunque, frecuentemente, me torturan. Pero, sí, es evidente que gozo con ellos, porque son momentos de crisis, que siempre salvo, en los cuales mi espíritu se sublima y se afirma hasta trasponer fronteras del sentido común y de lo mediocre.

Es esto lo que me sorprende de Sebastián Casal. La cárcel para él no ha significado nada, ni una pequeña modificación. Es un hombre que vive todavía con el aliento que tuvo afuera, y que sólo habla de regresar a la libertad para reanudar su vida y su lucha. ¿No es extraordinario? A mí me parece así. En veces, me parece un imbécil y un pedante. Otras, me lo figuro una inteligencia poco frecuente. Pero me causa gran desasosiego y cuando estoy frente a sus ojos me nace una grave intranquilidad.

La primera vez que hablamos con seriedad, fue ocho o diez días después de su ingreso. El profesor de música tuvo la idea de invitarlo a nuestras reuniones. Me dijo:

—Voy a llamar a Sebastián Casal. Es un intelectual, un gran talento... Muy buen amigo mío. Le va a gustar...

No sólo yo, sino que todos, asentimos. El músico se alejó y volvió a poco con Sebastián Casal, quien tomó, como los otros, asiento en el suelo y quedó callado.

Le alcancé la botella, pero la rechazó con un ademán. Después de un momento, volví a ofrecérsela. Casal me dijo:

—Gracias. No bebo.

—¿No bebe usted nunca?

—Nunca.

—¿Es que no le gusta o es que le hace daño?

—No creo que me haga daño, por lo menos si bebiera poco. No me gusta. Me parece que el hombre se humilla con eso. Tengo ideas muy altas sobre el hombre. En fin de cuentas, no hay para qué aturdirse con el alcohol.

—Nadie se aturde. Es decir, el que no tenga por qué aturdirse, pues que no beba. Yo no me privo de nada. Todo lo que puedo hacer, lo hago. Así es... Dice usted que tiene ideas muy altas del hombre. ¿Qué piensa usted del hombre? —le pregunté sonriendo un poquito.

Sebastián Casal me clavó los ojos, introdujo las manos por la pretina del pantalón, como abrigándoselas del frío, y lanzó sus primeras palabras serias:

—El hombre... Mire, me ha hecho usted una pregunta como si me estuviera tomando examen. Usted es maestro, ¿no?

—Sí, pero no tiene nada que ver en este asunto.

—Posible. Lo decía por aquello de los hábitos, que tan difícilmente se abandonan. Con todo, le voy a responder. Sí, es mi obligación. Creo que el hombre es, primero, un ser eminentemente bueno y eminentemente desgraciado. Lo primero, por su propia naturaleza. Lo segundo, a causa de los demás hombres.

Me levanté de gusto y le interrumpí:

—¿Cuáles son los demás hombres si estamos hablando de uno solo que es todos?

—¡Bah! Me quiere usted coger en una trampa muy fácil antes de que yo termine mi pensamiento. Es usted un poco sofista, pero malo. Los demás hombres son los que explotan a los otros.

—¿Sofista yo? Nada de eso. Soy muy real. . . Bueno, continúe usted. Me interesa. Lo que quiero adelantarle es que aquello de que los malos son los que explotan es una manera muy fácil de explicarlo todo. Pero, antes que nada, le advierto que estoy en completo desacuerdo con usted. El hombre, en resumidas cuentas, es malo, es decir, no es ni bueno ni malo. Es como tiene el alma y como vive el espíritu. Unas veces malo, unas veces bueno. . .

—¿Cree usted en el alma?

—¡Cómo no!

—¿En qué alma?

—En el alma que tenemos todos, en las diversas almas que nos poseen, en la. . .

Sebastián Casal levantó la cabeza con aire triunfante.

—Usted llama almas a los estados psíquicos. La ciencia está investigando bastante sobre ellos. Mejor es decir las cosas de un modo directo. No hay para qué complicarse.

—Oiga, usted, oiga, usted, yo no trato de complicar nada. Yo, ¿sabe?, tengo mis ideas y, más que eso, mis experiencias, y pienso que. . .

—Lo que ocurre es que yo amo mucho al hombre.

—Ama usted lo que no conoce. . . Pero —díjele atolondradamente—, termine con la cuestión. Voy antes a tomar un trago. Me parece que es lo mejor del mundo. Y siga, no se detenga.

—Cierto. Hemos desviado la conversación. Es muy simple lo que tengo que decirle: el hombre actúa según lo conforma la sociedad a que pertenece. Los hombres acorralan al hombre, lo explotan, lo martirizan, lo torturan, lo empobrecen, y después quieren que sea bueno y honrado. De repente, el hombre, fundamentalmente bueno, reacciona por simple sentido de justicia y de defensa.

—Ajá. . . Reacciona. . . ¿Todo se justifica, entonces?

—Se justifica cuando destruye lo que hay que destruir, lo que hay de malo en la sociedad.

—Casi convengo con usted —interrumpí nuevamente—. Yo

creo en la destrucción. . . Hay que acabar con muchas cosas, con todas. . . Creo en la destrucción como en el mismo principio de la vida, que es cosa idéntica. Mire usted, la vida es una cosa idiota, en medio del sol y del trabajo. . . Un absurdo. . . El espíritu, por eso, se halla en perpetua contradicción con la vida real. ¿No ha sentido usted nunca dentro de sí mismo la contradicción? En cada acto real que uno hace se encierra un contrasentido. . . El espíritu, entonces, tiene que sublimarse, superarse. . . ¿Es eso? Sí, eso es. . . de allí que para mí el crimen no tenga ninguna significación en el sentido del delito, en el sentido legal y de justicia inventado por los tribunales, en el. . .

Me callé. El profesor de música estábase esforzando hacía rato por hacerse oír, pero nadie se lo permitía. Don Pablo Durango sonreía con sorna y enderezaba las orejas. Y el guarda, como siempre, no hacía más que beber.

— ¡No es cierto! —me gritó Casal—. ¡Yo no estoy en absoluto de acuerdo con usted! ¡Yo creo en la destrucción como un medio! Usted lo toma en un sentido enfermizo. ¡Yo creo en el mundo nuevo! Yo amo al hombre. Usted lo odia. La humanidad será mejor cuando se acabe con los falsos principios de los explotadores, cuando. . .

Me había herido en llaga viva. Tuve que hacer un esfuerzo enorme para detererme y dominarme. Le repliqué con los labios apretados:

—Eso que usted llama enfermizo es un sentido eterno que usted no es capaz de analizar, de entender ni de poseer. Siempre hay dos cosas en un hombre que se substituyen y se disputan la supremacía: la tierra y lo que está por encima. Yo creo en lo que está por encima, en lo que nada tiene que ver con los dogmas ni con las doctrinas. Es decir, en los valores humanos eternos, en los estados anímicos, en lo que perfecciona los sentidos y los hace dignos de la muerte.

Sebastián Casal se echó a reír. Luego, moviendo la cabeza, me habló con palabras muy severas:

—Es usted un producto de la época enferma. . . Un resentido, que no ha sabido reaccionar bien. . . Una cosa morbosa. . . Es la época que tenemos que destruir. . . Produce muchos parásitos. . . Mire, yo soy un hombre con ideas concretas y muy serias. No puedo consentir estas cosas. Me dan lástima, pero. . .

183

Me enderezaba echando llamas por los ojos, poseído de súbita furia, cuando me llamaron y me entregaron una carta. En el acto, mis manos comenzaban a temblar, y me salí de la habitación sin despedirme.

Corrí a mi celda. Ajustaba la carta entre mis dedos como si quisiera exprimir su contenido antes de leerlo. Llegué. Me encerré en mi cuarto bajo el número mágico que lo señala. No sé por qué lo miré antes de entrar y mi corazón se puso a palpitar con fuerza. Todos los días, a cada momento que me encierro o que salgo al patio, veo mi número. Pero algunas veces, como hoy, lo admiro, lo fijo en mis sentidos y me satisfago. Fui hasta la ventana. No me cabía duda. Era una carta de Margarita, la primera que recibía, la primera. . . Mucho tiempo había transcurrido desde su ausencia. No lo pude medir ni lo pretendí, puesto que el tiempo no existe para mí con un sentido de numeración. Pero deben haber sido muchos meses, digo yo, por decir algo, por dar alguna idea de lo que esperé. Después de todo, puede haber sido cualquier tiempo. Lo hubiera sentido absolutamente igual y me habría parecido tan largo como mi sufrimiento y mi ansiedad. Yo espero que. . . Había abierto la carta y comencé la lectura.

"Mi querido Nicolás :

"Hace tiempo que he debido escribirle. ¡Las cosas que habrá pensado usted de mí! Pero no crea que lo he olvidado ni por un momento. Nuestra amistad es muy grande, porque es usted el único hombre que me ha comprendido. Además de amistad, hay en mí admiración por usted, porque es usted un gran hombre, de un altísimo talento, y yo. . . ¡Bah! No vale la pena hablar de lo que soy yo frente a usted. Pero ya se dará usted cuenta de las razones por las cuales no le he escrito antes. Me han ocurrido muchos percances y día a día tenía que vérmelas con algo desagradable. Por fin, las cosas se han normalizado y ya dispongo de la suficiente fuerza para poder decirle a usted todo lo que me ha pasado. En un principio, me daba vergüenza, pero comprendo que es un sentimiento que no tiene razón frente a usted y me he decidido a contárselo todo, sin omitir nada. Es decir, le contaré a usted lo necesario, lo que sea estrictamente necesario para usted y para mí.

"Cuando salí del Panóptico, me dirigí a casa de una vieja amiga, pero se había mudado, y no pude dar con sus señas. Entonces, busqué una pensión modesta. Tenía dinero para un tiempito. Allí he estado hasta que resolví otras cuestiones. La pensión la encontré porque me la recomendó una señora que yo conozco hace tiempo, en cuya casa pasé la primera noche... Está situada cerca de la loma grande. Me dieron un cuarto por tres sucres diarios, incluyendo comida y desayuno. Muy barato. Y comencé a esperar que me resolviera a hacer alguna cosa. Porque, me era muy difícil tomar una resolución. Entre lo que yo quería y mi pasado se producía un gran obstáculo que no sabía cómo saltar. Hasta llegué a extrañar el Panóptico porque allí no tenía este problema tan grave. Sobre todo, lo extrañe por usted, que es tan inteligente y dice cosas tan bellas. Bueno, por fin, me salió la idea de irme a vivir a la Costa. Era una resolución que me nacía del deseo imperioso de cambiar de vida y de ponerme a trabajar en un sitio en el cual nadie me conociera. Porque aquí, ¿quién me iba a dar trabajo? Lo peor de todo es que mis recursos se agotaban. Fui nuevamente donde aquella señora amiga y le pedí dinero. No me diga que le dé el nombre de esta señora, porque no puedo y está mejor así. Pero la señora no pudo darme el dinero, o no quiso, que es lo más probable. Antes bien, en aquella noche hallábase en su casa un joven costeño, a quien fui presentada. Nos hicimos, con toda la naturalidad del mundo, muy amigos. El me propuso llevarme a la Costa. Me lo propuso muchas veces, y hasta me rogó y me suplicó... ¡Tantas cosas que me decía!

"Pero, ¡por Dios!, Nicolás, no se vaya usted a imaginar cosas feas ni malas de mí. Era tan difícil... Ahora mismo, me es muy difícil decírselo a usted. Ya hemos hablado mucho y con toda franqueza, de manera que puedo hacerlo ahora también... Le aseguro que yo no sentía ninguna cosa especial por ese joven, aunque sí una atracción como amiga, porque, de ser simpático y alegre, lo era mucho. Además, el placer, usted sabe, es como si hubiera muerto para mí. Si me entregara a un hombre, no gozaría en lo más mínimo. Me queda un poco de coquetería, y nada más, y eso hasta que sea muy vieja y muy chocha ha de ser así... Pero no le alargo el cuento, Nicolás. No cumplió con su promesa y no lo volví a ver más.

"No me quedó más remedio que irme a vivir con esa señora. Estuve con ella algo más de tres meses, hasta que me vi obligada a resolverme a acometer la empresa que ella misma me sugería. Me facilitó el dinero a interés, apenas al dos y medio por ciento mensual. Alquilé una casa, junto a la de mi amiga. . . No sé cómo explicárselo. . . La casa tiene muchos cuartos y yo tengo que alquilarlos, pero sólo por poco tiempo, a veces solamente por horas. . . Es que el negocio de mi amiga estaba ya muy mal y tenía poca clientela, y así, siempre abundan los clientes, y entonces ella toma el sobrante más el interés que yo le pago por el préstamo y más alguna cosita que continuamente tengo que darle.

"Pero, Nicolás, le suplico con ambas manos que no se imagine lo peor. No es así. Usted, sólo usted, podrá comprenderme. ¿Qué podía hacer yo? Ya sabe que soy muy religiosa y que sólo creo en Dios, en la Santísima Virgen, en la Vida perdurable y en los Santos. Es lo único que amo, eso, y mi amistad con usted. En mi cama tengo siempre un cuadro con la Virgen, y siempre rezo porque cambien los tiempos. Pero, ¿cómo poder hacer una vida religiosa y en paz? No podía. Se reían mis amigas de mis deseos. Y nada, que no me hubieran recibido en ninguna parte, por ejemplo, en un convento, como fue mi primera idea, una idea muy tonta desde luego, porque ¿quién hubiera creído en mí y quién hubiera corrido el riesgo de desprestigiar un convento con mi presencia? Entonces. . . ¡Siento que usted está sufriendo con lo que le cuento! Pero no ha pasado lo peor, se lo juro. No se lo imagine usted. No es tan malo lo que he hecho, pero era y es el único medio de salvarme. No me quedaba más que una alternativa, Nicolás, y se lo voy a decir muy claro para que me perdone y me dé sus consejos. La primera, aceptar la propuesta de la señora, y la segunda, volver a mi vida anterior. . . Claro que pensé hacerlo en un momento de desesperación, y luego irme a la Costa y olvidarme de todo. . . Cierto es que la vida actual se parece un poco a la otra. Pero no es lo mismo, le aseguro, que no es lo mismo.

"Acepté, pues, la propuesta, como le digo. Tengo algunas amigas que me visitan con frecuencia, amigas que vienen con sus enamorados, yo les arriendo una habitación y puedo vivir. ¿Es muy malo esto? A veces vienen solas. A veces, vienen sólo los amigos y me encargan de ir a llamar a la fulanita, y yo tengo que hacerlo, y vuelvo con ella o le indico el día y la hora. . . En todo caso, Nicolás, es mejor que la primera solución. Claro que yo sé que no está del todo bien, pero ¿qué hacer? No les cobro mucho, pero, al fin y al cabo, me da lo suficiente para vestirme, pagar la casa, los intereses y comer, todo con relativa holgura.

"¿Me perdona, usted, Nicolás? Creo que sí, porque es usted muy bueno y muy inteligente y comprenderá de sobra mi situación. Pasando sobre esos pequeños inconvenientes, lo demás es muy bonito. La casa en que vivo es muy simpática. ¡Ya la conocerá usted, algún día, Nicolás! Está en el barrio de La Magdalena. De frente, tiene un corredor pintado de azul, muy ancho, y en los bajos hay una tienda, en la que venden licores y comidas. La rodea un jardincito con alguna que otra legumbre y muchas flores, que yo misma cultivo. La casa es así: la pared del corredor tiene pinturas que yo creo antiguas, porque están muy desteñidas. En una se ve muy clarito un vapor y todo lo demás. Y en otra, se retrata un salón con señores vestidos a la antigua y unas señoritas muy guapas, aunque el color ya se ha desvanecido. Todos los cuartos dan a ese corredor, que siempre, en las mañanas, está lleno de sol. Son apenas cinco, y no tienen cerraduras sino candados y un pestillo por dentro. En cada cuarto, tengo una cama, dos sillas y un velador. Mi habitación está en la parte de atrás, que no da a la calle sino a una tapia, tras de la cual hay un sembrío de papas. Me entretengo mucho mirando los surcos del sembrío, que son muy rectos y muy largos, hasta llegar a la parte más alta de la loma. Una que otra casita hay por allá, pero muy lejos, de manera que realmente vivo en el campo, sobre todo, cuando se mira la casa por la parte de atrás. Es bonita, le digo que es muy bonita. Los servicios dejan algo que desear, pero, en fin, no se puede pedir todo. Yo tengo dos cuartos grandes, un comedor y la cocina. Tampoco yo cocino, no se vaya usted a creer. Tengo una sirvienta, que me barre y prepara la comida. Se llama Aurora y es fea, por lo cual nadie la molesta de la gente que viene aquí. Si no, sería un gran desorden. . . Es muy trabajadora y me quiere mucho. Me olvidaba decirle que la casa es de adobes, pero los cuartos conservan aún la mano de cal y no son muy fríos. Me he comprado un brasero, que prendo en las noches cuando el frío es fuerte, y así, puesto cerca de la cama, duermo bien abrigada y no se me hielan los pies como cuando estaba en el Panóptico.

"Lo que es Aurora cocina muy bien y sabe hacer dulces muy ricos. Hemos quedado en que el sábado hará uno especial para usted y yo se lo mandaré. Ir yo personalmente a visitarlo, no puedo, porque, ¿qué diría la gente? No me quiero dejar ver en la calle por nada. Y regresar allá. . . En seguida, dirían que yo tengo algo que ver con usted y no nos conviene a los dos. . . Usted me entiende muy bien. Pero le escribiré, eso sí, siempre, y puede ser que algún día nos veamos.

"Contésteme, Nicolás. Yo espero su respuesta como una salvación para mi alma. Soy otra mujer. Y, al fin y al cabo, me importa poco lo que estoy haciendo, porque no peco con el pensamiento, sino que son las circunstancias. . . Hasta pronto, Nicolás, créame su leal amiga y admiradora. . ."

Permanecí en un estado muy extraño cuando terminé la lectura de la carta. Tal vez se humedecieron mis ojos. No lo sé decir, porque mi estado no era nada físico. Era como si me hubiera alejado de mis rodillas, de mis brazos, de mis huesos, y entonces, no tuviera debajo nada real. Esto es, me dije, una impresión pasajera, pero no deja de ser inquietante y hermosa. He aquí, anoté luego, el fracaso de las argumentaciones de Sebastián Casal. Margarita obra porque se ha superado, como yo. . . Y mi momento, este momento olvidado de mi yo físico, ¿no es también una demostración de mis razones? Volví a tomar la carta. La releí. La leí dos veces seguidas. Hallábame transportado. ¿Y si no decía toda la verdad completa? Una sensación de malestar me invadió. ¡Margarita! ¡Tú sabes que te amo! No te lo he dicho, pero te lo voy a decir. . . ¿Y entonces? Hallábame sentado en el lecho, con la carta en la mano, mirando los puntos muertos de la celda. De afuera no llegaba ningún ruido y nada me molestaba. Mi estado era perfecto. Dejaba caer a lo largo del cuerpo los brazos, y caían qué dulcemente. . . Sin esfuerzo. . . No sentía celos. No debía sentir celos. Hasta yo podría verlo y ayudarla sin pesares. . . ¿Podría? Claro que sí. Margarita. . . La veía con mis ojos entrecerrados andar por los corredores alegres de su bella casa de campo. . . Ya no llevaría aquel vestido azul. . . Sería blanco, con encajes, muy ligero, y con el aire le dibujaría las piernas y le daría una sensación de frescura entre los senos. . . Sus ojos andarían sueltos de puro gusto, señalando las cosas bonitas, tan verdes y tan líquidos. . . Se habría arreglado y pintado las uñas. . . Rosadas, pulidas, rematarían la mano pálida, colocadas entre los cabellos. . . Y reiría, reiría siempre, y a mí se me encogería el corazón por su risa de piedra juguetona. . .

Sentíame en una relajación total: de músculos, de tejidos, de conciencia. ¡Te amo, Margarita! ¡Aunque hayas mentido en tu carta! Otra vez, pasé´mis ojos por las líneas ocultas, por aquellas que tanto querían decir o tanto querían esconder. . . Un repentino y corto temblor me sacudió los labios y los ojos. Nada transcurría afuera. Nada pasaba en mi presencia. Estaba recto, rígido, todo para mí. ¡Sin paredes de piedra! ¡Y sin ninguna duda! ¡Sin duda! ¡No quiero dudar de nada! ¡No quiero!

¡Como te odio, Sebastián Casal!

## XIX

### PIEDRA ENCENDIDA

De vez en cuando, una gota de sudor cae sobre la tabla y se expande, humedeciéndola. El sol llega hasta mí, y por la agitación de mi trabajo, el sudor me revienta en la frente. Por la caja de mi cepillo sale ensortijada la viruta. Primero asoma una lengüita delgada y transparente, de color rosa, pero luego se enrolla y salta. Viene otra enseguida. Me entretengo mirando este proceso. La tabla que estoy labrando se mueve un poco. Es una madera dura, que han traído como un regalo de la montaña de la Costa. Un polvillo invisible se mete por mis narices. Y la mano me duele. Pero sigo trabajando con gran interés. Es un trabajo muy delicado el que me han ordenado. Se trata de un ropero para el cuarto del director, del nuevo director...

Ha cambiado mucho mi casa de piedra. Sí, ha cambiado, pero yo, aunque no lo parezca, no he cambiado nada. A pesar de que ya no soy maestro. Me han quitado mis lecciones. Recuerdo aquella frase que leí hace muchos años en un libro viejo: "no me podrán quitar el dolorido sentir". No me lo podrán quitar. Esto no lo sabe el director. Si lo supiera, sería capaz de hacer lo posible para quitármelo también y yo tendría que defenderme. pero, ¿cómo poder quitarme eso? Sólo matándome. Y ni así, porque yo mismo me superviviría como ahora, igual que ahora

190

que me siento como muerto. No. Hablo una necedad. No me lo podrán quitar, y en tanto no me lo quiten, yo seré el mismo, seguiré por mis caminos y nada de fundamental habrá variado en mí.

Soy un buen carpintero. No es cosa de risa. Hace un montón de años, no quise aprender el oficio Ahora, me he aplicado. Tuve que aprenderlo a la perfección. Rompí mis manos. Mis uñas están manchadas con los polvos oscuros del charol. Mis dedos, llenos de callos. Pero soy el que más sutilmente entiende la marquetería. Y lo que es muy extraño y muy bonito, tengo músculos en las manos y hasta los brazos se me han engordado. Fue el nuevo director, el tercero que conozco. Fue él, que lo ordenó, al día siguiente de su llegada. Al anterior, al que tanto me había distinguido, lo cancelaron. Debe haber sido porque nos trataba muy bien. . . Aquí no pueden perdurar más que los tiranos y los canallas. Me dio mucha pena cuando se marchó, despidiéndose de nosotros, muy conmovido. Pero ya casi lo estoy olvidando. Todos los métodos bellos han sido aniquilados. . . Pues, esa mañana, el director nos hizo formar en el patio —el nuevo, con su cara pecosa y cenicienta, y nos miró muy detenidamente a todos. Al llegar a mí, me preguntó:

—Usted está preso por asesinato, ¿no?

—Sí, señor director.

—Me han dicho que le permiten a usted dar clases y andar como clérigo suelto ¿no?

—Sí, señor director. Es decir. . .

— ¡Silencio!

Luego, se echó a reír con agudas carcajadas.

— ¡Qué gracioso! ¡Tiene chiste! Esto no ha sido una cárcel. . . Un lugar de recreo, de descanso. . . ¡Formidable! Mejor hubiera sido que los llevaran a dar un paseo, como en vacaciones. . .

Paró de reír. Me miró, estirando el labio inferior, y me gritó:

— ¡Pues ya lo sabe usted! ¿Entiende? Ni una clase más. . . ¡Ni u-na cla-se más! El Estado es quien paga los profesores. ¡Es una inmoralidad!

—Señor. . . —traté de decirle.

— ¡Silencio, he dicho! Esto es un relajo. Tenga usted entendido que aquí todos los presos son iguales. ¡Todos iguales!

¡Mañana, al taller de carpintería! ¡A hacer algo útil y a portarse como es debido! ¡Y ni una palabra! ¿Entiende que no debe usted protestar ni decir una palabra?

Siguió pasando su revista. Yo quedé medio atontado de la sorpresa. El ser maestro encuadraba en mi naturaleza, como tantas otras cosas, y ahora me privaban de eso. No había remedio. Al taller, al taller de carpintería. ¡Si por lo menos me hubieran dejado escoger el oficio! ¡Habría sido zapatero! Me habría sentado quedito en mi banco, con mi zapato entre las rodillas y mi martillo clavando los clavos del contrafuerte o de la suela. Habría sabido cortar rebanadas de cuero con mi cuchillo cuadrado. Habría sabido hacer agujeros lindos con mi lezna, con la misma lezna con que dio muerte un día, en este Penal, el joven X. . . Me da pena no ser zapatero. Habría golpeado con mis manos, y el ruido de esos golpecitos me habría producido placer. ¡Dale, dale, dale! Sobre todo, habría hecho alpargatas bonitas, a colores, para mis compañeros los presos, y de este modo hubiera alcanzado amistad y gratitud. El banquito para el trabajo me hubiera parecido un sitio delicioso. Y eso de ir dando la forma. . . Hubiera podido hacer también zapatos de mujer, con altos tacones y una hebilla brillante. . . Y le hubiera regalado un par a Margarita. . . El cuero sonaría muy delgado al pasar mi gran aguja en el cosido. . . Y el olor resinoso y puro de las pieles me habría embriagado de gusto. Sí, hubiera podido ser un buen zapatero. . . ¡Hubiera podido!

En el taller de carpintería me recibieron con burlas. Me lanzaban indirectas. No hacían sino hablar del maestro de escuela convertido en oficial de carpintería. . . Me enseñaban con brutalidad, haciéndome desempeñar los más bajos menesteres, hasta recoger la basura y pasar las herramientas y. . . Luego, me daban a hacer las cosas que demandaban más fuerza, para reírse de mí, únicamente para reírse de mí. Sebastián Casal también entró en el mismo taller. Pero a éste lo respetaban y ninguno se burló de él. ¿Por qué razón no se reían de él y sí de mí? Naturalmente, esta diferencia me hacía odiarlo más, pero no se lo daba a entender. Sólo que en las discusiones trataba de morderlo, procurando vengarme. Sebastián Casal se puso al oficio con avidez. En poco tiempo, aprendió. Trabajaba más de lo ordinario, concentrando todos sus sentidos en las obras que ejecutaba. Por supuesto, me entró emulación, y yo también puse empeño en aprender. Por lo general, a Sebastián Casal gustaba toda cosa en la que entraran fuerza y trabajo. Por ejemplo, de pura sensación física, experimentaba harto placer cuando se bañaba en agua helada. Gritaba de júbilo. Los baños están en el último patio, muy cerca de la tapia por la que saltó Gabriel Pérez Portilla y donde se rompió las piernas el negro Jaramillo. Hay una piscina y unas duchas que muy a menudo sirven de castigo en media noche. Allí, los presos se desnudan totalmente, sin ningún pudor, y se lanzan al agua helada y después se enjabonan debajo de las duchas. Sebastián Casal lo hacía a diario. Un día, en cueros, me gritó al verme:

— ¡Ah, Ramírez, venga usted a bañarse! ¡Está rica el agua! Esto le ayudará para que no se le ocurran malas ideas. . . ¡Venga!

Claro está que no le contesté. En la época del director bueno, yo disfrutaba, generalmente una vez a la semana, de un baño tibio, que tomaba en una tina de madera, en mi celda. Me permitían traer las cantinas de agua caliente desde la cocina. Pero meterme en el agua helada, hubiera tenido que estar loco para eso. . .

Días de días he dejado de escribir. No sé cuántos. La vida, en ese tiempo, ha sido la misma. El único acontecimiento que puedo señalar es el que ocurrió a la semana de la entrada del nuevo director. Una cosa bien simple: la comida desmejoró de una manera alarmante, en cantidad y en calidad. No diré yo que antes era muy buena, pero, al fin y al cabo, se podía comer, y, eso sí, era abundante. Cierto que la carne resultaba muy dura y cocida en exceso, pero, por lo demás, comíamos buenos platos, buenas lentejas, buenos locros con muchas papas. . . Ahora, son migajas las que nos dan, y cosas aguadas, en grandes tazas, como para enfermos. . . Por eso, hubo una protesta, que me recordó a la que se hizo cuando castigaron a palos al joven X y al negro Jaramillo. El motín empezó en el patio, a la hora de recogerse. Los guardas dieron la voz, pero nadie se movió. Se quedaron en grupos, otros sentados en el suelo, reclinados. . . Nadie decía una palabra. Yo tampoco hablaba y no hubiera querido tomar parte en el movimiento, pero ya estaba allí y tuve que quedarme. Cuando el director hizo acto de presencia, uno se levantó y marchó hacia él para explicarle que los presos se quejaban de la comida y que se había organizado la protesta con la esperanza de que fuera mejorada. El director, furioso, le respondió con insultos. Y como el preso le contestara algo altanero, lo abofeteó en presencia de todos. Entonces, los presos comenzaron a gritar y a decir que no, que no, según la costumbre establecida para la protesta. Después de unos minutos, ya había un verdadero motín, una verdadera rebelión. Hubo hasta sus gritos de ¡abajo el director!, pero pocos. También silbaron. Se escuchaba un gruñido sordo, y nadie quería regresar a las celdas. . . El director, temblando de coraje, se retiró a su oficina. Seguramente, fue a telefonear. A poco, el Penal se llenó de soldados. Entraron al patio. Un momento de confusión reinó entre los penados. Los soldados comenzaron a repartir culatazos a diestra y siniestra. Los que se hallaban en primera fila sufrieron muchos golpes. Los iban empujando hacia los corredores que conducen a La Bomba. Algunos resistían, pero eran maltratados cruelmente. Los insultos y los ayes de dolor llenaban el Penal con ruidos bárbaros. Era casi una lucha. Vi a los zambos forzudos encogerse como bestias heridas y no querer soltarse del suelo. Vi a otros despedazarse las ropas en accesos de furia. Parecían ebrios. Y no cedían fácilmente. Un policía desenvainó el sable y se puso a dar sablazos a todo el que estaba a su alcance. Por fin, cuando el tumulto estuvo dominado, los últimos que habíamos quedado, no por otra cosa sino por temor, arrinconados en la pared más lejana, nos presentamos con toda humildad para dirigirnos a nuestras celdas. El director me alcanzó a ver. Y me señaló con un grito:

—Este debe ser uno de los cabecillas. Pónganlo a un lado. Estos intelectuales son verdaderamente perniciosos.

Después, ya dirigiéndose a mí, me dijo:

—¿No les gusta la comida, no? ¡Porquería vas a comer ahora! Te la voy a hacer traer del hotel más elegante de Quito. . .

Después me amarraron las manos a la espalda. Me encontré entre los pasillos que conducen al "reservado". Habíamos una media docena. Sebastián Casal estaba entre nosotros. Sentí que me desnudaban de cuerpo arriba. Y luego me golpearon con unos palos delgados como hojas de espada. Hubiera preferido que me dieran en la espalda, en un solo sitio, estando yo bien atado. Pero no; me pegaban por todas partes, lo que me obligaba a esconder la cabeza, sin poder alzar mis manos. . . Grité con mis más altas fuerzas y pedí perdón. Dije que yo nada tenía que ver con el motín, que no estaba de acuerdo, que la comida era muy buena, pero me seguían pegando con una crueldad que me volvía loco.

Me desmayé. Volví a mi juicio bañado en sangre. Recuerdo que Sebastián Casal no lanzó un grito. Había soportado el martirio, pálido, duro, lleno de arrugas fuertes su rostro. Ahora, estábamos juntos, maltrechos. Ya me han dado dos palizas, desde que estoy en el Penal, y tengo mezcladas las cicatrices, y no sé a qué época corresponde cada una. . . La primera fue apenas entrado, cuando el intento de fuga con Gabriel Pérez Portilla. . . Ahora. . . Bueno, yo era un montón de carne picada. La rabia me saltaba en el pecho, pero me consolé con mis ideas tristes. . . Sebastián Casal, se incorporó un poquito y me dijo:

—¿Qué le parece a usted, Ramírez? Si quiere, podemos sublimarnos un poco con sus teorías. . . Resulta encantador en este momento. . .

—Cállese. Tengo vergüenza de haber sido castigado injustamente.

—Hombre, yo no. Soy demasiado fuerte para eso. Y lo que es usted, mi amigo, debe haber sentido poco los golpes: para eso está su espíritu.

—No se burle. Usted es un torpe materialista, y yo me he elevado por sobre todas esas cosas.

—Bueno, supongámoslo, amigo mío. Usted se ha elevado. . . Puede ser. . . Pero, si yo no padezco de alucinaciones, usted se encuentra aquí, conmigo, caído, manando sangre y con mucho dolor en el cuerpo.

—No me entiende usted.

—Sí le entiendo, Ramírez. Es que usted es demasiado. . . sutil. . . Demasiado, ¿cómo diré?, demasiado saturado de ideas. . .

—¿Y usted? ¿Y sus ideas? ¿Acaso usted no es un fanático de las ideas?

Había penumbra en aquel sitio y una pestilencia a mal sudor llegaba a nuestras narices. El suelo en el que nos hallábamos tendidos boca abajo estaba húmedo. Casi no nos veíamos. Por lo menos, yo tenía los ojos cerrados.

Pero mis ideas están sólidamente amarradas a la tierra —me contestó Casal.

—Nada tengo yo que ver con la tierra. Yo estoy por encima.

Sebastián Casal se movió y lanzó una especie de quejido, pues había tropezado alguna de sus numerosas heridas. Sentí que chascaba la lengua.

—Nadie está por encima de la tierra si es que no está loco. El mundo exterior siempre se halla en nuestra presencia. Sólo así somos dignos de nuestro destino.

—No creo en eso, Casal. Ya le he dicho que yo no creo en eso. Nosotros somos, somos. . . ¡Somos hombres! ¡Y el hombre tiene alas sobre las cosas terrenas!

Sebastián Casal se echó a reír. No sé de dónde podía sacar ánimos este hombre. Estaba muy junto a mí. Casi se sentía el vaho caliente de su boca.

—¡Ja, Ja! Eso es una sandez lírica. El hombre es también algo de la tierra, no puede desprenderse de ella.

—Yo, sí, porque tengo ideas y éstas no me vienen de la tierra. Yo pienso cómo es o debe ser el mundo y la proyección de mi pensamiento, de mis imágenes no provienen en nada de la tierra. Van a ella. A chocar con una realidad, muchas veces hostil, pero en casi todos los casos totalmente extraña.

—No, Ramírez, no se aturda con sus palabras. . . La tierra existió antes que el hombre. . . Su realidad es más real que la suya propia. . . El hombre se lo debe todo a la tierra, todo. . .

—Mi realidad. . . ¡Mi realidad! El mundo sólo existe porque nosotros queremos que exista. Son ideas. Y las de usted, son falsas ideas, lo cual constituye una prueba de que todas las ideas son distintas, porque si todas procedieran de la tierra, fueran iguales. . .

—Ya está con los malos sofismas, usted. Le repito que no se deje aturdir. No se puede negar así la vida exterior sin ser un loco o un necio.

Hice un esfuerzo y me incorporé a pesar del gran dolor físico que me atormentaba, para mirar de frente y agresivo a los ojos de Sebastián Casal.

—Está usted diciendo tonterías. . . Yo no niego la realidad: la veo distinta, no como usted, engreído con las razones materialistas. El mundo exterior existe, pero como enemigo, como contrario al espíritu. Primero dijo que el hombre era algo de la tierra y siendo así, supongamos, no puede haber existido después, sino con ella misma. ¿Somos o no somos parte de la naturaleza? Y la naturaleza, ¿es o no un todo homogéneo y grande? Usted, que se siente tan de la tierra, tan naturaleza, no debe decir eso.

La tierra y el hombre, en todo caso, nacieron juntos, se formaron juntos y, después, por antítesis, se separaron, se disputaron la vida y el crecimiento. Hay que ser claros y lógicos. Si somos una parte de ella, no venimos después. Un niño nace con sus miembros completos y todos crecen a un tiempo.... Nacimos con ella, con la tierra, al mismo tiempo, aún con diferentes formas, en todas las etapas de la evolución... Sólo que los sueños vinieron después... No somos hijos de la tierra. Si no somos sus creadores, por lo menos somos simultáneos, como dos fuerzas grandes, como el bien y el mal, como el blanco y el negro, como dos gigantes que se disputan la eternidad... Mire, pobre hombre de materia, aún cuando su cuerpo sea comido por los gusanos, aún cuando quede usted hecho una carroña, una porquería, su pensamiento saldrá entero y se paseará triunfante por la tierra, y la disputa eterna va a continuar, hasta que el hombre sea digno y puro, adelgazado, y se encuentre sobre la guerra, sobre las miserias, y sobre el eco de su materia, hasta que se encuentre más alto que el crimen y la justicia.

— ¡Silencio! —gritó un guarda que llegaba hasta nosotros.

— ¡Silencio, he dicho! ¡Nada de latas! Ustedes están castigados y no tienen derecho a hablar. ¿O es que ya, tan pronto, están tramando alguna nueva bulla?

Me callé. No reconocí la voz. Y me puse a pensar en que debía ser un nuevo guarda, que había traído el director. Me di un poco la vuelta y, con toda intención, ofrecí la espalda a Sebastián Casal.

Desde entonces, Casal trató de mortificarme a diario, de pura venganza, porque yo lo había hecho caer, siquiera esa vez, en la contradicción. Por lo menos, así me lo pareció. Y siempre, cuando estuvimos buenos y sanos, y ambos aprendíamos el oficio, me provocaba a discusiones. Yo le decía:

— ¡No quiero discutir con usted! ¡Déjeme tranquilo!

Pero en el acto me entusiasmaba y un deseo irrefrenable de destruir sus argumentos me llevaba nuevamente a la discusión.

Cuando caigo en la cuenta de ello, me absorbo en mi trabajo y procuro fijarme en el milímetro de madera que cepillo. Estoy preparando las tablas. Todos los días las cepillo hasta dejarlas lisas y brillantes. Me inclino sobre mi banco, que tiene más de dos metros de largo, sostenido por cuatro pies cuadrados. Y allí me lanzo al trabajo, mirando con el rabo del ojo a Sebastián Casal, que sonríe. En veces, levanto uno de mis pies para apoyarlo en una de las traviesas y entonces poder hacer más fuerza. En ese banco, trabajo yo solo y yo mismo lo he construido. Sé exactamente cuál de los barriletes encaja mejor en los agujeros del tablón. Y cuando fijo la tabla para cepillar, casi al tacto ajusto el corchete y me encanto de darle vueltas hasta que la tabla se ajusta.

He comenzado ya la fabricación del armario. De ese ropero, del que colgará sus ropas el perverso director. Tengo que hacerlo muy bien, porque si no, ¡ay de mí! Y ni siquiera me dará las gracias, sino que dirá que aún tengo que perfeccionarme y saber mejor mi oficio. No lo digo por gusto. Fueron sus palabras textuales cuando terminé la nueva mesa del comedor. Es que se le ha puesto que todos los muebles son viejos y que debe renovarlos, y tenemos que trabajar para él y también para su casa particular. Por mi parte, no me importa demasiado. Manejo hasta con gusto las herramientas. Lo único que me mortifica a veces es la falta de gratitud y los malos tratos, las palabras duras. Pero, en fin, esto no tiene remedio, y procuro no pensar en ello, sino en mi trabajo, en lo que estoy haciendo, pura y simplemente en eso. Cada golpe que doy en el formón es exacto y rítmico. Manejo la barrena y el escoplo con mucha soltura. Y lo que me produce mayor placer es cuando, berbiquí en mano, hago los agujeros tan redondos y pulidos.

El serrucho, a causa del sonido, me agrada poco. Me crispan los nervios aquellos chillidos contra la pulpa rosada de la madera. Después, cuando termino la jornada, durante muchas horas me queda el sonido en la cabeza y los pelos de los brazos y del pecho se me erizan solitos. Es una sensación muy desagradable, mas la sufro con paciencia y, como no hay medio de evitarla, me resigno.

Pienso intensamente en Margarita cuando trabajo. Mientras mi obra va surgiendo de mis manos, mi imaginación se desborda y la ciñe amorosamente. Ya de Clemencia sólo me restan recuerdos brumosos, pero es que Clemencia es Margarita. No me cabe ninguna duda. Muchas cartas he recibido ya de Margarita. Muchas espero seguir recibiendo. Cada vez que las leo, otro hombre se para dentro de mí. La verdad es que esto me ocurre hace mucho tiempo. Me siento convertido. Sólo que. . . La primera carta que le escribí. . . Sí, claro está, no voy a reproducir en mis memorias todas sus cartas y todas las mías. Conservo borradores de las que yo le dirijo y de las que recibo hago un paquetito que guardo junto a mis papeles, en ese hueco que pude hacer entre las junturas de las piedras. Todo marcha así a las mil maravillas. Soy un hombre que tiene su tesoro escondido y lo sabe guardar. Mi primera carta fue como una descarga. Necesitaba decírselo y se lo dije. Le dije que la amaba. Se lo dije de todo corazón, escribiendo con el alma entera, en una exaltación que sólo tuve cuando cometí mi crimen por su mismo amor perdurable.

¡Te amo, Margarita! Así te lo dije con palabras encendidas. Tú eres una cosa que viene de lejos y camina con alas. Te hablé de tus ojos claros y de tu piel. De tu sonrisa, la más bella sonrisa soñada. De la forma de tus labios, que se recogen en el gesto maravilloso de la ternura o del ocultamiento de tu pasión. Te conté cómo había sufrido de no podértelo decir. Te hice saber todo mi dolor. Te dije que no había sabido administrar mi corazón y que, por eso, no te hablaba con las palabras que ya estaban hechas para ti. Yo te ofrezco mi sufrimiento, mi torre hecha también de piedra, alta, muy alta, con grandes y alargadas ojivas, con tonos grises y oscuros y con un silencio más grande y definitivo que la muerte. De allí te amo. Desde allí mi corazón alzado como una columna bárbara te contempla. Y mi lengua, Margarita, mi lengua que no supo decírtelo antes, está siempre ardiendo, con fuego vivo, abrasada para que mis palabras sean así de rojas. Rojas como mi sangre. Es una sangre que no conozco, pero que siento. Busca muchos caminos para salir. ¡Yo te la ofreciera toda, Margarita! Y ceñiría en sangre tu cintura delgada y humedecería con ella tus mejillas limpias. . .

¿Cuántas cosas te dije, Margarita? ¿Cuántas cosas fueron a quemar en tu deseo nunca apagado? ¡No ha muerto en ti! Lo sé. Te estremecerías si yo pudiera tocarte. Y caerías, sin ningún sentido terrenal, entre mis brazos.

Pocos días después me respondiste. Me sé de memoria tus palabras. Me las aprendí y las tengo envueltas y abrigadas.

"Yo también, Nicolás, quisiera decirle lo mismo. Sólo que no es digno. Usted nunca sabrá las cosas que he sentido. Y las que sigo sintiendo. No lo puedo alcanzar. Me figuro que está muy arriba y que yo, una vez, solitaria y triste, extendí las manos hasta usted. No, no soy digna, Nicolás. La amistad es mejor que el amor. Y así no lo perderé nunca, como he perdido tanta parte de mí misma''.

Estas fueron sus palabras. ¡Qué altas y sabias!.... Sus manos deberían estar delgadas y sus ojos tristes y fatigados, cuando me escribió. Y viviendo en esa casa, procurando que otros se amen y se acaricien... No me importa. Está bien. La vida no es mojigata ni dulzona. La vida... Pero, ¿por qué hablo yo de la vida? Nada hay que me acerque a ella. La desprecio. No me interesa que aparezca mala junto a mi Margarita, porque Margarita está bien así y después de haber dado tanto amor puede seguir dándolo para los otros.

Sus cartas me hacen feliz. Muchas veces las releo a la sombra de las esquinas solitarias del Penal. Y nadie, ni tú Sebastián Casal, burlón y malvado, me podrá quitar ese placer. Ya lo has intentado. Fue una tarde. Yo leía una carta de Margarita y mi rostro debía estar triste. Seguramente, la emoción salía de mis ojos. Sebastián Casal se acercó y me dijo con una voz delgada y chillona, inventada exprofesamente para el momento:

—¡Pero Ramírez! ¡Usted, el hombre superior! ¿Cómo es posible? ¡Leyendo cartas de amor! ¡No puedo creerlo! Si usted no tiene fe en nada, si usted se ha sublimado sobre las pasiones terrenas... ¡Vaya! La cosa no ha sido tan sutil como yo lo creía. ¡Enamorado! Además, Ramírez, usted no es tan joven como para que... ¿Y se puede saber de quién está usted enamorado?

—De nadie —le respondí—, no estoy enamorado de nadie.

—No mienta, amigo mío, no mienta. Otra vez, hablaremos del hombre y del amor. ¿Qué le parece? Claro que, si usted lo desea, podemos empezar ya mismo. Mire que el tema es muy interesante... Un hombre que se supera... ¡Ay, Ramírez!

Me guardé la carta en el bolsillo y me marché a mi celda, oyendo a mis espaldas las risotadas de ese demonio. Era tanta mi rabia, que caí en postración. Otra vez me enovillé y me alejé de las cosas triviales. Mis miradas adquirieron de pronto una claridad transparente. Me sentí solo y grande. El Penal me envolvió en su magia. Lo vi andar, lo vi crecer hasta los cielos más altos. De cada ángulo de piedra se escapaba la vida hacia afuera y venía a mí, y yo me sentía más alto y más fuerte. Por las colinas, por los

alcores dulces y los arroyos tenues, una tropa de indios venía
cargando enormes piedras. Los latigueaban y ellos seguían silbando con la respiración, encorvados, besando el polvo amargo, fructificando la tierra con el sudor de sus frentes fajadas por la cinta
de cuero negro. . . La cal caía como una lluvia sobre la piedra
inmóvil. Los ojos de los negros guardianes brillaban en la oscuridad tenebrosa. Después, los indios latigueados echaron pintura
negra en las paredes y todo se oscureció.

Del rincón más lejano salió Margarita. La adiviné. Poco a
poco, una luz de llama inquieta me la iluminó. La luz estaba
detrás de ella. Ya Margarita, desnuda y blanca, levantaba los
brazos afinando maravillosamente su cuerpo como una llama
también. El cuerpo rosado, transparente, temblaba. Yo también
temblaba, echado, jadeando como un embrujado. Tenía su
cuerpo una vibración en la piel que la hacía ágil al trasluz. Mis
ojos estaban clavados en ella y en el fuego, pero no sentí deseos
de poseerla. Sólo me invadió un anhelo de irme acercando despacito y de frotar mis cabellos entre sus senos y después que sus
manos cayeran sobre mí y mi cabeza pudiera descolgar todo su
peso en el hombro dulce. ¡Y nada más que un sueño entre mis
brazos!

## XX

## VIRUTA DE SUEÑOS

"Así es, Margarita, tal como usted lo dice. Yo lo entiendo muy bien, y tanto mejor lo entiendo que cada día me siento un hombre menos triste. Bueno, no es realmente que esté menos triste; es que la tristeza se me ha hecho una cosa muy pegada y hasta dulce e imposible de echar. Siento, tal vez debido a esto, que mi última etapa de liberación está llegando. Me hago cada día más digno y más sensible. No sé por qué cada vez que pronuncio o escribo la palabra digno se me asocia a la muerte, es decir, que lo que intento expresar es que soy digno de la muerte, cosa que ya he repetido cien veces, sin cansarme. De otro modo, ¿cómo hubiera podido soportar cosas tan malas? Primero, su ausencia. Después, la pérdida de mis clases. Hace tiempo, únicamente el que hicieran de mí un carpintero me habría ocasionado un malestar muy profundo, me hubiera hecho casi enloquecer. No le diré a usted que no me molestó, pero lo he soportado con enterza, y quedé satisfecho de mí.

"Pero no quiero distraerme. Voy a lo principal, sólo que cada vez que me acerco, una fuerza irresistible me hace hablar de otras cosas. Es algo parecido a las alucinaciones que en veces me poseen. No me refiero, por supuesto, a la presencia de las sombras: éstas no son alucinaciones: son auténticas. Tanto se afinan el pensamiento y el sentimiento, que las ideas que a uno le brotan del cerebro se convierten en realidad, por más que el imbécil de Sebastián Casal se burle de mí. Ya le he contado bastante de este tipo. . . No hablemos más de él. Tengo que soportarlo porque no hay otro medio. . . ¿Qué haré para que me olvide? Bueno, yo le decía a usted lo de las sombras. . . Las veo y las siento y hablo con ellas. Cada noche, vienen con más frecuencia y con más intimidad. Lorenzo no ha vuelto a presentarse más. Me he librado de él. Naturalmente, ha ocurrido así en razón de mi crecimiento y mi superación. En cambio, ahora viene a mí, con bastante frecuencia, mi madre. En veces, la acompaña mi hermana Blanca, y siento un deseo irresistible de echarme en sus brazos, pero lo malo es que en cuanto quiero apretarlas, las sombras se desvanecen. ¡El día que pueda abrazarlas! ¡Me quedaré tanto tiempo tomado y enlazado a ellas! ¡No las soltaré aunque me arrastren a la tumba! Mi madre viene con unos ojos muy buenos y muy grandes, aunque un poco ausentes. Y lo que es Blanca, está siempre llena de sonrisas para mí. Usted sabe que yo quise mucho, pero mucho, a mi hermanita, y que, desde que la vi en el ataúd, la quise aún más. Lo que más me gusta de ella es su blanco vestido y su tierna adolescencia. ¿Por qué se moriría, Margarita?

"Usted también ha venido, porque usted, Margarita, usted es ya casi una sombra, desde que se identificó con mi amor a Clemencia. Usted me habla a menudo de la amistad, y, sin embargo, ¿por qué vino usted anoche y estuvo tan largo rato desnuda en mi presencia? ¡Oh, no se enoje, Margarita! Le prometo que no sentí deseos materiales. Su desnudez era algo tan transparente, que la hubiera ahogado en mis brazos si hubiera osado tocarla con mi deseo. Había llamas detrás de su cuerpo, y lo iluminaban con un tono rosa encendido. . . Parecía como de porcelana, pero tibia y palpitante. Había levantado los brazos y estaba tan delgada y tan fina. . . Igual que la llama. Y dígame, ahora, ¿si usted no me amase un poco, habría venido? Es que estuvo pensando en mí y se vino en pensamiento. No pudo usted resistir.

"Está bien, después de todo, que seamos amigos. Los amantes también deben ser amigos, sólo que no lo entienden así, y lo echan todo a perder, porque se hallan más o menos como los ciegos. Pero nosotros, que sabemos tantos secretos, que estamos tan familiarizados con el único mundo sensible, ¿vamos a fracasar porque seamos amigos? Ya le he entendido muy bien lo que usted ha querido decirme, y se lo apruebo y estoy absolutamente en acuerdo con usted. ¡Amiga mía, cuánta falta me hace! Decídase, por fin, y venga cualquier día de éstos. Sus recuerdos y sus cartas me encantan, me producen un placer extraordinario, pero yo quisiera verla a usted en carne y hueso, y, sobre todo, verla sonreír con esa sonrisa tan enigmática y coqueta, y escuchar sus palabras. Estoy a veces terriblemente solo. . . Mi única compañía la componen don Pablo Durango, el profesor de música, un guarda y el diabólico y mal hombre de Sebastián Casal, de quien no puedo escaparme por más que lo procuro. Sin embargo, a usted se lo voy a decir: tengo un amigo más íntimo que todos: el propio Penal. Mire, no sé si usted pueda entenderme, pero se me ha hecho algo así como humano. Después de todo, usted sabe que la piedra no es tan piedra y que la vida está vibrando en el aire que circula entre molécula y molécula, entre átomo y átomo, y que hay verdaderos universos enteros en cada porito de piedra. El movimiento también se hace en ella. Lo cierto es que mi sensibilidad es tanta, que puedo conversar con el Panóptico. Sobre todo, me interesa y lo veo cuando se está haciendo: es igual que si me quisiera contar su historia, así como me han contado tantos presos la suya. Veo largas columnas de indios acarreando las piedras, veo la construcción irse elevando como un himno grandioso, severo, de un solo acorde, pero magnífico. Veo a los guardas negros, a los negrotes que trajo García Moreno del Chota, pasearse entre los callejones sombríos. Penetro por los subterráneos, por el piso que se halla justamente debajo del edificio. Todos los calabozos son pintados en negro. No hay una sola celda blanca. Y la puertas son rojas. Y cada negro camina con grandes aciales en las manos y van dando latigazos a los presos. Mire usted, los presos andan encorvados, con los ojos hundidos y las espaldas enteramente curvas. . . ¡No se imagina, Margarita, cuánto dolor y cuánta belleza hay en este personaje maravilloso que es el Penal García Moreno! El solo tiene más vida y más experiencia que cualquiera de nosotros. A veces, se me ocurre pensar que yo soy sólo una piedrita, de toda la construcción de la casa helada. Una piedrita, bien cogida con la ensambladura, bien quieta y como paralizada por el frío. Es cuando me vuelvo todo oídos y recojo el eco de todas las bocas y siento cada pisada en mi corazón. ¡Qué bello es el Penal, Margarita! Yo no podría ya vivir sin él. Es dulce y tremendo. Es vivo y muerto. Es la cosa eterna que tanto perseguimos. . .

"Me sé de memoria su historia. . . tiene túneles secretos. . . Uno de ellos va hasta la casa del tirano, de ese genio extraordinario de García Moreno. . . Los otros, van a conventos, a cuarteles de milicias. . . Y aquí, que es lo más interesante, se castiga a todo el mundo. Hasta los sacerdotes son azotados y puestos a pan y agua. El brazo secular manda a diario a curitas corrompidos con órdenes de ser apaleados. ¿No le parece singular esta historia? Es la prisión más hermosa y singular que hay en el mundo. Estas cosas, que tienen años y años encima, me parece que están pasando hoy. Pero las cosas de mi casa las saben muy pocos, y uno de ellos soy yo. Me las ha contado la misma casa, pues tanto he hecho por ser digno de su acogida, que al fin. . .

"Ahora lo han destrozado todo. Cuando hicieron la obra del alcantarillado, dañaron muchos túneles y la estructura inferior del edificio fue demolida y se hizo desaparecer todo vestigio. . . Pero hay cosas que no desaparecen, Margarita, y son las sombras. Son ellas las que hablan al oído y señalan los rincones secretos. Los negros guardianes con el largo palo, rematado en vena de toro. . . Y un silencio, Margarita, un silencio más grande que todos los misterios de la vida y de la muerte.

"A propósito, no sé por qué me familiarizo cada día más con la muerte. Me circunda, pero no para hacerme daño. Muchas veces, yo mismo creo que soy un muerto, y es delicioso saberse muerto como yo. . . Nada me molesta. Camino sin esfuerzo y no conozco de fatigas extrañas. . . Ya el vicio, a fuerza de superarlo sin temerlo, no viene a atormentarme, y el deseo que tanto me ensombreció, está definitivamente liquidado. . . ¿Qué más para ser muerto? Es como si estuviera transparente, de una pureza, Margarita, de una pureza. . . No sé cómo explicárselo. . . Y tampoco sé si hago bien o no en confiarle a usted estas cosas. . .

"Naturalmente, a otras personas no les digo nada. Sólo a usted. Pero es que usted es lo mismo que yo: una parte de mí, así como el propio impulso de mi gestación, desde que asesiné. Además, si lo contara, me creerían chiflado y se pondrían a burlar de mí. Nadie puede comprender lo que me ha ocurrido. Para la gente, todo aquello que ignora está cerca de la locura o del misterio. La realidad es siempre convencional en ellos, apropiada sólo a los sentidos vulgares. . . Si la verdad fuera para todos la misma que es para mí, entonces, claro, dejaría de ser una locura lo que digo o dejarían de tomar como locura mis palabras. ¿No ha oído usted decir que los caballos ven las figuras aumentadas cinco veces su tamaño natural, o algo así por el estilo? Pues, preguntaría yo, ¿quién tiene razón, el caballo o el hombre? ¿Lo ve usted, lo ve bien? Y cuando le cuentan a unos viajeros ilustres que ciertos pobladores de la India levantan a los hombres por el aire. . . ¡Nada, Margarita, el hombre común es un idiota y un infeliz! Yo soy, claro, una excepción: el crimen me sirvió de palanca para dar el salto, y casi puedo decir que no tengo nada que desear, como no sea una paz inmóvil.

"Debo cansarla a usted con estas digresiones. Pero quiero decírselas, porque es la manera más real de hacerle saber cuánto la amo. . . A nadie más dijera. . . A nadie más tendría el derecho de abrir mi corazón. . . Sólo a usted. . . De lo demás, de lo trivial, que aún me circunda, poco tengo que hablarle. ¿Le iba a contar, por ejemplo, que el nuevo director, desde que se hizo cargo del puesto, y de esto debe hacer muchísimo tiempo, prohibió las visitas de las mujeres y hasta la pobre Ana Chiluiza está prohibida de visitar a su marido? ¿Se acuerda usted de Ana Chiluiza? Usted fue casi su madrina de bodas y yo el testigo. Aún tengo presente ese diálogo, un diálogo casi sin palabras. . . Cuando le hablaron al director, se limitó a responder una grosería y se puso a gritar que se aguantaran las ganas hasta que salieran del presidio. . . ¡Qué hombre tan vil!

"En cuanto a mí, en cuanto a mi vida ordinaria y común, como dirían los excesivamente terrenales, estilo Sebastián Casal, por ejemplo, sigo ocupadísimo en la construcción del ropero para el director. Tengo regular apetito, por más infame que sea la comida. Y, perdóneme usted, Margarita, bebo más a menudo que antes. He advertido que el alcohol no me hace ningún daño. Antes, en cambio, al día siguiente estaba enfermo; ahora, me levanto como si nada me hubiera pasado. . . El director nos hace levantar a las cinco de la mañana, pero, francamente, yo estoy despierto desde las tres o cuatro, que es la hora mejor para mi pensamiento. . . Durante el día, trabajo con amor. Lo hago bastante bien. Y no es cosa fácil, no se lo vaya a creer, pues las medidas tienen

206

que ser muy exactas y hay que poseer cierta habilidad hasta para clavar un clavo. Es muy entretenido ver como la obra va creciendo al impulso de las manos. Se comienza, fíjese usted, con nada: cuatro pies, unidos por cuatro travesaños, arriba y abajo. Eso sí, bien derechitos y bien clavados o encolados. Nada más ¿Se imaginaría usted, Margarita, que de allí iba a salir un ropero? No es tan fácil como hacer dulces. . . Vamos, no se moleste, que es una broma inocente, mi Margarita buena. . . Bueno, después, vienen las paredes, los grandes tablones que cepillé sin que se enredara un hilo sobre la madera, las puertas y la cornisa. Le he fabricado unas muy bonitas repisas. Lo único que no me gusta es la calidad de las bisagras, que he tenido que colocar porque no me han dado otras. Pero si viera usted los tableros de las puertas que lindos me han quedado. . . Los he construido con toda la paciencia necesaria, fijándolos en los largueros, con una entalla a la inversa, con su respectiva moldura para que cierren herméticamente. Le aseguro a usted que hasta la última y más insignificante espiga ha sido hecha con cariño. . . No porque el mueble va a ser usado por el director. Simplemente, porque se trata de una obra mía, y todo lo que yo hago debe hacerse así. . . ¡Si yo mismo me he hecho de esta manera! ¡Yo tengo, Margarita, una ensambladura perfecta! ¡Mis gárgolas y ranuras ajustan sin dejar un milímetro de aliento! ¡Y los momentos curvos de mi existencia están recubiertos con trozos a contrahilo! Sí, yo soy como los muebles que fabrico. . . Exactos, bien medidos, con cepilladura maestra, llenos de nobles incrustaciones. . . ¡De viruta, Margarita, pura viruta de sueños!''.

# XXI

## NAUFRAGIO

La existencia es una cosa eminentemente vegetativa. Lo he podido comprobar: cuando se llega, como yo, a la conciliación íntima, nada transcurre con prisa ni nada se tuerce: sólo se extiende despacio, con impulso vital que transcurre de por sí, sin que nadie ni nada lo agite ni conmueva. Se crece, se ase uno de cualquier asunto, y ya se está viviendo. No tengo, ahora, más preocupaciones que las que me proporciona la vida de Margarita y la lucha que sostengo con Sebastián Casal. Todo lo demás se va haciendo de por sí. Cada día me interesa menos la gente que me rodea. Me ligan lazos a don Pablo Durango, pero no puedo llamarlos de amistad. Es algo más simple: la necesidad de hablar y de oírme mis propias palabras. La amistad se enlaza con el alma y la empapa íntegramente; es elevación y abnegación. Claro que el viejito es simpático. Además, yo debería ser grato con él: me ha defendido del negro Jaramillo y ya no le temo a este hombre. Sin embargo, yo creo que don Pablo lo ha hecho por deber de conciencia, muy explicable en él, pero no porque me haya querido favorecer. ¿Entonces?

La vida de Margarita me preocupa bastante. Tengo un montón de cartas. El paquete es tan grande que ya es difícil ocultarlo. Todo me lo cuenta, pero no ha querido venir a verme hasta ahora. Me dice que vendrá, que de repente se presenta. Ya casi ha dejado de interesarme su visita. Me he acostumbrado a mirarla de lejos, como una sombra más de tantas sombras amigas y enemigas como tengo. Sigue viviendo en la misma casa que arrendó no sé cuándo. La vieja, esa amiga que le propuso el negocio, murió. Margarita es ahora la única dueña y dice que le va bastante bien en el negocio. Me parece sospechar que hasta ha comprado la tienda de licores de la planta baja, porque siempre me habla de eso y de los parroquianos. Muchos oficiales van a beber allí y me ha hablado de un gran número de tipos, de tan gran número, que se me confunden. También van estudiantes y viejos verdes. En veces, hay disgustos. Cierta ocasión, se han estado divirtiendo durante tres días. Allí, en la tienda, hacen comidas: locros, choclotandas, timbushcas, caldos de pata, picantes y mucha chicha. Margarita se pone muy graciosa cuando me dice que le ha llegado a gustar mucho el cuy y que sabe prepararlo ella misma de una manera que se chupa los dedos. Pero lo que más se consume en la tienda es la cerveza. Una de sus amigas, Hortensia, a quien llaman la Tigrita, es una muchacha atolondrada. Todo me lo ha contado hace poco Margarita. Tiene muchas quejas de ella, pero la quiere y como es la más bonita, la soporta. Ha tenido amores con uno de esos oficiales. La Tigrita parece una mujer muy celosa y siempre tiene peleas con su amante. No le es muy infiel, sobre todo, cuando él está presente. Dice que lo quiere, aunque sostiene también, a ratos, que se trata sólo de un camote, de un capricho. Lo que pasa es que le gusta mucho el uniforme y las gorras y las espadas y las charreteras. Baila en exceso, sin descanso. Es, según me dice, una mujer muy bonita, y de buen cuerpo, con mucha sal y con mucho ingenio quiteño. Se ha aprendido, me explica Margarita, unas maneras lindas de mujer de teatro, porque quiere pasar como bien educada. Apenas recibe un amigo, casi siempre envuelta en una kimona azul que le regaló un turco dueño de un almacén, le pregunta lo que desea servirse. Dios sabe de dónde ha obtenido una mesa licorera. . . Pero a la Tigrita le gusta emborracharse y se muere de ganas por bailar. Y el otro día han tenido una pelotera tremenda. Entre hombres y mujeres. Rompieron la victrola y un gran cuadro, con marco y todo, del Corazón de Jesús. El saloncito quedó hecho añicos, según me lo asegura. Y las copitas verdes para los licores fuertes, se perdieron en la trifulca. El escándalo ha sido tan grande, que Margarita ha sido citada a la Comisaría y le han puesto una multa y la han amenazado con no sé qué penas y sanciones. Está muy acongojada la pobre. . .

Yo no sé, pero es extraño lo que me ocurre. . . Nada de estas menudas cosas me interesan en el fondo. Están, como si dijéramos, sólo en la piel. Sin embargo, las cuento por gusto, por escribir, por llenarme de las cosas de Margarita. Con respecto a ella, también mi amor ha tomado un color muy pálido. . . Es como amar a lo remoto, como si hubiera sido mi compañera durante cincuenta años y me hubiera cansado un poco de ella. . . Se me ha escapado sin querer esta palabra. Tal vez no es así. Aún me visita entre mis sombras queridas y aún le tiendo los brazos. Pero me parece una hermana. Así, igual, de la mensura sentimental que mi hermanita Blanca. . . La verdad es que no puedo prescindir de ella. Le entregara todo mi tesoro. Me descubriera el pecho entero para que pudiera leer y aprender en mí. Lo que ocurre es que mi creación se va logrando mejor, y, claro, voy siendo más indiferente a los hechos reales. Es un fenómeno que no he podido hacer entender a Sebastián Casal. ¡Ah, este hombre! ¡Es un malvado! Y asegura que ama al hombre. . . Es igual a un demonio que me tentase a diario. Sé que ha dicho que tiene que convencerme y hacer de mí un hombre útil, porque dice que tengo ciertas cualidades. ¿Qué entenderá por útil ese loco? Yo no sé bien que es lo que, además, se ha puesto a regar por allí, pero la verdad es que los presos me miran con el rabillo del ojo, se ríen ocultamente de mí (yo los veo aunque ellos crean que lo hacen muy disimuladamente), y hablan a boca chiquita. . . En veces, tengo la impresión de que me persiguen y me encuentro solo, con los brazos delirantemente abiertos, en medio de mi grande y bella casa de piedra. ¡Tú serás la que nunca me has de abandonar! Te conozco tan bien, penetro por cada uno de tus sentidos con tanta delgadez. . . Soy, como cualquiera de tus piedras, una estructura en sí misma y mis alas tienen la misma dureza trágica que las tuyas hacia el cielo o hacia la nada, pero siempre encima de todo, con aquella majestuosa inmovilidad que da el conocimiento de lo eterno y que se encuentra, precisamente, en lo veloz, en lo raudo, en lo que viaja más ligero que la luz y el pensamiento. . . Es la eternidad. La entiendo. Es un tema que no he podido jamás hacer entender de nadie, sobre todo de Sebastián Casal, porque, en seguida, me ataja el paso con sus teorías. Ayer no más me ha hablado de un montón de cosas que dice que van a suceder. Aviones, bombas, estallidos, guerras, y todos nosotros, aquí, deshechos, destrozados, sin historia, sin anhelos, sin geografías. . . Era mientras comíamos. De repente riendo, me dijo:

—¿Qué le pareciera, mi amigo, si en vez de esta porquería que comemos, tuviéramos un apetitoso manjar en la mesa?

—¡Qué pregunta! Para usted tendría mucha importancia. Para mí, ninguna.

—Es que yo no lo digo por mí.

—Oiga —continuó acercándose a mi oído—, oiga, Ramírez, ¿no cree que sería muy bueno que todo el mundo, especialmente los pobres, pudieran comer buenos y sanos manjares?

—En efecto, sería muy bueno.

Se retiró de mi cabeza, y dijo:

—¿Lo ve usted? En el fondo piensa lo mismo que yo, sólo que le falta todavía. . .

—¿Que yo pienso lo mismo que usted? ¡No faltaba más!

Sebastián Casal se echó a reír. Reía como un demonio. Después me habló de sus teorías y de la salvación del hombre y del proletariado y de la revolución.

—Mire —me dijo—, el mundo está en crisis. Ya pasará. Y entonces. . .

—Desde que la paloma del Espíritu Santo descendió a poseer a María, el mundo está en crisis. . . Lo sigue estando, porque nadie lo ha entendido, ni usted. No hay más que una manera de salvar la crisis, o lo que sea: superándose humanamente, volviendo los ojos a lo íntimo. . .

—¡Bah!

—Escuche, usted, hombre terrenal. El espíritu. ¿Ha visto alguna vez una tempestad? ¿Ha contemplado alguna vez en su pobre vida una luz cegadora? ¿Sabe usted algo del mundo de las sombras? ¿Cree usted firmemente que la felicidad sólo radica en comer? El sustento del alma es lo que importa, pero ese plato no es para su gusto, que está extraviado, extraviado. . . Yo, mire, no creo en nada, pero creo en mí. Y si todo el mundo creyera en sí mismo, todo el mundo estaría salvado. . . Yo también conocí la sociedad que usted repudia y me libré de ella. . .

—Usted no ha conocido nada. . .

—¡Cállese! La conocí y la soporté. . . andaba por las calles cargado de sus mismas preocupaciones. . . Mi tránsito era pesado. . . pero lo arrastraba. . . Un buen día, lo que todos tenemos adentro se me paró en mitad del corazón, y maté. ¿Sabe usted que maté? Desde ese instante, di un salto sobre todas las normas que temía, y liquidé con el mundo. ¿Cómo quiere usted que vuelva a él? Yo, mire usted, me siento como un muerto, pero que tiene su vida, la vida que no puede suprimir nadie, ni la misma muerte. Estoy sobre ella. Cuando llegue el momento de abandonar mi yo físico, no moriré. Seguiré con mi tránsito, a cualquier parte, puesto que ya el mundo de las sombras no me asusta. . . Para que usted pudiera entenderme, es menester que usted primero sienta como yo lo que es haberse muerto. . . Sería mejor que usted muriese. . . Entonces, se olvidaría de esas bagatelas. . . De la guerra y de la sangre y de la violencia. . . La estación en la violencia es sólo buena cuando sirve para la excelsitud espiritual. Puede ser el amor o el asesinato. No importa. La pena, el dolor, el miedo ya no existen para mí. Yo se lo puedo probar a usted. Por ejemplo, no me daría ninguna pena que usted muriese y hasta yo mismo podría matarlo a usted sin ninguna repugnancia.

Sebastián Casal me miró a los ojos y no replicó nada en los primeros segundos. Luego, ajustando la boca —su gesto habitual cuando le venía la cólera—, se puso a hablarme en términos hirientes.

—Usted está loco, Ramírez, no hay duda que usted está loco. Sí, ya lo veo que sería capaz de matarme. Pero, ¿sabe cómo? Entre las sombras, cuando no corriera usted ningún peligro, cuando nadie lo viese, cuando yo no me podría defender. Es usted un pobre desgraciado. . . Me da pena. Lo entiendo más de lo que se imagina. ¡Tiene razón! ¡La sociedad no necesita de individuos como usted! Le hacen daño. Hay que ponerlos al margen, por cualquier medio, no importa cuál.

—Está hablando como un fonógrafo. Lo más antipático y pestilente que sale de su boca es cuando habla de cosas que no son suyas, de los dogmas que aprendió usted en los libros.

—Le prohibo que me hable en ese tono.

—¿Prohibirlo? ¿Qué es usted para que me prohiba a mí nada? Yo estoy con los pies en su cabeza y puedo aplastarlo. Mi fuerza radica dentro de las cosas que usted no ve. Usted no me pondrá nunca al margen. Yo ya lo he puesto a usted, puesto que no me intereso por su vida. Usted me persigue porque me envidia. ¡Váyase! No tiene nada que hacer usted en este mundo ni en esta casa. Es usted un intruso.

—Pobre hombre...

—¡Ja! ¡Ja, ja, ja! Pobre hombre... ¿Se atreve usted a compadecerme? Mire un poco hacia afuera: la noche. Saque usted más la cabeza y se la romperé con lo que no comprende. Se le encogerán los miembros. Usted, sería, por ejemplo, incapaz de andar en la media noche por un bosque perdido. Tendría miedo de los árboles y de las pausas fantásticas que hay entre la selva. No, usted no podría, temblaría de miedo, no podría dar un solo paso. Si extendiera las manos, todo se le escaparía... Mire usted bien, allá, hacia el techo: ha oscurecido. ¿Quién camina por arriba? ¿De dónde salen las voces subterráneas? ¿De dónde viene el gemido de las cosas? ¿De dónde viene corriendo el viento para hincárle a usted en los ojos? Nada puede saber usted. Lo único que usted necesita es llenar su barriga, comer a sus horas, gritar como un idiota y hablar de la justicia social. ¡Bah! ¡Qué lástima me inspira usted!

—O imbécil o loco. Una de dos.

—¿A quién se refiere usted?

—Mire, Ramírez, hago un esfuerzo grande por contenerme, pero es que no puedo. ¿Sabe las ganas que me dan? De levantar la mano y abofetearlo, por su bien. Ya sé que se quedaría usted pálido, tembloroso, y no haría ni un solo ademán por detenderse. ¿Esto también es cuestión del espíritu? No. Es que usted está deshecho, molido por la época y por su crimen, que fue producto de la época. No tiene remedio. Lo mejor que puede hacer usted es pegarse un tiro, o clavarse un puñal en el pecho. Hay mil maneras de matarse. Mátese, usted, Ramírez, mátese usted de una vez...

Sus últimas palabras las había pronunciado en pie. En seguida, se marchó. Yo no supe qué hacer. Efectivamente, si me hubiera abofeteado, es posible que no hubiera yo hecho nada. Para defenderme, hubiera tenido, que estar muy exaltado, y, en verdad, no lo estaba del todo. ¡Canalla! Es él quien debe morir. El solo y no yo. Sí, si me hubiera pegado, no me habría defendido... Pero me hubiera deslizado más tarde, por su celda, me habría ocultado, habría esperado el mejor momento y le habría clavado un cuchillo en el corazón. Sería interesante saber de qué color y de qué grueso es la sangre de este hombre. Saber cómo corre y de dónde le viene. ¿Cómo habría muerto? ¡Quién sabe! Se hubiera puesto a insultarme antes de morir, y, entonces, yo habría tenido que darle otra puñalada y otra y otra para callarlo. Me sería muy difícil desclavar el cuchillo, pero yo lo arrancaría de sus carnes pegajosas, lo sacaría con todas mis fuerzas, y vería cómo su boca se quedaba en pura mueca. . . Sí, si me hubiera pegado, yo lo habría asesinado. . . Yo asesiné mis sueños dulces y mis anhelos de gloria. Yo maté a mi misma Clemencia. Yo me maté hace tiempo a mí mismo. Yo lo he matado todo. . .

Me levanté despacio y me puse a dar vueltas por los corredores. Era exasperante el estado en que me ponía Sebastián Casal. Me agitaba, como cuando antes me entraban aquellos accesos de intenso dolor. Caminaba yerto, como una sombra delgada. . . Beber. Sí, beber. . . Me procuré aguardiente. Me lo dio el profesor de música. Estábamos los dos al filo del barandal de hierro. Veíamos un pedazo de cielo. Un cielo con estrellas. El profesor comenzó a hablar de sí mismo.

—Usted que es un intelectual, debe comprender lo que yo le digo con respecto a mi música. . . Pronto, un nuevo disco. . .

Lo tomé del brazo, arriba, y se lo ajusté tanto, clavando en él mis ojos encandilados de rabia, que él se asustó. Yo no lo solté. Y así, con el placer de hincarle mis uñas, le dije:

—¡Cállese! No diga nada. Vea la noche. Vea usted las estrellas temblando en el cielo negro. ¡Ja, ja! ¿No le gustan? ¿Qué es usted aquí, junto a mí, junto a mí? Un harapo. Levante la cabeza. Está usted borracho, insoportablemente borracho. . . ¡Ja, ja!. . . Mire la noche. . . Contemple. . . Hínquese. . . ¡Silencio! Aguardiente. . . ¡Ja, ja, ja! Ya he contado yo trescientas estrellas y las tengo en el puño. Mire hacia aquel lado. . . Con este dedo mágico voy trazando rayitas imaginarias entre una estrella y otra. . . Y ahora, hay una osa grande con hocico de perro y un coche con un pastor. . . Y más allá, mire, hombre pequeñito, las cuatro estrellas acostadas. . . Dicen que es una cruz. . . ¿La ve? ¿La ve, usted?

—¿Qué le pasa, don Nicolás?

—Silencio. No rompa nada esta noche. Se le puede quebrar la cabeza como si yo, por ejemplo, se la golpeara con un elefante de bronce. . . Se le va a quebrar. . . Y tendrá usted, entonces, el pecho hediondo a sangre y sucio, y no podré tocarlo ya más. . . Levante la cabeza, le digo, y mire. . . No siente usted el frío que hay detrás de las estrellas. . . ¿No lo siente usted? Allá no hay nada. . . Pero hay millones de años humanos y los espacios tan grandes no son tan grandes como mi dedo meñique. ¿Cree usted en el espacio y el tiempo? Mírelos, allá están. Le están dando vueltas encima de su cabeza, hombre. Déme usted la botella. Bebamos con las estrellas y con el frío y con aquello que no tiene color, donde ya no se respira, donde no hay ni un grito, y donde todo es negro, negro, negro. . . Como un naufragio. . .

No sé lo que pasaba por mis ojos. El profesor de música temblaba, y aun así no osaba marcharse. Yo seguía clavándole las uñas.

—Déjeme el brazo, ¿quiere? No me voy a ir.

Lo solté. Me retiré un paso y le clavé ahora mis ojos en vez de las uñas. Quedé satisfecho de mi experimento: ahora no podía irse de ninguna manera, de ninguna manera. . .

—¿Qué dice usted, ah? ¿Está con pena? ¿Está con miedo?

—No tengo nada, don Nicolás. Creo que hemos bebido mucho, demasiado. . . Llevo veinte años aquí enseñando música. . . ¡Ya no quiero más, don Nicolás! Y estoy un poco triste. . .

—Veinte años. . . ¡Ah, sí! ¡Ja, ja! "Disciplina, Trabajo y Honor". . . "Disciplina, Trabajo y Honor". Oiga, músico, cantemos, ¿quiere? Pero, antes, un trago más, trago bien largo. . .

Y nos pusimos a cantar el himno al trabajo. Lo hacíamos a media voz. Yo le había pasado un brazo por el cuello y me sentía contento. Pero, de súbito, cuando tuve bien cerca de mis dedos la piel de su cuello, me entraron unas ganas terribles de ajustarlo. . . Retiré el brazo y me callé.

—¿Le daría a usted mucho miedo morir?

—¡Oh, don Nicolás! No pienso morirme todavía.

—¡Quién sabe! Nadie sabe cuándo. . . Nadie sabe. . .

Callamos. Un silencio denso nos envolvía. La silueta de un guarda se movía por el filo del techo.

—¿Pero qué le pasa, don Nicolás? Está usted llorando.

—¿Yo?

—Sí, don Nicolás.

Me pasé las manos por los ojos. Era cierto: estaba llorando.Sequé mi llanto como pude. El profesor de música me miraba abismado. Cogí la botella y la junté a mis labios. No había una gota. La arrojé contra el patio.

— ¡Don Nicolás! Hace usted bulla. . . ¡Don Nicolás!

No respondí. Levanté las miradas a la noche y quise perderme en sus laberintos. Quería estar solo. Extendí la mano al músico. Se la apreté cariñosamente. Luego, me volví. No regresé las miradas ni un instante. Llegué a mi celda. Los pies me pesaban, me pesaban mucho. Abrí. Sin desnudarme, caí sobre mi lecho y crucé las manos a la altura de mis ojos. Tenía el presentimiento de que se me querían escapar y yo iba a quedar ciego para siempre.

## XXII

## PALABRAS ENTERRADAS

Tenía que llegar. El presentimiento me había atenazado en los últimos días. Habían transcurrido como si fueran de plomo. Dulces y pesados y grises, pero se podían torcer como una bola de plomo. . . Desde la más tenue luz de la madrugada, la lluvia de plomo caía sobre mi frente. Una pesadez no sentida antes hacía flojos mis brazos y las rodillas se movían, dobladas, con gran esfuerzo. Lo leía en los ojos de todos. ¡Pero no lo quería saber! Y lo sabía. . . Tenía que llegar . . . Jamás pensé en esto. Ahora. . .

Es la piedra. Es la voz de la piedra. Su lengua dura y alta. Su lengua dura y de fuego. Su lengua de cenizas y de polvo. Es su voz: la conozco. La escucho en cada momento, como a campanadas. Y la tengo metida en los ojos y no puedo mirar recto. La piedra. ¡Cómo la torturaron! ¡Cómo la apedazaron! ¡Cómo le hicieron brotar el brillo a pesar de su dureza áspera y noble! La dominaron, la hicieron maleable y la encerraron dentro de un sentido de hostilidad. Las mingas de los indios maleables venían trotando. Y caían encima de ti y te iban dando una forma, una forma suprema de dolor. Es la voz de la piedra. Cobra tu deuda, amiga piedra. ¡Oh, Pena! maravilloso! Mundo que nadie alcanza. Porque cuando se sabe de él, ya no se es el mismo. . . La piedra se ha metido en el alma. Y si el alma no la soporta, es la carne

217

que sale destrozada. Los miro, los señalo: flacos, pálidos, inciertos, vomitando pedazos de pulmones, con el estómago delgado como una sucia tela prensada. . . La piedra los consumió. . . La piedra se ha vengado. . . Es su voz. . . Su dura voz de siglos.

Pero, ¿por qué a mí? ¿Por qué de mí te vengas? He sido tu amigo por un momento de la eternidad. He pegado mi dolor junto al tuyo. Y conocí tu vida, desde el origen de tus tinieblas. Cuando te levantaron y cuando te dividieron como los brazos de los muertos cruzándose por el cielo. Así nacieron tus hechos. Así también te pintaron en negro. Cuando tus ventanas y puertas fueron rojas. . . Cuando los hombres que te cuidaban eran negros también y brillaba en las manos amarillas el largo látigo de la punta de fuego. . . Te veían los ojos del tirano. . . Negros como tus paredes interiores. Negros como el mar que gritaba en tus entrañas. Olas de piedra. . . Olas y espuma de piedra. . . Olas mezcladas a tu voz de almas perdidas en tus pasos. . . Almas entre los agujeros que hay debajo de tu tierra. . . Almas por todas partes. . . Y la mía, ¿sabes?, tiene la misma lengua de piedra que tu lengua. . . Tiene los mismos ojos sin fondo. . . Tiene las mismas manos de dedos abiertos y morados. . . Tiene las mismas uñas sucias que salen de lo incierto para arañarte en los sueños de fugas. . . Tiene la misma voz, la que sale del pecho. La voz que se me rompió adentro. . . La voz que me ahogaron. . . La que tú sólo escuchaste. . .

No te vengues de mí. Busqué tu paz, tu paz de sepulcro. Estaba bien contigo. Casi te poseía. El frío de tu piedra hacía mi sueño temprano y listo. Y mis madrugadas eran frescas como las primeras luces y los primeros cantos sin palabras. . . ¡Penal rígido! ¡Penal helado! ¡Penal maravilloso! Sábelo bien: yo no soy un hombre. . . no soy. . . mírame. . . Aquí, a mis ojos. . . Mira mi frente clara. . . La transparencia de mis manos. . . Yo no soy un hombre. . . Yo soy, como tú, apenas una piedra. El diágolo se me ha muerto también. Y es un diálogo de piedra. ¡De piedra inmóvil como los ojos de las estrellas en las noches en que los muertos salen a buscar agua para la sed de los siglos! ¡De piedra inmóvil como los pasos que no se oyen, pero que se sienten en la carne erizada! ¡De piedra inmóvil como este pedazo de alma que aún me queda entre la fuga de mi sangre!

Tenía que llegar, porque todo es piedra, desde la montaña hasta el océano. Me dejas. Yo no me voy. Pero si me echan, si me lanzan a buscar lo que no quise volver a encontrar jamás. . . Si me hostigan con las pasiones humanas. . . Si vuelvo a sentir el mismo peso en mis espaldas. . . Si otra vez me van a estrangular el corazón. . . Si nuevamente el látigo de los hombres me caerá en las mejillas. . . Yo volveré, mi casa de piedra. . . ¡Yo volveré! ¡No importa cómo! ¡He de venir a recogerme en tu seno. . . He de retornar, como el hijo pródigo de una Biblia profana, a comer de tu pan hasta que muera!

Cinco días que me agito en vano. Cinco días que soporto la tormenta sobre mi corazón. Ya no tengo voluntad para nada. Han conseguido domarme. Camino porque aún obedezco a la ley. Tengo largos silencios, tan largos que mis camaradas se quedan mirándome con pena. Ya nadie se burla de mí. Ya nadie me esconde los ojos. Y hasta Sebastián Casal no me ha dicho una palabra mala. Es que me tienen compasión, lo sé bien. Alguno de ellos sentirá lo que me duele. Alguno entenderá lo que transita por mis caminos. Tal vez no. Debe ser mi cara, mi rostro, mis lágrimas que no guardo.

Hoy me siento cansado. Mi respiración es lenta y me va arrancando pedacitos de pecho. Miro todo aneblado. Y cuando sale el sol, la luz se quiebra en mil pedazos contra mi sombra.

Me lo notificaron oficialmente. Jamás pasó por mis ideas la cosa mala con alas tan negras. No tuve el valor de recibir la noticia en pie. Un ahogo me tomó por la boca y me la hundió. Comencé a temblar. Mis mejillas deben haberse puesto muy blancas. Me tambaleé y caí. Cuando volví a medias de mi postración, ya todo había pasado. Ya todo era cosa hecha, acabada, y no había nada que resistir. Quedé con los ojos sonámbulos, y dejé que las cosas marcharan solas, sin una intervención de mi voluntad.

Quiero atormentarme en el recuerdo hasta que brote yo todo entero como una llaga que nadie podrá curar. Es mi placer. Sentir tan adentro esta ruina que han hecho de mí, que ya, después, no tenga nada en qué sentir ni nada en qué pensar. Voy a repetir las palabras. Fue muy sencillo. Me lo advirtió ligeramente un guarda. Me entraron unas ganas locas de correr, pero me llevaron a la Dirección.

—Nicolás Ramírez , tenemos una gran noticia para usted.

No respondí ni con un gesto. Apreté las mandíbulas. ¡Y

cómo hubiera querdido estar sordo!

—Nicolás Ramírez, su condena se ha cumplido.

Fue entonces cuando perdí el conocimiento y caí. Luego me lo explicaron con detalles. Tenía rebajas pequeñas otorgadas por mi buena conducta. Aún me quedaban cinco días para preparar mi salida. No sé cómo he podido vivirlos. Me ponía a verlos , a contemplarlos, a sentirlos pasar. El estado de mi espíritu era de acecho, por lo que no podía concretar mis ideas. No asistí al taller ni me lo exigieron. No hacía más que escuchar la voz de esos cinco días, sentado por cualquier parte, todo yo turbio y sin esperanza.

Hoy debo marcharme. Se acabaron mis cinco días de angustia. Me hallo en el último, resbalándome sin querer hacia la puerta de este final incomprensible. Han consentido que almuerce en el Penal. No lo he pedido yo: me han convidado. Terminado el almuerzo, quedé en el patio, de pie, como una estatua de piedra. Me senté luego, porque no podía mantenerme sin marearme en esa postura, y me dediqué a estrechar las manos de los que venían a felicitarme. Sebastián Casal también lo hizo:

—Sinceramente, Ramírez, me alegro. Vuelva usted a la vida: le hará provecho. Excúseme si le he causado molestias: mi intención no era mala. Sé que no se lo puedo explicar, pero. . . ¡Que le vaya bien, Ramírez!

No le dije nada. Mis miradas se dirigieron hacia el suelo arenoso y pardo y esperé que se marcharan. No sé el tiempo que estuve sentado, en la tierra, contemplando fijamente mis ideas que se habían adherido al muro. Me tocaron el hombro. Era don Pablo Durango.

—Don Nicolás, venga usted. Lo quiero ayudar a hacer sus cosas.

—No tengo nada que hacer, don Pablo.

—Vamos, ya es hora.

—Aquí me quiero quedar un rato más, don Pablo. Déjeme usted.

Don Pablo no respondió. Tomó asiento a mi lado y me miraba.

—Mucho se le ha pegado esto, don Nicolás. Así pasa a veces. Yo tampoco extraño nada, pero me irrita estar por obligación. Se le ha pegado mucho esto. . . ¿No cree, usted, don Nicolás, que ya habría que irse alistando?

—No, don Pablo, ¿para qué me voy a alistar? No es necesario. Me puedo ir así, en cuanto me echen. . .

Don Pablo Durango era un buen hombre. Seguramente, es el único hombre bueno. . . A mí me parecía de tan buen carácter, de tan sencillo corazón. . . Y había asesinado dos veces. . . Tal vez por lo mismo conocía mejor de los sentimientos humanos y su alma era una reserva de ternuras. No me insistió. Dejó que yo mismo fuera cediendo. Cuando él se imaginó que mi estado era mejor, me dijo suavemente:

—Ahora sí. Tiene que hacerlo, don Nicolás.

Lo seguí sin responderle, hasta mi propia celda. Mis pasos eran muy débiles y me sentía tan escaso de fuerzas, que don Pablo hizo todos mis paquetes. Encontró mis papeles y me preguntó qué eran:

—Nada. Apuntes, apuntes. . . Envuélvalos en esa camisa. . . No sirven para nada, don Pablo.

No me servían mis apuntes. . . Y mis cartas tampoco. . . Doblé, desolado, la cabeza sobre el pecho.

—Don Nicolás, usted no puede salir con esa ropa.

—No tengo otra.

—Le voy a traer. Espérese un momento.

Don Pablo me trajo ropa. Me ayudó a vestir. Era un traje negro y viejo. La americana era extremadamente corta, mucho más alta que el borde de las mangas, pero no le hice caso. También me trajo un sombrero, de copa chiquita y muy alón, cuyo paño café estaba muy sucio, y me lo encajó en la cabeza.

—¿Estamos listos, don Nicolás?

Me puse en pie. En la puerta de la celda, volví los ojos a todas las paredes y a esa reja de mis sueños. Ligeras nubes pasaban por entre los hierros. Se iba a quedar vacía mi celda. Tantos años acogido a ella. . . Era una despedida muy rara la mía. Yo hubiera querido echarme al suelo, besarlo, fregarme en las paredes, agarrarme con todas mis fuerzas de mi ventana querida. . . Y no hice nada más que mirarla, con estas miradas que cada vez se alejan más por los horizontes no descubiertos. Me vi afuera. Estuve en La Bomba unos minutos, porque allí me esperaban algunos camaradas para darme el último adiós. ¡Amiga Bomba! ¡También tú! Yo quiero correr por tus entradas y salidas, quiero montarme en tus fierros altos y mirar desde arriba esta cárcel que no tiene los sueños amarrados en la pura latitud del corazón. Todo se ve desde La Bomba. Posee mil ojos. Un sentido sale de tu herrumbre. ¿Es qué, en verdad, no volveré a ti? Quedas atrás, a mis espaldas, pero ya camino por uno de tus brazos y no eres capaz de recogerlo y llevarme a ti. Te dejo. Y me estoy enfriando. Mis pies están helados y mi boca tostada. Mis manos, duras y rectas como el yeso de los muertos.

En la puerta me dieron algunas indicaciones. Don Pablo me entregó mi paquete, mi gran paquete de trapos y de papeles, anudado arriba para que pudiera tomarlo cómodamente. En mi bolsillo sentía el bulto del dinero que, antes, no recuerdo en qué momento, me habían entregado. Dinero por mi trabajo me dijeron que era. Para que hiciera buena vida, para que fuera un hombre honrado, para que me condujera con rectitud. Mi carne hace tiempo que dejó de temblar.

Era de tarde. Comencé a bajar muy despacio. Me molestaban las angostas mangas y la americana tan corta me hacía creer que la habían hecho así para burlarse de mí.

Había llegado a la calle. Caminé unos pasos, mirando para atrás, volviéndome a cada instante. Allí estaba mi casa de piedra. Y arriba, sus brazos se cruzaban inmóviles. Un llanto ardiente me rodó por las mejillas. Yo no era un caín, y si lo era es porque en la vida me habían dado ese papel. ¿A qué hermano maté? La calle se rodaba hacia abajo, se metía por un callejón chiquito. Y yo me podía caer. Me podía caer por algún lado. Y entonces allí, caído, quedaría para siempre, sin sentido, sin ningún sentido de nada.

El cerro estaba aún dorado. No se movía ni un árbol. Y eran muy altos. Un montón de casuchas se apiñaba y a la derecha, el cerro se había descarnado de verde, mostrando una piedra como de barro cocido. Más atrás, el otro cerro, los otros cerros eran azules. Me di cuenta que el Panóptico estaba en un hueco, entre los cerros, entre esas colinas mansas, entre una gran pausa de roca.

Pero era de torcer por esa calle angostita y sucia, de menudos guijos erizados. Me paré en el filo y volví a mirar hacia arriba. Sólo pude ver un costado, la bajada que había hecho, y los centinelas de uniforme azul oscuro. La piedra comenzaba desde abajo. Una caseta redonda y con rejas sobresalía como un granito.

Me senté en la vereda de esa calle que me iba absorbiendo. El sol oscurecía tras de una nube inmensa. Empezó a garuar. Me refresqué la cara con la lluvia. Y seguí mirando. . .

Un muchachito se me acercó:

—Oye —le dije, contemplando sus ojos bobos— ¿por dónde se va a la Magdalena?

—Baje, baje más, señor. Llegará a carrera Ambato, si tuerce por allá. . . Por ahí seguirá. . .

Su pequeño brazo alzado me mostraba el camino.

Tomé el atado y eché a andar. No volví más los ojos. La piedra estaba en mí. La llevaba atada a mi corazón hasta que se diluyera y se pusiera a correr por mis venas, y la sangre se me convirtiera en piedra. Iba dando trotecitos, porque la bajada era muy empinada. Las casas blancas, las casas coloradas, se inclinaban. Llovía un poco más. Se doblaban las alas de mi sombrero, de suerte que el viento me caía sobre los ojos. Las casas eran blancas, pero también eran verdes y amarillas. Casi todas blancas. De techos rojos, de balcones de rejas, pintadas con cal y con las puertas viejas y ocres. Me rozaban las faldas enormes de unas mujeres rosadas y morenas. Un repentino olor a fruta rancia me entró por las narices. Yo me di cuenta que andaba con los labios entreabiertos y los cerré.

Llegué a la carrera Ambato. Allí estaba el letrero. Ahora tenía que subir y hacer una curva. Subir. . . Me pesaba el paquete y las manos me hormigueaban. Me lo eché a la espalda para subir. De rato en rato, descansaba. Me ardían las narices. La lluvia seguía cayendo sobre mí y el cielo estaba totalmente gris. Era un techo aplomado el del cielo y tan igual por todas partes.

En las puertas de las tiendas había mucha gente que me miraba. Uno que otro muchacho me seguía a pesar de la lluvia. El color de los ponchos me hizo daño. Y me puse a recordar el día de mi llegada. Sentía el mismo miedo, pero no había sol y el cielo no estaba alto, sino muy bajo, encima de mi cabeza, topando con mi sombrero alón. Me agaché. Era mucho peor que entonces, y tenía que subir, que subir más. . .

Las casas eran tan inexpresivas como el primer día. Iguales. Los colores de los indios se movían como manchas torpes. Pintura aguada y porosa. De los tejados caían gruesos goterones. Me gustaba un poco la lluvia. Los labios se me secaban de momento en momento. Y el ruido del viento pasaba corriendo a mi lado.

Nuevamente, me detuve cansado. El cerro, tan cerca, se podía caer. Pero también era de piedra, aunque estaba verde. Miré a mis pies. Una quebrada mal rellena me enseñaba los huecos y al filo de los huecos las casas temblando. Eran casas torcidas, de colores torcidos. ¿Cómo podían estar así las casas?

Volví a andar. Mis zapatos chillaban con el agua entre las suelas. Chillaban y yo veía sus puntas lamidas por el agua y las gotitas que saltaban a cada paso que daba. Tenía frío, pero era sólo por fuera: desde la boca hacia adentro era caliente. Entreabrí la boca y recibí la lluvia desde la punta de la lengua hasta la garganta. ¡Qué frescura! Así tenía mi Clemencia la cintura: como el agua. Y la lluvia azul se le había metido en los ojos.

Ya no había nada que subir. Estaba a la altura de las copas de los árboles y me movía con ellos. La penumbra me envolvía como si se hubiera apoderado de mí, pero yo me dejaba hacer, me dejaba hacer no más. Era una penumbra muy dulce y muy tenue. Pasé el atado a mi brazo derecho, y seguí. ¿Hasta dónde? ¿Cómo preguntar? Permanecí en pie largo rato. A través de la lluvia traté de mirar las casas de una en una. ¡Tantas veces como Margarita me había hablado de su barrio! Este era, lo reconocía. . .

Estaba parado delante de una casa. ¿Sería ésa? Tenía que ser. Me lo había dicho el corazón, porque se me puso a saltar como un pobre enfermo de mala fiebre en la cabeza. Avancé despacio, despacio. . . Haciendo que mis zapatos no produjeran ningún ruido.

Al filo de la calle, me detuve. Descendí unos peldaños de tierra. Una tienda. . . Humo. . . Botellas. . . Dos hombres, encogidos de frío, con las miradas completamente opacas.

—Busco la casa de Margarita.

—¿Qué quiere usted aquí? Es arriba. . . Suba. . .

Lo dijeron después de mirarme con desconfianza, de la cabeza a los pies. Yo comencé a subir. En cada escalón, me detenía. No quería que me acompañara ningún ruido: debía llegar como una sombra. . . Despacio. . . Una sombra de piedra con alas negras. Despacio. . . Los escalones se quejaban. Entonces, yo buscaba el sitio más seguro, tanteándolos con la punta de los pies. Me encontré arriba sin haberlo medido bien. Abrí los ojos. . . Me eché a temblar. . . ¡Era ella! No me había reconocido. . . Allí estaban sus ojos claros y su pelo brillante. ¿Era ella? Me sostuve contra la baranda. . . Entorné los ojos y volví a mirar. . . ¿Era ella? Sólo los ojos, sólo los ojos. . .

—Margarita, Margarita. . .

—No. . . ¿Nicolás?

—Sí, Margarita, sí. . . Casi soy Nicolás.

Ella también temblaba. La volví a enredar en mis miradas. . . Me acerqué. . . Sí, eran sus ojos. . . Pero no era su piel. . . No era la piel dulce que yo había visto, no eran sus manos rosadas ni sus uñas. . . No era su cara ni su risa de campana verde. . . Y los ojos mismos, tenían las miradas desde lejos.

Casi no hablamos. Después de los primeros minutos de vacilación, me tomó de ambas manos y me hizo pasar adentro. Yo la seguí tímidamente, sin abrir los labios. Me introdujo a su alcoba. Me obligó a sentar. Sirvióme una copa de cognac. Yo no hacía más que mirarla y mirarla.

—Margarita —díjele con voz ronca—, tráigame un espejo.

Lo agarré con las manos muy agitadas. Y tuve que cerrar los ojos, porque yo también estaba viejo. ¡Qué ojos los míos! ¡Qué piel caída la de mis mejillas! ¡Qué surcos los que me bajaban hasta la barba! El tiempo me había vencido. . . ¡El tiempo de la piedra! ¿También se habría arrugado así mi alma? Y mis cabellos ralos, encanecidos. . . Moví la cabeza. . . Y enseguida, poseído de un dolor que jamás me había tocado, me puse a reír. Eran risitas cortadas, chillonas. . .

—Nicolás. . .

—El tiempo, Margarita. . . El tiempo de la pieda. . . ¡ji, ji! El tiempo. . . Usted y yo. . . Tiene usted la cintura cuadrada. . . Y su folletín, ¿sabe?, su folletín se le ha escondido entre los pechos. . . Y yo, míreme, Margarita. . . Esto me ha pasado por ponerme a coger estrellas con la mano. . . Cada una temblaba y yo no sabía que allí la piedra había depositado todo su tiempo. Tomé una llave para abrir y se me secó el corazón. . . ¡La piedra, Margarita! ¡Por eso me han echado! ¡La piedra está siempre igual! ¿A quién hubiera yo dado a guardar mi tiempo? Para la piedra se necesita de un martillo. Y tampoco así envejece. Se rompe. Pero siempre es piedra, ¿verdad, Margarita, que siempre es piedra?

Margarita se acercó y sentóse a mi lado. Me calmó. Sus palabras tal vez me consolaron. Me preguntó si ya había vencido mi condena. Me dijo que no le importaba el tiempo, que estuviéramos tranquilos, que viviera allí, en un rinconcito, como un gato engreído junto a su corazón.

Afuera, la lluvia había pasado. Pero no lucía ya más el sol. La tarde, la penumbra, lo incierto se acercaban. . . Me levanté. Ella me mostró la casa, pero no la entendí. Abajo, el jardín estaba floreciendo. . .

—Quiero ir al jardín, Margarita.

—Vamos.

—No. Quiero ir solo. Se lo ruego. . .

Y descendí. Miré en mi contorno. No había nadie. Me senté sobre la tierra húmeda. Frente a mí, la loma trepaba con hondos surcos de la sementera. Una tapia roja la partía un poco, pero más allá se levantaban los árboles inmensos y todavía sus cabezas conservaban un poco de luz.

Se estaba acabando la tarde. Yo, sí, realmente, no era un muerto, pero podía morir. Y qué bello sería. ¡Ver mi muerte! Levantar un poquillo mi piel y aguaitar, como un ladrón, la sangre que se iba deteniendo. Verme morir. . . ¡Qué cosa amable! Ver hasta el fondo de mi propio corazón. Su movimiento arrítmico, de saltos, de contorsiones. . . Mi última fase de evolución. . . Y las pequeñas bolitas corriendo. . . Sí, yo debía morir. . . sí, bellamente, para convertirme en piedra. . . Para ser la piedra inmóvil y helada. . .

Pero no podía matarme. ¿Cómo iba a verme morir entonces? Se me cerrarían los ojos y no sabría nada de mi cuerpo ni de mi alma. ¡Nada de mi conversión! La muerte. Yo tenía su sentido y podía hablar sus mismas palabras. Es un sentido veloz. Posee un jadeo sobre todas las cosas, que las hace torcer o deshacerse. Yo era como la muerte: estaba en mi lengua y en mis manos. . . Podía. . .

Podía, por lo menos, hacer una piedra de Margarita. Una piedra muy hermosa. De sus dos pechos levantaría una pequeña espuma en la punta. De su boca, haría una risa que nunca más se moviera. Modelaría sus cabellos. Y en sus ojos quedaría para siempre mi imagen como un náufrago en su mar tranquilo. Aquí hay tierras y flores. Entierro mis manos en el barro. He arrancado una flor pálida. Y la voy a sembrar junto a mí. Haré un hueco. Yo mismo. Nadie me está mirando. . . Silencio. Ya. . . Ahora, puedo enterrar el tallo y dejarlo erecto hasta que muera. . . Y muy junto. . . Sí, mis papeles están aquí. . . ¡Qué se los lleve la tierra!

Margarita, no vengas aún. Todavía no cae la noche y tenemos que estar juntos como las sombras para que sea una piedra como yo. Iré buscando tu sangre. No has de respirar tan ligero como para que no pueda alcanzarte. La sangre detendrá su viaje. Levantaré, como iba a hacer conmigo, tu piel y podré mirar. Podré mirar en tu tránsito a la piedra. Habrá debajo unos cuerpecillos redondos y alargados. Pálidos y rojos. . . Y se pondrán a andar como locos, muertos de miedo, cuando no conozcan el camino de regreso. . . ¡Ja, ja! Yo seguiré mirando cómo te acabas y te purificas. Tu memoria se habrá exaltado y me contarás tus amores y los míos. Se moverán tus dedos como si quisieras atrapar los copos de algodones que vienen en el aire. Menos caliente cada vez. . . Tu cara angulosa, tu boca desprendida, tus ojos hundidos, tu color de ciruela verde, tu frente llena de perlas temblorosas. . . Y en la serena dulzura que te vendrá después me hará llorar entre tus brazos sin ningún movimiento ya. . . No vas a sufrir. . . Ningún dolor físico te molestará. . . Yo lo sé, yo lo he sentido. Te elevarás en el aire para flotar como un recuerdo. . . El aire de tu cerebro se habrá acabado. Se irá poniendo blanco. ¡Sin una gota de sangre! Y unas pequeñas manchas moradas te asomarán a la cara. Tu risa se me habrá quedado en las manos y la haré de piedra. Te dejaste caer en la trampa del tiempo. . . ¡Ja, ja! ¿Ya no eres hermosa, mujer apasionada? Pero yo te voy a hacer muy bella. Espera. . . Déjame gozar de tu caricia helada, de tu última caricia moribunda. Las contracciones de tu corazón, que aún vive, son mordidas en el vacío. Cada vez, más lento. . . Ya nadie sale ni entra por la arborescencia de tus bronquios. . . El tiempo está afuera. . . No existirá para ti. . . El tiempo de tu sangre no tiene la misma dimensión. . . Es desigual. . . Se habrá perdido la elasticidad de tu piel morena y me encontraré que tus arterias estarán muy duras. . . Mucha cosa roja. . . Muchos granos rojos. . . Todos los sueños que fabricó tu cabeza se están aplastando y superponiéndose, unos encima de otros, hasta que tu propio tiempo, el de tu cuerpo, el de tu movimiento —no el de afuera—, acabe contigo. Tendrás que respirar al revés. Virando tu corazón y buscando un aire de consuelo al encogerse. Entonces, el veneno que te han puesto los hombres debajo de la lengua se marchará corriendo por todos los rincones de tu carne, por todos los abismos de tus huesos, por todo el firmamento oscuro que hay debajo de tu piel, y no te dejará sentir ningún dolor porque ha de llegar al aposento de tu alma para dormirla. . . Yo te recibiré en mis brazos. Estaré, ávido, como un espectro junto a tu boca. Y serás de piedra. Y después yo podré serlo también. En el jardín. Junto a la única luz que sale de la arcilla cuando se la agita. Los dos. . . Me pondrás las manos, Clemencia. . . Tus manos muertas. . . Tu boca. . . Espera, yo tendré que echarme para que tengamos la misma forma. ¡Tú, Clemencia, en mis ojos! Desnuda y fría. Yo también estaré desnudo y frío. La noche también estará desnuda y fría.

La flor que sembré está temblando. La tarde sigue el viaje por el otro lado del cielo. El viento me ha arrebatado el sombrero, y lo dejo ir. . . Poseo una tranquilidad y un abandono. . . El jardín está dorado y fino. . . La tierra se hunde con las sombras. . . Es el filo de la penumbra que todo lo enflaquece. . . Yo mismo estoy delgado como el filo de un ala. . . Y mi mensaje. . . Aquí está mi mensaje. . . Sale humo de frío de mi boca. . . La tierra también se envuelve en humo. . . Amor como humo. . . Una pequeña desgarradura que atraviesa toda la vida, y nada más. . . Mi mensaje. . . ¡La paz. La Paz y tú, Clemencia maravillosa!

Nicolás Ramírez se había quedado en silencio. Apenas si sus últimas palabras fueron como un murmullo entre las hojas muertas del jardín. Lo vi inclinarse y hundir las manos en la tierra. Cavó, estremecido de fiebre, un hoyo. Luego, con las manos estiradas, alcanzó su mensaje, lo enrolló y lo dejó caer en el hoyo. Con los labios abiertos y su ridícula americana trepada, por el esfuerzo, hasta la cintura, echó tierra con ambas manos. Después, en pie, tambaleándose, miró, con la cabeza en alto, hacia los cuatro puntos del cielo, como dando una vuelta sobre sí mismo, y dijo, antes de caer :

— ¡Que se lo lleve la tierra!

# INDICE

# DE PROXIMA APARICION

—Eliécer Cárdenas Espinosa:
   LAS HUMANAS CERTEZAS

—Jorge Dávila Vázquez:
   LAS CRIATURAS DE LA NOCHE

—Fernando Tinajero:
   APROXIMACIONES Y DISTANCIAS

—Juan Valdano:
   EL CUENTO ECUATORIANO:
   ETAPAS Y TENDENCIAS

—Miguel Donoso Pareja:
   LO MISMO QUE EL OLVIDO

—Agustín Cueva Dávila:
   LITERATURA Y REALIDAD SOCIAL

—Jorge Rivadeneira Araujo:
   TIEMPOS IDOS: HISTORIA Y ANECDOTA

—Samuel Guerra Bravo:
   ANTOLOGIA DEL PENSAMIENTO
   ECUATORIANO

—Nancy Ochoa Antich:
   ANTOLOGIA DEL PENSAMIENTO
   LATINOAMERICANO